Dietrich Langen:
Psychotherapie
Kompendium für Studierende und Ärzte

3., überarbeitete und erweiterte Auflage

Deutscher
Taschenbuch
Verlag

Georg Thieme
Verlag
Stuttgart

Prof. Dr. med. D. Langen
Direktor der Klinik und Poliklinik
für Psychotherapie der
Universität Mainz

1. Auflage 1969 (Titel: Psychodiagnostik — Psychotherapie)
2. Auflage 1971

Umschlaggestaltung der dtv-Ausgabe: Celestino Piatti
Satz und Umbruch: Adam Götz, Stuttgart-Bad Cannstatt
Druck: Druckhaus Dörr KG, Ludwigsburg

ISBN 3 13 448103 0 (Georg Thieme Verlag)
ISBN 3-423-04063-7 (dtv)

Vorwort zur 1. Auflage

Trägt man vor Studenten oder lernenden Ärzten Fragen der Psychodiagnostik und Psychotherapie vor, pflegt man Umschau zu halten nach geistigen Hilfsquellen, auf die man sich stützen und die man weiterempfehlen kann. Dabei stößt man auf das fünfbändige „Handbuch der Neurosenlehre und Psychotherapie", das selbstverständlich nur als Nachschlagewerk für Einzelprobleme in Frage kommt.

Ferner findet man mehrere Lehrbücher der Psychiatrie, die z. T. bis zu stichwortartigen Kompendien komprimiert sind und meint, daß der Lernende sich hier auch über die Psychotherapie orientieren könnte. Das ist aber nicht der Fall, weil in dieser Kategorie von Büchern bisher die Psychodiagnostik und Psychotherapie einen zu bescheidenen Raum eingenommen hat. Nur in dem neuen umfassenden Kompendium der Psychiatrie von TH. SPOERRI (1968) findet die Psychotherapie auf 16 von 219 Seiten Platz.

Schließlich existieren einzelne Bücher, die einen Überblick über das Gesamtgebiet der Psychotherapie geben. Hier muß vor allem „Die seelische Krankenbehandlung" von J. H. SCHULTZ (1. Aufl. 1918, 8. Aufl. 1963) erwähnt werden. Es ist ein „Grundriß" und gibt als solcher „Wesen und Anwendungsbereich der verschiedenen Methoden eines Gebietes in kurzen Zügen" wieder (SCHULTZ, 1963, S.VIII). Trotzdem ist auch dieses Lehrbuch auf 366 Seiten angewachsen, was an sich durchaus der Bedeutung des Faches entspricht, bei der Stoffülle der heutigen Medizin aber immer noch zu umfangreich ist, um wirklich einen breiteren Leserkreis zu erfassen. Das haben Umfragen eindeutig ergeben. Deshalb schien es sinnvoll, neben dem bisher vorliegenden „Grundriß" die hier angebotene Einführung zu schreiben.

In der vorliegenden „Psychodiagnostik — Psychotherapie" soll statt einer Deutung die Beschreibung und damit die Oberfläche des psychisch Beobachtbaren bevorzugt werden. Das gegenwärtig Sichtbare auf dem Hintergrund der Biographie und der genetischen Matrix sei die Richtschnur der Psychodiagnostik. Das führt zu einer Fülle unterschiedlicher „Typen seelischer Störungen", die man nicht alle zusammen als „Neurose" bezeichnen sollte. Das geschieht aber heute immer wieder. Je nach dem Standpunkt des Arztes und je nach dem vorhandenen oder ausbleibenden Erfolg in einer seelischen Krankenbehandlung besteht die Neigung, den einzelnen Fall summarisch mit dieser oder jener Bezeichnung zu etikettieren.

So werden gerade im Bereich seelischer Störungen Gesichtspunkte für die Diagnostik herangezogen, die mehr durch die emotionelle oder schulische Einstellung des Arztes bestimmt sind als durch die Befunde beim Patienten.

Das andere Problem, das vor allem die Psychodiagnostik durchzieht, ist die bisher ungelöste Leib-Seele-Frage. Hier wird ein Anliegen vorgetragen, das zwar keine Lösung bringt, aber den mit diesen Fragen beschäftigten Arzt schon durch die Wahl der verwendeten Begriffe anregen soll, in zwei Ebenen zu denken, ohne eine von beiden zu bevorzugen. Die Leib-Seele-Frage scheint für den Arzt ein schwer lösbares Problem zu sein. Er wird leicht entweder ein vorwiegend von der Erlebnisgeschichte seiner Patienten beeindruckter ‚Psychiker', der schnell geneigt ist, dem Psychischen den Vorrang vor dem Somatischen zu geben, oder er entwickelt sich zu einem ‚Somatiker', der körperliche Befunde sichtbar, meßbar und wägbar fixieren kann und auf Grund dieser Befunde meint, er habe damit die Diagnose für seine Patienten gefunden. Aus solchen Einstellungen heraus aber ist es dem Arzt nicht möglich, den psychophysischen Wechselbeziehungen seiner Patienten so nachzugehen, wie es dem Leib-Seele-Problem entspricht. Vielleicht gelingt es uns besser, wenn wir uns von Anfang an dazu erziehen, auch in der Terminologie zwischen der psychischen und somatischen Ebene zu unterscheiden. Das ist jedenfalls mein Anliegen, dem vor allem die ersten Seiten des Buches gelten. Sie sind in der Konzeption am schwierigsten, stellen aber gleichzeitig die ältesten eigenen Bemühungen dar und versuchen, Gedankengänge früherer Psychiater fortzusetzen.

Kurz nach Fertigstellung des Manuskripts erschien im gleichen Verlag das Buch von BRÄUTIGAM (1968) ‚Reaktionen — Neurosen — Psychopathien'. Beide Darstellungen überschneiden sich nur geringfügig und stimmen in den grundsätzlichen Auffassungen überein. Soweit unterschiedliche Gesichtspunkte vorliegen, sind sie an den entsprechenden Stellen berücksichtigt.

Mainz, im Frühjahr 1969 — DIETRICH LANGEN

Vorwort zur 2. Auflage

Innerhalb eines Jahres hat sich auf dem Gebiet der Psychodiagnostik und Psychotherapie nicht viel Neues ereignet, so daß die Erstauflage weitgehend übernommen werden konnte. In den beiden Kapiteln über „Medikamentabhängigkeit und Alkoholabusus" sowie „Zweigleisige Psychotherapie" schienen aber Ergänzungen wünschenswert, weil die darin behandelten Fragen in letzter Zeit besonders in den Blickpunkt rückten. Neu hinzugefügt wurde ein Kapitel über „Verhaltenstherapie", da sie in der klinischen Psychologie als Therapieform immer mehr an Bedeutung gewinnt.

Frau ANNEMARIE HEUTE sei an dieser Stelle gedankt für die unermüdliche Hilfestellung bei der Vorbereitung dieser zweiten Auflage und besonders für die kritische Durchsicht des neuen Abschnittes „Verhaltenstherapeutische Verfahren".

Mainz, im Herbst 1970 DIETRICH LANGEN

Vorwort zur 3. Auflage

Auf dem Gebiet der Medikamentabhängigkeit hat sich nach der zweiten Auflage wieder einiges geändert. Sie wird erweitert und von den verschiedenen Formen des Alkoholabusus getrennt dargestellt.

Die „Typen seelischer Störungen", die schon immer an die Auffassung der WHO angelehnt waren, sind in dieser Auflage auch der Reihenfolge nach angepaßt.

Neu hinzugekommen ist das Kapitel über „krisenhafte Pubertätsentwicklungen".

Frau Annemarie HEUTE sei auch hier wieder gedankt für die kritische Durchsicht des Manuskripts und dem Verlag G. Thieme und seinem Leiter, Herrn Dr. h. c. G. HAUFF, für die Betreuung und die so preisgünstige Herstellung des Taschenbuches.

Mainz, im Sommer 1972 DIETRICH LANGEN

Inhaltsverzeichnis

Allgemeines zur Psychodiagnostik und Psychotherapie

Alle Probleme seelischer Störungen kreisen letztlich immer um das Leib-Seele-Problem. Das zeigt sich bei den psychosomatischen Krankheiten am deutlichsten. Innerhalb der verschiedenen Lösungsversuche wird das Modell der psychophysischen Wechselbeziehungen den zu behandelnden Fragen am besten gerecht.

Ursache — Wirkung, Bedingung — Folge

Eine wichtige Ausgangslage ist die Frage nach der ‚seelischen Ursache'. Um ihr nachzugehen, müssen einige allgemeine Ausführungen vorangestellt werden:

Ursache oder ‚causa' ist ein schwer zu definierender Begriff. Erstens wird ‚causa' verwandt als *Ursächlichkeit* im Sinne einer Wirkungsart und Wirkungskraft. Zweitens meint sie die *Beziehung* zwischen Ursache und Wirkung.

In der Regel ist auch im körperlichen Bereich ein Geschehen nicht Folge einer einzigen Ursache, sondern es wirken vielfältige Ursachen zusammen. Die einlinige Beziehung zwischen Ursache und Wirkung ist meist völlig dunkel. Dazwischen liegen oft unübersehbare Abschnitte des Geschehens. Ebenso hat ein Phänomen in der Regel viele Ursachen. Je mehr verschiedene Ursachen angenommen werden, desto geringer wird die Erkenntnis über kausale Zusammenhänge. Da wir nie die direkten Ursachen wirklich kennen, forschen wir nach den Zwischenursachen.

Die Vieldeutigkeit des Begriffes ‚Ursache' wird ferner sichtbar, wenn wir uns die einzelnen Bedeutungen ansehen. Der Begriff causa wird gebraucht als:

1. bloße Bedingung dauernder Umstände
2. auslösende Veranlassung
3. entscheidend wirksame Kraft (nach Jaspers S. 376).

Die Physik ist die Wissenschaft, die sich am exaktesten mit den Begriffen Ursache — Wirkung auseinandersetzt. Alle Vorstellungen in der Physik sind aber nicht ohne weiteres auf die Medizin übertragbar, da hier mehrere Rahmenvorstellungen vom Gesamtgeschehen erforderlich sind. Statt des in der Physik gültigen mechanischen Bildes braucht man in der Medizin eine *biologische Rahmenvorstellung,* aus der heraus alle körperlichen Vorgänge erklärbar werden. Dabei werden unendliche Wechselwirkungen angenommen in Form eines verwickelten Geschehens. In der Kausalerkenntnis, die auf einfachen einlinigen Ursache-Wirkungs-Verhältnissen aufgebaut ist, gilt das Letzte als Ursache. Das aber ist irreführend, weil das Letzte nur wirken kann, wenn Bedingungen erfüllt sind, die als Zwischenglieder wirken. Somit ist im Leben nicht das Einlinige das Wirkliche, sondern das Vielfache.

Im biologischen Bezugsrahmen der Medizin spielen Kausalverhältnisse in Wechselwirkungen eine Rolle. Zur mechanischen Kausalität kommen noch andere biologische Ursachen hinzu, so daß eine rein mechanische Kausalität nie anzutreffen ist. Da aber „alle erkannte Kausalität nur mechanischen Charakter hat" (JASPERS), wird schon im somatisch-biologischen Bereich die exakte Anwendung des Kausalitätsgesetzes fragwürdig und ist nur selten anwendbar. Es ist noch am ehesten da zu verwenden, wo rein physikalisch meßbare Kräfte auf den Körper einwirken. Schon bei anderen Krankheitsbildern aber ist die eingliedrige Anwendung des Kausalitätsgesetzes nicht möglich. So verursacht ein Bazillus nicht allein eine Infektionskrankheit, sondern es sind noch andere Ursachen für die Manifestation nötig. Nach dem Modell der mehrdeutigen Kausalgesetze sind aber auch hier die Zusammenhänge noch erklärbar.

Oft nicht mehr überschaubar aber werden rein somatische Vorgänge, wenn sie sich im Bereich des Gefäßsystems oder des vegetativen Nervensystems abspielen; denn dann kommt der seelische Bereich als neue Dimension dazu. Im Psychischen werden die Zusammenhänge praktisch unüberschaubar. Es fließen so viele zusätzliche Faktoren mit hinein, daß man mit Fug und Recht sagen kann: Im psychischen Bereich ist das Kausalgesetz ungültig und damit praktisch nicht verwendbar. Wir kennen hier somit kein Ursache-Wirkungs-Gesetz, sondern sprechen von einem Bedingungs-Folge-Gefüge. Ähnlich formuliert WILLWOLL (s. BRUGGER [Hsg.] 1964 S. 387): „Die Willensfreiheit widerstreitet keineswegs dem allgemeingültigen Satz vom hinreichenden Grund oder dem ebenso allgemeingültigen Kausalitätsprinzip, dessen Sonderfall, der Kausalsatz, seiner Geltung nach auf körperliches Geschehen beschränkt ist."

Die unterschiedliche Bedeutung der Kausalitätsverhältnisse ist der eine Grund, weshalb Vorgänge auf der somatischen Ebene anders bezeichnet werden sollten als Vorgänge im psychischen Bereich. Ein zweiter Grund liegt in der unterschiedlichen Beobachtbarkeit psychischer und somatischer Vorgänge. Hier gelten nach wie vor die Aussagen von K. JASPERS, weshalb von ihm ausgegangen werden soll.

Das Kausale und damit das Kausalgesetz beschäftigt sich mit dem Somatischen, Physiologischen und Außerbewußten. Das Kausale kann erklärt werden. „Das Kausale trifft auf Fremdes, Unverständliches" (JASPERS S. 384). Das gilt für die körperlichen Vorgänge und für psychische Zusammenhänge, soweit sie als Wirkung einer körperlichen Krankheit auftreten. Im übrigen aber können seelische Vorgänge nicht erklärt, sondern nur dem Verstehen nähergebracht werden. „Das Verstehen trifft auf mich selbst im anderen, auf den Menschen als den Nahen" (JASPERS S. 384). Nur so kann der Beobachter verstehen, wie Seelisches aus Seelischem hervorgeht. Es ist ein einfühlender Vorgang, durch den der Beobachter „mit Evidenz" (wie JASPERS es treffend bezeichnet) nacherlebt, wie seelische Bedingungen gelagert sind. Dabei wird dem Beobachter im anderen seelisches Erleben evident, d. h. der Beobachter erlebt wieder (= e-videre). Der Beobachtende erlebt somit nach, wie ein Erlebnis zur Bedingung für eine seelische Regung in Form einer emotionellen oder mehr körperlichen Äußerung wird. Es wird ihm evident, wie ein Erlebnis z. B. zur Bedingung wird für eine vegetative Reaktion.

Dieses Bedingungs-Folge-Gefüge ist deshalb nichts grundsätzlich anderes als das Ursache-Wirkungs-Gesetz und soll vor allem keine Kausalität ausdrücken, sondern nur die unendliche Verzweigung des Kausalitätsgesetzes im Psychischen betonen.

Beide Gesichtspunkte oder Reihen voneinander auch nomenklatorisch zu unterscheiden, hat folgende Vorteile:

1. Die unterschiedlichen Ebenen des Erklärbaren und Verstehbaren können besser getrennt werden.

Für alle somatisch-physiologischen Vorgänge werde ich Bezeichnungen wählen, die schon durch die Wortwahl der Ebene des Ursache-Wirkungs-Gesetzes entsprechen, während alle seelischen Vorgänge auch im sprachlichen Bezugssystem auf das Bedingungs-Folge-Gefüge hinweisen sollen. Bezeichnungen wie ‚seelisch verursacht' sind ebenso falsch wie ‚körperlich bedingt', weil sie aus verschiedenen Ebenen stammen.

Sätze wie: „Wie hat das Erlebnis auf ihn gewirkt" sollten dann ebenso wegen einer begrifflichen Klarheit ersetzt werden durch „Was hat das Erlebnis bei ihm bedingt"; statt „seelische Wirkung" muß es „seelische Folge" heißen usw.

Eine solche sprachliche Trennung der Bezugsebenen endet erfahrungsgemäß nicht in philologischen Haarspaltereien, sondern erzieht zu begrifflicher Klarheit. Verringert sie sich, so sind die Gefahren groß, wie aus der Geschichte der Medizin bis in die Gegenwart hinein immer wieder festgestellt werden kann.

2. Das Denken im Bezugsrahmen der psychophysischen Wechselbeziehung wird erleichtert. Denken ist inneres Sprechen. Beides hängt somit eng zusammen. Soll das Denkmodell der psychophysischen Wechselbeziehung in der Vorstellungswelt des einzelnen Arztes so

verwurzelt sein, daß er ganz darin lebt, muß es bis in die Begriffswelt hineinreichen. Erst wer in einem Bezugsrahmen spricht, fängt an, in ihm zu denken. Dadurch lernt gerade der junge Mediziner etwas, was häufig schwer erfahrbar ist.

Begriffserklärung

In der Psychodiagnostik und Psychotherapie kümmert sich der Arzt bevorzugt um die seelisch Gestörten und die abnormen Persönlichkeiten. Obwohl es sich hierbei um unterschiedliche Zustände handelt, soll das Gemeinsame herausgestellt werden. Bei allen abnormen Persönlichkeiten und seelisch Gestörten liegen quantitative Abweichungen vor im Gegensatz zu Krankheiten, die qualitativ von der Norm abweichen. Dies hat H. Binder besonders schön aufgezeigt sowie K. Schneider und seine Schüler immer wieder betont.

Bevor eine Übersicht über die Typologisierung seelischer Störungen möglich ist, müssen die wichtigsten Begriffe geklärt werden.

In dem hier zu behandelnden Bereich haben wir es vorwiegend mit ‚funktionellen Abnormitäten' zu tun.

Funktionell. Unter ‚Funktion' versteht man in der Physiologie die Leistung eines Organes. Sie wird je nach den Erfordernissen innerhalb einer ‚funktionellen Breite' gesteuert. Somit besagt der Begriff ‚funktionell': die Funktion betreffend oder etwas weiter gefaßt: die die Funktion betreffende Veränderung, mehr nicht. Der Begriff ‚funktionell' sagt somit für sich allein nichts aus über eine Auffälligkeit, Abnormität oder Störung. Soll sie zum Ausdruck gebracht werden, muß sie direkt benannt werden. Gemeint ist bei ‚funktionell' eine Veränderung der Funktion im Rahmen der physiologischen Spielbreite. ‚Funktionelle Störung' ist eine Störung auf der Basis der Funktionsveränderung. So ist z. B. ein Asthma bronchiale eine funktionelle Störung auf der Basis der veränderten Atemfunktion, eine paroxysmale Tachykardie eine funktionelle Störung bei verändertem Herzrhythmus.

Die durchschnittliche Reaktionsweise eines Organsystems nennen wir *funktionelle Norm.* Von ihr weichen die verschiedengradig Abnormen ab.

Funktionelle Störungen beinhalten somit quantitative Abweichungen somatischer und auch psychischer Lebensfunktionen ohne strukturelle Veränderungen. Das Stottern z. B. ist eine funktionelle Störung der Sprache, ohne daß damit etwas über die Bedingung ausgesagt wird. Ebenso stellt im psychischen Bereich eine erhöhte emotionelle Irritierbarkeit eine quantitative Abweichung der Stimmungsregulation dar, so daß auf ein Ereignis eine stärkere oder länger anhaltende seelische Reaktion erfolgt. Die Bezeichnung ‚Störung' drückt somit eine Abweichung von der Norm aus. Das nennen wir ‚Abnormität'. Die Abnormität stellt also eine quantitative funktionelle Abweichung von der Norm dar, die aber dem Normalen stets ähnlich bleibt. JASPERS spricht von „Varianten des menschlichen Daseins".

Eine funktionelle Störung kann körperlich verursacht sein wie eine Tachykardie bei BASEDOW-Krankheit, oder psychisch bedingt wie eine Tachykardie bei einer Phobie. Die Bezeichnung ‚funktionelle Störung' sagt über ihre Genese oder Bedingung somit noch nichts aus.

Die Funktionen einzelner Organe und seelischer Abläufe sind normalerweise aufeinander abgestimmt, d. h. integriert. Eine verschieden stark ausgeprägte Verringerung der Integration ist somit das gemeinsame Kennzeichen einer Funktionsstörung. BINDER (1960) spricht hier von „Desintegration" als dem gemeinsamen Grundcharakter der funktionellen Abnormität, wobei die normale Integrationsfähigkeit nicht zustande kommt. Durch die Desintegration wird die harmonische Abstimmung der Teile auf ein gemeinsames Ganzes hin beeinträchtigt. Es entwickelt sich zu gleicher Zeit in verschiedenen Teilen ein Zuviel oder ein Zuwenig, oder ein sowohl Zuviel als auch Zuwenig an funktioneller Intensität.

Diese mangelnde Integrationsfähigkeit ist ganz entscheidend durch die Anlage verursacht. Sie ist nicht immer gleich stark, sondern kann vor allem in Zeiten biologischer Krisen (Pubertät, Klimakterium oder Wochenbett) und bei Rekonvaleszenz oder exogenen Schädigungen noch weiter zunehmen.

Wie bei allem Lebendigen ist die Desintegration verschieden stark ausgeprägt. Es gibt Menschen, „bei denen nur eine Gefährdung zur Desintegration" vorhanden ist (BINDER, 1960, S. 186). Sie erreichen in vielen Lebensbezügen eine gute Kompensation. Für bestimmte Bereiche des Lebens aber sind sie erhöht anfällig. Werden sie in diesem Bezirk belastet, wirkt sich die ‚Gefährdung zur Desintegration' aus. Sie spielt z. B. eine Rolle bei konstitutionell Teilretardierten oder Intersexen bei Konfrontation mit Problemen aus der Sexualsphäre oder bei Lebensaufgaben, für deren Bewältigung die Sexualkonstitution ausgereift sein muß. Ähnliches gilt für gewissenhafte Menschen, wenn sie in einer Lebenssituation stehen, die sie dauernd in diesem Bereich strapaziert. Gerade bei Menschen mit Gefährdung zur Desintegration gilt, daß Anlage und seelische Konstellation zusammenpassen müssen wie Schlüssel und Schloß.

Synonyme Bezeichnungen für ‚Gefährdung zur Desintegration' (BINDER) sind: diskordant Normale (KAHN), Gefährdungsstrukturen (v. BAYER), eigenartige Persönlichkeiten (HEINZE) Menschen der äußeren Norm (LUXEMBURGER), auffällige Veranlagung (RIEDEL) und essentielle Labilität der Persönlichkeit (LANGEN).

Gegenüber der funktionellen Störung stellen Krankheiten qualitative Abweichungen von der Norm dar: „Krankheiten sind dadurch gekennzeichnet, daß qualitativ abwegige, allem Gesunden gänzlich unähnliche Abwandlungen gewisser Funktionen oder funktioneller Zusammenhänge auftreten, die in dem Sinne ursprünglich sind, daß sie nicht auf quantitative Schwankungen ... zurückgeführt werden können" (BINDER 1960, S. 181). Für Krankheiten im Psychischen ist die Unterbrechung der Kontinuität der Persönlichkeitsentwicklung und die Veränderung wesentlicher Sinnbezüge charakteristisch. Das hat vor Jahrzehnten JASPERS klar aufgezeigt.

Auch für den Psychotherapeuten ist die Orientierung an einem medizinischen Krankheitsbegriff sinnvoll. Qualitative Abweichungen im psychischen Bereich sind relativ leicht zu beurteilen. Wenn jemand Stimmen hört, die aus der Wand kommen und auf seine Gedanken antworten, ist das qualitativ Abwegige leicht zu erkennen. Wenn jemand ohne psychologisch verstehbaren Grund von einer ungeheuren Angst befallen wird oder wenn Intelligenz, Gedächtnis und Orientierung verloren gegangen sind, ist es leicht, etwas Krankhaftes festzustellen. Schwieriger zu beurteilen sind dagegen emotionelle Verschiebungen, da sie als quantitative Verschiebungen und als qualitative Abweichungen vorkommen können, ja manchmal auch als beides zusammen. Die endogenen Psychosen (Zyklothymie und die Gruppe der Schizophrenien) sind gerade dadurch charakterisiert, daß gesundes und krankes psychisches Verhalten nebeneinander vorkommen kann. Wie schwer zu klären die Befunde oft sind, wird bei der Besprechung der leichteren depressiven Phasen und der larvierten Depressionen sichtbar. Die Verschiebung der Stimmungslage ist hier durch Krankheit bewirkt. Viele Einstellungen, z. B. den Lebensproblemen gegenüber, wirken, als ob sie durch psychologische Faktoren bedingt seien.

Das Leiden ist dagegen kein geeigneter Orientierungspunkt, von dem aus die Frage krank oder gesund entschieden werden kann. Viele Störungen, mit denen wir es hier zu tun haben, sind seelisch bedingt. Hierfür wird meist die Bezeichnung ‚psychogen' verwandt. Dabei wird oft die seelisch bedingte Störung mit in den Begriff eingeschlossen, obwohl sie gar nicht in ihm enthalten ist. ‚Psychogen' meint einfach ‚seelisch bedingt', ohne daß damit schon etwas über das Abnorme ausgesagt ist. Beschleunigt sich z. B. der Pulsschlag durch eine freudige Nachricht, so ist dies ‚psychogen'. Wie die Bezeichnung ‚funktionell' sagt auch ‚psychogen' etwas Abnormes nur aus in Verbindung mit dem Begriff ‚Störung'.

Der Begriff ‚psychogen' sollte lieber ersetzt werden durch die indifferente Bezeichnung ‚psychoreaktiv' oder ‚seelisch bedingt', und zwar aus folgenden Gründen:

1. Die Silbe ‚-gen' (griech. = erzeugend, bildend) wird für Bezeichnungen verwandt, die aus dem Bereich der Naturwissenschaften stammen und damit aus der Kategorie des Ursache-Wirkungs-Gesetzes. Am deutlichsten wird dies bei der Bezeichnung ‚kausalgenetisch'.

2. Aber auch die ‚Genetik' (Erblehre) selber weist mit den ‚Genen' und den ‚genetischen Faktoren' so stark auf somatische Zusammenhänge hin, daß die Verwendung der Silbe ‚-gen' im psychologischen Bereich unzweckmäßig erscheint.

Gerade die Verwendung des Begriffes psychogen zeigt, wie leicht etwas als seelisch *verursacht* angesehen werden kann, d. h. wie schnell gedankliche Unschärfe sich sprachlich äußert und umgekehrt. Deshalb besteht hier das Anliegen, durch eine begriffliche Präzisierung das Denken zu schulen.

3. Durch die Bezeichnung ‚psycho-*reaktiv*' entsteht ein besonders klarer Kontrast zu ‚somato-*gen*'. Durch die Gegenüberstellung dieser beiden Bezeichnungen wird das eigene Anliegen deutlich, auch durch sprachliche Abgrenzung die psychophysische Wechselbeziehung hervorzuheben. Halten wir deshalb fest: Körperlich verursacht entspricht somatogen; seelisch bedingt entspricht psychoreaktiv.

4. Wie viele im Bereich der psychologischen Medizin angewandte Begriffe, beginnt man auch die Bezeichnung ‚psychogen' abwertend zu benutzen. Dies ist ein weiterer Grund, statt ‚psychogen' die Bezeichnung ‚psychoreaktiv' zu wählen, wenn es sich um ‚seelisch bedingte' Faktoren handelt.

So sagt ‚funktionell' etwas über Art und Ort der Störung aus, während die Charakterisierung ‚psychoreaktiv' etwas über die Bedingtheit aussagt. Eine funktionelle Störung kann also sowohl psychoreaktiv, d. h. seelisch bedingt (z. B. Tachykardie infolge von Angst), als auch somatogen, d. h. körperlich verursacht sein (z. B. affektive Dekompensation durch Schlafentzug).

Zum Abschluß dieser ausschließlich der Klärung der Begriffe dienenden Ausführung sollen noch einige Gedanken über die Bezeichnung ‚*Neurose*' folgen: Auch dieser Begriff wurde ungebührlich ausgedehnt. Neurose wird heute oft gleichgesetzt mit ‚seelisch bedingte Störung'. Das ist selbstverständlich ohne weiteres möglich; doch muß man sich darüber verständigen. Ob eine derartige Ausweitung zweckmäßig ist, bleibt dahingestellt. Eine abnorme seelische Reaktion auf ein akutes psychotraumatisches Ereignis ist dann nämlich von der Bezeichnung her gesehen das gleiche wie eine abnorme seelische Entwicklung. Noch grotesker wird die Gefahr der Überdehnung des Neurosebegriffes bei seiner Anwendung auf Patienten mit Zwangserscheinungen (s. S. 45). Es gibt im Bereich psychoreaktiver Störungen kaum etwas Unterschiedlicheres als verschiedene Patienten mit

Zwangsphänomenen. Deshalb soll hier die Bezeichnung ‚Neurose' im Anschluß an BINDER (1960) nur verwandt werden für abnorme seelische Entwicklungen, bei denen sich verselbständigte Komplexe nachweisen lassen. Das entspricht einer Neurose im engeren Sinne.

Ähnlich bemüht sich BRÄUTIGAM um eine genauere Abgrenzung. Bei den konfliktmotivierten Störungen unterscheidet er die Konfliktreaktionen von den neurotischen und den psychopathischen Entwicklungen. Der bei ihm verwandte übergeordnete Begriff „konfliktmotivierte Störung" entspricht unserer Bezeichnung der „seelischen Störung", bei der die neurotischen Entwicklungen ebenfalls nur einen Teil darstellen (s. S. 16).

Typologisierung seelischer Störungen *

In der jetzt folgenden Einteilung wird von einer ,Typologisierung' und nicht von einer ,Klassifikation' gesprochen, bei der Klassenbegriffe in immer differenziertere Begriffsgruppen unterteilt werden, so daß eine sog. Begriffspyramide entsteht (s. Brockhaus-Enzyklopädie, Bd. 10, 1970). Hier unterscheidet sich eine Gruppe von der anderen scharf und deutlich. Das gilt in etwa auch für die deutsche Bezeichnung ,Einteilung'.

Durch ,Typologisierung' aber soll wieder betont werden, daß im Bereich der zu erörternden Störungen eine klare und scharfe Unterscheidung nicht möglich ist. Unter einem Typus fassen wir eine Mehrzahl von Einzelwesen zusammen, die sich nicht wie bei den Art- und Gattungsbegriffen durch scharf abgegrenzte Merkmale voneinander unterscheiden, sondern durch Kennzeichen, die ein Mehr oder Weniger zulassen. Gerade solche Kennzeichen sind bei einer Beschreibung seelischer Störungen wichtig, da es sich bei ihnen ausschließlich um eine quantitative Verschiebung von der Norm handelt (s. S. 5). Es geht also nicht um ein ,Ja' oder ,Nein', sondern um ein ,Mehr' oder ,Weniger'.

Auf der einen Seite stehen die normalen seelischen Verhaltensweisen, auf der anderen die *abnormen seelischen Reaktionen*. Ausgehend von statistischen Durchschnittswerten lassen sich — selbstverständlich nur in gewissen Grenzen — Reaktionsweisen auf akute oder länger wirkende seelische Traumatisierungen annehmen, die auch vom soziologischen Raum abhängen. Hierauf soll nicht eingegangen werden. Interessierte seien vor allem auf MÜLLER-SUUR verwiesen. Uns beschäftigen nur die Typen seelischer Störungen.

Abnorme seelische Reaktionen

Dieser Typ seelischer Störungen wurde von K. SCHNEIDER als „abnorme Erlebnisreaktionen" besonders präzis beschrieben. Als Folge einer akuten psychischen Traumatisierung wie Kränkung, Verlust, Beschämung, Furcht oder auch Freude treten derartige abnorme seelische Verhaltensweisen auf. Abnorm sind die seelischen Reaktionen in bezug auf Ausmaß und Dauer.

Beim Verlust eines nahen Angehörigen gehören Trauer und Verstimmung mit allen Begleitumständen in unserem kulturellen Raum zu

* s. dazu Tab. 2, S. 46

den normalen Reaktionsweisen. Es wäre abnorm, wenn seelische Reaktionen fehlten. Werden die auf das Ereignis eintretenden Verhaltensweisen aber, gemessen an dem Normalverhalten, überdurchschnittlich stark oder dauern überdurchschnittlich lange an, so liegt z. B. „eine depressive Erlebnisreaktion" als Ausdruck einer seelischen Störung vor.

Der von Bräutigam gebrauchte Begriff „Konfliktreaktion" entspricht weitgehend der hier gemeinten abnormen seelischen Reaktion. Weitere Bezeichnungen im deutschen Sprachraum sind: „Situationsreaktion" (Homburger), „Fremdneurose" (Schultz) und „psychogene Reaktion" (Strotzka).

Bräutigam sieht in der Konfliktreaktion mit Recht außer der Gewichtigkeit des Konfliktes noch „die Eindrängung der Belastung in die Motivation des Menschen" (S. 28). Sie „entscheidet" darüber, ob eine abnorme Reaktion zustandekommt oder nicht" (S. 28). Deshalb ist auch bei derartigen abnormen seelischen Reaktionen „nach einem Konflikt, d. h. hier einer widersprüchlichen Motivation zu forschen" (S. 28). Darum wählt Bräutigam konsequenterweise die Bezeichnung „Konfliktreaktion".

Typen dieser psychischen reaktiven Störungen sind zunächst einmal alle seelischen Reaktionen, die übermäßig stark sind oder lang anhalten.

Häufige Typen sind:

Kurzschlußreaktionen

Hier kommt es als Reaktion auf ein seelisches Trauma zu einer plötzlichen übermäßig starken Auffälligkeit, meist auf der motorischen Ebene, mit Fortlaufen, Suizidversuch oder anfallsartigen Zuständen. Fällt die belastende Situation weg, ist die Prognose günstig. Der Therapeut muß sich vorwiegend um die Bearbeitung der Konfliktsituation bemühen.

Explosivreaktionen

Sie ähneln den Kurzschlußreaktionen, jedoch kommen aggressive Gewalthandlungen häufiger vor. Bezeichnenderweise wird die seelische Spannung nicht innerlich verarbeitet, sondern entlädt sich nach außen. Die Prognose ist nicht ganz so günstig wie bei den Kurzschlußreaktionen. Das therapeutische Bemühen muß sich deswegen etwas mehr auf die emotionelle Stabilisierung richten, wobei das autogene Training gute Dienste leistet. Gleichzeitig sollte die Konfliktsituation bearbeitet werden.

Die genannten beiden Typen werden den seelischen Primitivreaktionen zugeordnet.

Seelisch bedingte Fehlgewöhnungen

Sie kommen ebenfalls meist auf der motorischen Ebene vor und sind abnorme seelische Reaktionen, die sich z. B. aus einer einfachen Schutzhaltung nach schmerzhaftem Geschehen entwickeln. So kann z. B. die bei Erkrankung des Nervus ischiadicus sinnvolle Schmerzschutzhaltung des Beines beim Gehen fixiert werden, nachdem die Entzündung abgeklungen ist, um einen weiterbestehenden Leidenszustand zu demonstrieren.

Ein anderes typisches Beispiel ist das Beibehalten einer durch Schreck bedingten plötzlichen Innervationsstörung der Stimmbänder (Aphonie). Dann kommt es bei jedem Versuch, die Stimme normal zu intendieren, zu einer Fehlinnervation.

Das bekannteste Beispiel einer zweckvollen Vortäuschung waren die Kriegszitterer aus dem ersten Weltkrieg. Hier wurde Zittern als eine bei Schreck vorkommende motorische Reaktion fixiert und automatisiert, so daß es sich ohne bewußtes Zutun einstellte. Es springt also ein Gelegenheitsapparat ein, der verselbständigt und in den Dienst eines demonstrativen Geschehens gestellt wird.

Schließlich müssen die willkürlichen Reflexverstärkungen genannt werden, die bei vielen zu Demonstrationen neigenden Persönlichkeiten vorkommen.

Der *Verlauf* aller psychoreaktiven Fehlgewöhnungen ist um so günstiger, je früher die Störungen erfaßt werden können. Je mehr sie sich aber einschleifen, desto schwieriger wird die Behandlung.

Die *Therapie* muß vor allem darin bestehen, die Tendenzen zu erkennen und zu verhindern. Danach muß die Fehlhaltung aktiv und wachsuggestiv umgeübt werden, um nach Möglichkeit in einer einzigen Behandlung die motorische Fehlgewöhnung abzubauen. Manchmal schnappt dann die normale Funktion wieder ein. Hierfür ist die von E. Kretschmer im ersten Weltkrieg entwickelte Protreptik als einzeitige wachsuggestive Therapie nach wie vor sehr nützlich. Mit allen Sinnesreizen, d. h. optisch, akustisch oder mit leichten Schmerzreizen, muß versucht werden, die motorische Fehlinnervation wieder in den normalen Ablauf zu bringen, was um so leichter möglich ist, je früher man die Störung erfaßt. Was über eine einzeitige wachsuggestiv umübende Behandlung hinausgeht, ist keine Protreptik mehr.

Sehr häufig wird das Wesentliche an der Protreptik verkannt. Sie wird meist mit der sog. Kaufmann-Therapie gleichgesetzt, bei der der Patient durch Applikation von Schmerzreizen gezwungen werden soll, seine Symptomatik aufzugeben. Damit aber hat die Protreptik gar nichts zu tun. Die bei ihr verwendeten faradischen Stromimpulse sollen bei funktionellen Lähmungen dem Patienten die normale Arbeit des Muskels demonstrieren und ihn unter gleichzeitigen Signalreizen auch auf anderen Sinnesgebieten zu einer Muskelkontraktion veranlassen. Der bei dem Stromstoß entstehende Schmerz wirkt nur als milder Signalreiz, um den richtigen Zeitpunkt der willkürlichen Innervation zu ermöglichen.

Weitere Typen abnormer seelischer Reaktionen sollen hier nur ganz kurz gestreift werden, wobei gleichzeitig in Anlehnung an BRÄUTIGAM die Bezeichnung „Konfliktreaktion" gewählt wird.

Einfache situative Konfliktreaktionen

In engem zeitlichem Zusammenhang mit einer von außen kommenden Belastung können sich vor allem im Bereich emotioneller und vegetativer Störungen die verschiedensten Symptome entwickeln. Die Behandlung besteht in kathartischen ärztlichen Gesprächen, die nicht von vornherein in einen Rat einzumünden brauchen. Das Gespräch schafft von sich aus schon eine Distanzierung, vor allem, wenn dem Patienten dadurch der Zusammenhang zwischen Symptomatik und belastender Situation klar wird.

Erschöpfungsreaktionen

Sie treten meist auf in Verbindung mit chronischen Überforderungen, die objektiv oder nur subjektiv vorhanden sind. Gesellschaftliche, wirtschaftliche oder charakterliche Faktoren können hier gleichermaßen eine Rolle spielen. Neben der seelischen Krankenbehandlung müssen auch körperlich roborierende Maßnahmen angewandt werden.

Depressive Erlebnisreaktionen

Hier handelt es sich um relativ häufig vorkommende Störungen, auf die vor allem LINDEMANN (1953) unter der Bezeichnung „fixierte Trauerreaktionen" hingewiesen hat. Unterschiedliche körperliche und seelische Beschwerden und deutliche depressive Symptomatik werden fixiert in Zusammenhang mit dem Tode eines nahen Angehörigen (meist Ehepartner). Die „normale Trauerarbeit" (FREUD) oder „Trennungsarbeit" (LINDEMANN), in der man sich vom Verstorbenen löst, bis er voll und ganz als Toter akzeptiert wird, ist in diesen Fällen unterblieben. In der Therapie muß die Trennungsarbeit nachgeholt werden.

Konfliktreaktionen durch Studium und Prüfung

In Form von Konzentrationsstörung, Arbeitshemmung, Verstimmung und Schlafstörung kommt es zu ängstlich erregten Zuständen und zunehmenden Rückzugstendenzen. Generationsprobleme, Mißverhältnisse zwischen geforderter Leistungsfähigkeit und vorhandener Leistung sind hier ebenso verantwortlich wie falsche berufliche Entscheidungen.

Je weniger Zeit zur Behandlung zur Verfügung steht, desto mehr wird man ich-stützende Verfahren in der Behandlung anwenden. Ein Intelligenztest ist aber in jedem Falle erforderlich, wenn sich diese Frage nicht durch die Anamnese klären läßt.

Als weitere abnorme seelische Reaktion bzw. Konfliktreaktion beschreibt Bräutigam (1968) die *tendenziöse Konfliktreaktion,* den *Selbstmordversuch als Konfliktreaktion* und die *abnorme seelische Reaktion auf Extrembelastung* mit den akuten und chronischen Angstreaktionen.

Manche der oben genannten abnormen seelischen Reaktionen können Übergänge zeigen zu abnormen seelischen Entwicklungen, und zwar zu den leicht durchschaubar aufgebauten *einfachen* abnormen seelischen Entwicklungen, die als nächstes beschrieben werden sollen.

Abnorme seelische Entwicklungen

Das sind Verhaltensweisen, bei denen es unter dem Einfluß chronischer, sich wiederholender psychischer Traumatisierungen zu fortschreitenden unangepaßten quantitativ abnormen Reaktionen kommt.

Derartige Entwicklungen verlaufen in *Stadien.* Man unterscheidet zwischen Ausgangsstadium, Vorstadium und symptommanifestem Stadium.

Die Bezeichnung ‚Stadium' ist gerechtfertigt, um die einzelnen Stufen einer abnormen seelischen Entwicklung klarer gegenüber der Phase und dem Prozeß abzugrenzen. Unter einer ‚Phase' wird ein Vorgang verstanden, der von einem Zustand ausgeht, dann abläuft und wieder zu dem Ausgang zurückkehrt. Typisches Beispiel ist die depressive Phase der Zyklothymie. Aber auch sonst laufen viele biologische Vorgänge phasenförmig ab, wie z. B. Herzaktion, Atmung, Vorgänge bei der Schlaf-Wach-Regulierung usw. Sobald der Begriff Phase gebraucht wird, ist also ein Vorgang gemeint, bei dem ein Zustand erreicht wird, der vorher schon vorhanden war.

Ein ‚Prozeß' führt niemals zu einem Zustand zurück, der vorher bestand. Durch den Prozeß kommt es somit zu irreparablen Veränderungen. Da dies meist ein Kennzeichen somatischer Vorgänge ist, finden wir prozeßhafte Abläufe vorwiegend, wenn nicht ausschließlich, bei normalen oder krankhaften körperlichen Veränderungen. Beispiele hierfür sind das Altern, der schubweise Verlauf der multiplen Sklerose, bei der es jedesmal zu neuen und dann bleibenden Veränderungen kommt, und in der Psychiatrie der prozeßhafte Verlauf der Schizophrenie. Aus der inneren Medizin lassen sich ebenfalls viele Beispiele nennen, wie die zerebrale Arteriosklerose, bei der es nach jeder neuen vaskulären Schädigung zu irreparablen Ausfällen kommt.

Der Begriff ‚Prozeß' ist somit klar definiert und sollte deshalb nur dann verwandt werden, wenn durch einen Vorgang nicht wieder rückführbare somatische Folgen auftreten.

Durch die Bezeichnung ‚Stadium' werden Erscheinungen charakterisiert, die zwar in mancher Hinsicht einen prozeßartigen Verlauf nehmen, aber nicht in den Bereich des Krankhaften gehören in seiner wörtlichen auf körperliche Vorgänge bezogenen Bedeutung. Dazu zählen z. B. alle mit der normalen menschlichen Entwicklung zusammenhängenden psychischen und physischen Vorgänge. So verläuft z.B. das Altern in Stadien. Nicht selten hört man hier die Bezeichnung ‚Phase', wie z. B. „die Phasen der Pubertät" oder „phasenspezifische Symptome der menschlichen Entwicklung". Das ist von der Definition der Phase aus gesehen unkorrekt, da kein Vorgang der menschlichen Entwicklung zu einem früheren Zustand zurückführt. Es kann auch hier nur von „Stadien der Entwicklung" und nicht von „Phasen der Entwicklung" gesprochen werden.

Bei den psychoreaktiven Entwicklungen können folgende Typen durch einige klinische Auffälligkeiten voneinander unterschieden werden:

Durchsichtige abnorme seelische Entwicklungen

Diese Bezeichnung soll nichts über Ausmaß oder Schwere, sondern nur etwas über den Aufbau solcher Störungen aussagen, im Gegensatz z. B. zu den schwer zu durchschauenden paranoiden oder querulatorischen Entwicklungen.

Bei durchsichtigen abnormen seelischen Entwicklungen ist die seelische Antwort der Persönlichkeit gleichsinnig und einheitlich, aber nicht ambivalent wie bei den später zu besprechenden neurotischen Entwicklungen. Das ist besonders wichtig. Als Reaktion auf die chronische psychische Traumatisierung entsteht bei diesen Patienten eine einheitliche Affekteinstellung. Andere z. B. entgegengerichtete Haltungen können gar nicht aufkommen, denn sie werden von der überwiegenden Affektlage beiseite geschoben. „Immerhin bleibt die Einmischung von korrigierenden Tendenzen stets möglich, was prognostisch günstig ist und nicht selten schließlich doch zur Rückbildung der abnormen Entwicklung führt" (Binder, 1960, S. 192). Ein längerer Konflikt zwischen annähernd gleichen Gefühlsinstanzen wie bei den neurotischen Entwicklungen aber entsteht nie.

Beispiele hierfür sind nicht selten. Menschen, die in schwierigen, wenn nicht ausweglosen Situationen leben, können in derartige psychoreaktive Entwicklungen hineinkommen. Sie leiden an der Situation, erkennen sie und haben sie u. U. besonders stark vor Augen. Die Gefühlseinstellung der Situation gegenüber ist weithin einheitlich. In der privaten Lebenssphäre können es schwierige häusliche Verhältnisse, das Leiden eines Ehegatten oder das Mehrgenerationenproblem in der Ehe sein, zu der sich einheitlich ablehnende Haltungen entwickeln, die aber nicht bis zu der notwendigen Konsequenz durchreifen können. Im Beruf kann es ein schwieriger Vorgesetzter oder eine mit dem Wesen unvereinbare Tätigkeit sein, die als überstarker Druck wirkt. (Situationen mit Extrembelastung sollen hier nur erwähnt werden, ohne aber weiter darauf einzugehen, weil sie ein Sonderkapitel darstellen). Die Lebensführung ist an mehreren Stellen der Situation gegenüber nicht adäquat und wird immer einseitiger und verzerrter.

Hierfür ein Beispiel: Eine Frau, zur Zeit der Behandlung etwa 34 Jahre alt, hatte vor drei Jahren einen Suizidversuch begangen und war nach kurzer klinischer psychiatrischer Behandlung wieder entlassen worden. In den letzten Monaten magerte sie zunehmend ab, weshalb der Internist eine Therapie durchführte. Bei der Untersuchung klagte die Patientin über Appetitlosigkeit, Gewichtsverlust, Schlafstörung, Verstimmung und Periodenstörungen. Die körperliche Untersuchung ergab eine ausgeprägte hypoplastische Konstitution mit erheblicher körperlicher Reduzierung. Bei normalem internistischem und neurologischem Befund war in psychischer Hinsicht eine schlechte Zuwendung und eine apathische Psychomotorik festzustellen. Die Stimmungslage war vorwiegend gehemmt und depressiv bei guter Intelligenz. Aus der Biographie der Patientin ist kurz zu erwähnen: Als Kind machte sie eine Wirbelsäulenerkrankung durch und mußte längere Zeit im Gipsbett liegen. Danach war sie aber ein lebenslustiger junger Mensch. Sie heiratete vor 6 Jahren und zog mit ihrem Mann in eine völlig fremde Stadt, in der sie keine persönlichen Bekannten hatte. So kam es zu einer sozialen Isolierung, wobei sie mehr und mehr nur auf den Wohnbereich angewiesen war. Ihr Mann wachte zunächst eifersüchtig darüber, daß sie keinen zu großen Aktionsradius hatte, um mit den Mitmenschen nicht in Kollision zu kommen. Nach dem Suizidversuch vor drei Jahren kam es erneut zu einer sozialen Isolierung, zunehmendem Gewichtsverlust und wachsender Apathie. Dies war der Befund zu Beginn der Behandlung. In der ambulant durchgeführten Psychotherapie wurde zunächst versucht, die Patientin aus der sozialen Isolierung zu befreien. Anfangs war der Erfolg positiv. Die Patientin begann, mit Eigeninitiative den Tag zu gestalten und sich ihren Lebensraum zu vergrößern, wobei sie gleichzeitig in der Lage war, die Lebenssituation zu erhalten. Durch zunehmenden Widerstand der Umwelt aber ließ die beginnende Belebung der Patientin wieder nach, bis sie schließlich nicht mehr zur Therapie erschien.

Hier handelt es sich um eine chronische psychotraumatische Situation mit sozialer Isolierung, die zu einem apathisch depressiven Syndrom führte. Ein Versuch, der Patientin eine Distanz zu der chronisch psychotraumatischen Situation zu vermitteln, scheiterte u. a. auch deswegen, weil zu wenig ambivalente Einstellungen der Belastung gegenüber vorhanden waren. Gerade hier wird die Verbindung zu den abnormen seelischen Reaktionen auf Extrembelastungen (siehe S. 13) deutlich.

Es gibt zwei klinisch wichtige Typen:

a) Sensitiv-paranoide Entwicklungen („sensitiver Beziehungswahn" nach E. KRETSCHMER) mit asthenischer Grundpersönlichkeit und ihrem sthenischen Gegenpol.

b) Expansiv-paranoide Entwicklungen (Querulantenwahn und sog. Rentenneurotiker) mit sthenischer Grundpersönlichkeit und asthenischem Gegenpol. Darauf soll hier nicht weiter eingegangen werden, da die Besprechung mehr in den rein psychiatrischen Bereich gehört und in den entsprechenden Lehrbüchern abgehandelt wird.

Neurotische Entwicklungen im engeren Sinne

Hierbei handelt es sich um Neurosen im engeren Sinne oder um abnorme seelische Entwicklungen mit Komplexverselbständigung. Sie kommen im Bereich der Psychotherapie häufig vor. Das Charakteristische an diesen Störungen soll schon durch die Benennung ausgedrückt werden. Die abnormen seelischen Entwicklungen sind Störungen, die einzelne Stadien durchlaufen, bis es zum ausgeprägten Leidenszustand kommt. Ein wesentliches Kennzeichen ist die Verselbständigung von Komplexen. Hierdurch unterscheiden sich die neurotischen von den bisher beschriebenen einfachen psychoreaktiven Entwicklungen.

Auch BRÄUTIGAM ist es ein Anliegen, diesen Typ seelischer Störungen besonders herauszuarbeiten. An einem eindrucksvollen Schema stellt er in Anlehnung an BINDER die Geschichte und Einengung des Neurosebegriffs dar (S. 71; s. a. SCHÄFER).

Für die neurotische Entwicklung müssen nach BRÄUTIGAM drei Bedingungen erfüllt sein, damit die Diagnose gestellt werden kann: Die Symptomatik muß zeitlich auf eine innere Konfliktsituation beziehbar, die Ambivalenz zu anderen Menschen und Entscheidungen nachweisbar sein. Ferner „läßt sich eine Fixierung bestimmter infantiler Komplexe feststellen" (S. 71), wodurch gerade manche elementare Lebensbereiche unter- oder gar unentwickelt bleiben. Das festzuhalten ist wichtig, da es die Verbindung mit unserem Anliegen aufzeigt: Die komplexhafte Fixierung an frühere Lebensbereiche, bzw. die Unentwickeltheit, läßt sich schon körperbaulich nachweisen durch gleichsinnige dysplastische Einsprengungen, die als Teilretardierung (Hypoplasie) oder als intersexe Einschläge (s. S. 20) sichtbar werden. Als viertes hebt BRÄUTIGAM die Bevorzugung bestimmter Symptome hervor wie phobische Ängste, Zwangsgedanken, Zwangsimpulse und Verstimmungen. Das deckt sich nur teilweise mit unserer Auffassung, da nicht jede phobische Angst oder jeder Zwangsgedanke und Zwangsimpuls Symptom einer neurotischen Entwicklung sein muß. Darauf wird in dem Kapitel Syndrome seelischer Störungen eingegangen.

Meist lassen sich die Stadien einer neurotischen Entwicklung abgrenzen:

Schon das *Ausgangsstadium* bei Menschen, die später an einer manifesten Neurose im engeren Sinne leiden, unterscheidet sich von vielen anderen psychoreaktiven Störungen oder Entwicklungen.

Körperbaulich handelt es sich überdurchschnittlich häufig um Menschen, die neben einer oft uncharakteristischen Grundkonstitution gleichsinnige dysplastische Einsprengungen haben, und zwar vor allem in Form von Teilretardierungen oder intersexen Einschlägen. Diese beiden dysplastischen Varianten weisen schon körperbaulich auf Störungen der Sexualkonstitution hin, die man bei Längsschnittuntersuchungen durch asynchrone Reifungsvorgänge erneut bestätigen kann. Auf die seelische Ebene übertragen bedeutet das: Kindliche Angewohnheiten werden oft länger beibehalten, so daß es leichter zu Fixierungen an frühere Lebensperioden kommt. Die konstitutionellen Auffälligkeiten lassen sich bei Erwachsenen – bei Frauen etwas leichter als bei Männern – durch Befunde objektivieren (s. dazu vor allem E. KRETSCHMER). Die Auffälligkeiten der Sexualkonstitution – hierum handelt es sich ja bei diesen beiden dysplastischen Varianten – machen es verständlich, warum gerade Probleme der Sexualsphäre bei Patienten mit Neurosen im engeren Sinne eine so große Rolle spielen.

Psychisch sind die Menschen im Ausgangsstadium einer psychoreaktiven Entwicklung mit Komplexverselbständigung gekennzeichnet durch Befunde, die sich weit zurückverfolgen lassen: Divergierende Charaktereigenschaften sind bei ihnen etwa gleichstark ausgeprägt. Dadurch kommt es schon normalerweise zu Unentschlossenheit, wenn Entscheidungen verlangt werden, woraus leicht Ambivalenzen entstehen. Die Tendenz zu zwiespältigen, d. h. ambivalenten Reaktionen wird immer dann besonders leicht mobilisiert, wenn der Mensch innerhalb des Bereiches seiner divergierenden Haltungen gefordert wird.

Ein Beispiel mag diesen besonders wichtigen Tatbestand verdeutlichen: Ist ein Mensch beharrlich, wird er bei Anforderungen am ehesten i. S. dieser Beharrlichkeit reagieren und daraus erwachsende

Nachteile in Kauf nehmen, da die Persönlichkeit als Ganzes gleichsinnig auf die Forderung antworten kann. Entsprechendes geschieht bei Tendenzen zum Vorwärtsdrängen. Das gilt für abnorme seelische Reaktionen wie für psychoreaktive Entwicklungen gleichermaßen. Trägt aber nun ein Mensch die Eigenschaft zur Beharrlichkeit und zum Vorwärtsdrängen etwa gleich stark in sich, wird er, wenn diese Haltungen angesprochen werden, immer geneigt sein, mit beiden Eigenschaften zugleich zu reagieren. Da dies aber nicht möglich ist, muß es zu einem inneren Konflikt kommen. Er wird erst gelöst, wenn der Geforderte sich für eine der beiden Möglichkeiten entschieden und auf die andere verzichtet hat.

Im Gegensatz zu der seelisch einheitlichen Persönlichkeit reagiert die uneinheitliche, d. h. eine durch divergierende Charaktereigenschaften gekennzeichnete Persönlichkeit, bei Umweltbelastungen innerlich widersprüchlich, zwiespältig, also ambivalent vor allem dann, wenn sie im Bereich der auseinanderweichenden, etwa gleich stark entwickelten Charaktereigenschaften angesprochen wird. Es kommt zu verschiedengerichteten überwertigen Gefühlseinstellungen. Erreichen sie eine gewisse Stärke und sind beide Einstellungen für den Betroffenen etwa gleich wichtig und nicht lösbar, entsteht in ihm ein unlösbarer *innerer Konflikt.*

Er wird ‚innerer Konflikt' genannt, weil er sich im Innern des Menschen abspielt und eine Auseinandersetzung mit zwei divergierenden Haltungen bedeutet. Im Gegensatz dazu entsteht der *‚äußere Konflikt'* durch Umweltbelastungen. Ein Beispiel für einen äußeren Konflikt wäre die bei den psychoreaktiven Entwicklungen genannte chronische psychische Dauerbelastung, die immer von außen auf den Menschen einwirkt.

Wird ein Mensch im Bereich des inneren Konflikts wiederholt angesprochen und dieser dadurch ständig aktualisiert, kommt es zu steigenden innerseelischen Spannungen. Dadurch werden die entgegengesetzten seelischen Einstellungen mehr und mehr aneinander fixiert. So entsteht aus dem Konflikt „eine psychische Sonderganzheit von gewisser Autonomie und starker Dynamik, die als Komplex bezeichnet wird" (Binder, 1960, S. 193).

Ein Komplex ist somit ein durch einen inneren Konflikt bedingter seelischer Fremdkörper. Wird sein Bereich bloß entfernt angesprochen, werden entgegengesetzte Tendenzen der Persönlichkeit berührt. Sie reagiert dann jedesmal ambivalent oder unentschlossen, da sich keiner der beiden Antriebsbereiche klar durchsetzen kann.

Bei Wiederholung kommt es zu einem Leidenszustand. Er führt zu einer meist seelisch automatischen Verdrängung des Konfliktes aus dem Bewußtsein. Vermeidet es der Mensch dann, im Bereich des Konfliktes angesprochen zu werden, entwickelt er Hemmungen, die das Auftreten des Konfliktes im Bewußtsein verhindern sollen. Dadurch verselbständigt sich der Komplex zunehmend, verliert aber mit der Gesamtpersönlichkeit nie ganz die Verbindung, die zumindest durch die Symptomatik der seelischen Störung erhalten bleibt

Die *Verdrängung* — ein häufig in tiefenpsychologischen Kreisen gehörter Begriff, der schon zum beleidigenden Schlagwort geworden ist — ist für sich allein noch kein Zeichen für eine abnorme seelische oder sogar neurotische Reaktion. Die Verdrängung ist eine normale Reaktion der Psyche und findet sich überall da, wo unangenehme seelische Inhalte und Einstellungen aus dem Bewußtsein geschoben werden sollen. Die Verdrängung allein macht noch keine Neurose. Sie entsteht erst, wenn der normale Vorgang der Verdrängung sich ständig wiederholt und dazu benützt wird, seelische Bereiche des inneren Konflikts aus dem Bewußtsein zu schieben, so daß sich komplexhaftes Geschehen verselbständigt.

Ist dieser Tatbestand gegeben, dann haben wir es mit einer Neurose im engeren Sinne zu tun. Eine Neurose ist als Sonderform einer psychoreaktiven Entwicklung aufzufassen, bei der es zur Verselbständigung von Komplexen kommt, die aus einem inneren Konflikt erwachsen sind.

Eine wichtige Voraussetzung für die Entwicklung einer derartigen Neurose im engeren Sinne ist die divergent angelegte diskordant normale Persönlichkeit, die wegen der Neigung zu Zwiespältigkeit das Entstehen von inneren Konflikten begünstigt. Eine oft gleichzeitig vorhandene Teilretardierung fördert die Fixierung an frühere Entwicklungsperioden und damit das Persistieren innerer Konflikte, so daß sich Komplexe bilden, die aus dem Bewußtsein verdrängt werden.

Zur Kontrastierung und Ergänzung soll kurz die *Wahnidee* dem Komplex gegenübergestellt werden: Sie und ebenso die überwertige Idee ist kein Konflikt, sondern eine einheitliche gefühlsmäßige Einstellung der Persönlichkeit. Auch findet keine Verdrängung statt, sondern die Inhalte werden sogar übermäßig stark im Bewußtsein gehalten. Das gilt auch für manche Zwangserscheinungen.

Ein weiteres Kennzeichen vieler — nicht aller — Menschen im Ausgangsstadium neurotischer Entwicklungen ist die Neigung zu hysterischen Reaktionsweisen mit den für sie typischen Kennzeichen (siehe S. 75).

Stadien der Neuroseentwicklung. Die Neurose im engeren Sinne wird definiert als abnorme seelische Entwicklung mit Verselbständigung von Komplexen. Da es sich um eine Entwicklung handelt, lassen sich einzelne Stufen erkennen, die wir als Stadien bezeichnen.

Das Ausgangsstadium wurde schon bei der Beschreibung der Neurosen im engeren Sinne aufgezeigt. Der für die spätere manifeste Neurose charakteristische Typ der „essentiellen Labilität der Persönlichkeit" (LANGEN) oder des „diskordant Normalen" (KAHN, BINDER) ist folgendermaßen gekennzeichnet:

1. Divergente Charaktereigenschaften sind polarisiert und jede für sich stark ausgeprägt. Hysterische Reaktionsweisen sind nicht selten.

2. Konstitutionell sind Teilretardierungen besonders häufig und sowohl körperbaulich als auch psychisch leicht nachweisbar. Nächst häufig sind intersexe konstitutionelle Varianten. Diese dysplastischen Stigmen bilden in Verbindung mit dem nicht seltenen leptosom betonten Grundtyp eine wichtige körperbauliche Matrix für die uneinheitliche psychische Verfassung. Bei Belastungen ist diesen Menschen eine einheitliche Reaktionsweise, die für eine harmonische Lebensführung notwendig ist, erschwert.

3. Eine vegetative Labilität ist vor allem bei den Menschen nachweisbar, die später psychosomatisch erkranken (s. S. 37).

Das Ausgangsstadium fällt in die Kindheit und frühe Jugend. Auch in dieser Zeit ist der Mensch, wie in allen anderen Lebensperioden, der Umwelt mit ihren Konflikten ausgesetzt. Die hier von außen an ihn herankommenden Konflikte nennen wir die *Grundkonflikte* (s. S. 41) im Gegensatz zu den *aktuellen Konflikten* oder *Schicksalssituationen* (s. S. 42) am Übergang des Vorstadiums zum symptommanifesten Stadium.

Nach dem Ausgangsstadium, das noch nicht als Störung bezeichnet werden kann, kommt es nach unterschiedlich langer Zeit zu einem *Vorstadium,* das bezeichnenderweise häufig in die Zeit einer biologischen Krise und damit meist in die Pubertät fällt. Im Vorstadium sind zunächst die im Ausgangsstadium beschriebenen Auffälligkeiten deutlicher ausgeprägt. Die quantitativen Abweichungen von der Norm haben zugenommen. Die psychische und vegetative Irritierbarkeit tritt jetzt erstmalig oder gesteigert auf. Dazu kommen noch die mit der Pubertätsentwicklung selbst zusammenhängenden Symptome des ‚puberalen Instinktwandels' (E. KRETSCHMER) mit allen dazugehörenden Erscheinungen wie dem Autoritätsprotest und einer anfangs noch fluktuierenden, sich dann aber festigenden allgemeinen Neuorientierung, die sich vor allem auf der beruflichen Ebene auswirkt. Auch wenn das Vorstadium der späteren manifesten Neurose im engeren Sinne außerhalb der Pubertät fällt, findet sich eine Steigerung der im Ausgangsstadium nachweisbaren Symptome. Das Vorstadium wurde von SCHULTZ-HENCKE bezeichnet als ‚latente Neurose' und von LLAVERO als ‚prekäres labiles Gleichgewicht'.

Das *symptommanifeste Stadium* der Neurose im engeren Sinne ist dadurch charakterisiert, daß nun die Symptome auftreten. Sie beginnen meist zunächst nicht ausgeprägt.

Der Anfang dieser Entwicklung läßt sich noch als *kompensiertes symptommanifestes Stadium* besonders herausheben, weil in ihm die Störungen nicht dauernd vorhanden sind, sondern nur bei Belastungen auftreten, die mit der Gesamtproblematik zusammenhängen. Wird dagegen als nächste Stufe das *dekompensierte symptommanifeste Stadium* erreicht, sind die Störungen dauernd vorhanden, auch außerhalb von Belastungen.

Derartige Krankheitsentwicklungen sind in der Medizin bekannt und am deutlichsten am Herzklappenfehler zu sehen. Störungen der Klappenfunktion werden zunächst nur bei körperlichen Belastungen beobachtet, weshalb man von einem kompensierten Vitium cordis spricht. Bei Verschlimmerung folgt die Dekompensation, wobei die Symptome auch ohne körperliche Belastung auftreten.

Die Unterscheidung der einzelnen Stadien der Neuroseentwicklung ist auch therapeutisch wichtig, da es in einer rationellen Psychotherapie darauf ankommt, das symptommanifeste Stadium zurückzuverwandeln in einen Zustand, der vorher bestand und zumindest dem Vorstadium entspricht. Je weiter sich die Störung in Richtung auf die dekompensierte Symptommanifestation entwickelt hat, desto schwieriger ist die Rückverwandlung, so daß eine derartig differenzierte Einteilung auch prognostisch bedeutsam ist.

Bei den neurotischen Entwicklungen ist ebenso wie bei anderen seelischen Störungen für Verlauf, Therapie und Prognose noch ein Gesichtspunkt wichtig, den ich als *quantitative Relation von Anlagewirkung und Umweltfaktor* (LANGEN 1956) bezeichnet habe. Ein Teil der Menschen zeigt eine geringe essentielle Labilität, so daß eine starke Belastung dazugehört, wenn sie eine seelisch bedingte Störung entwickeln. Bei einem anderen Teil wieder kommt es auch ohne stärkere Belastung zu psychopathischen Entwicklungen mit Komplexverselbständigung, die etwa den Kernneurosen von J. H. SCHULTZ entsprechen, nur daß hier die Anlagewirkung höher veranschlagt wird. Dazwischen liegen alle Übergänge.

In einem Schema zusammengestellt ergibt sich in Anlehnung an BINDER:

Tabelle 1 **Neurosen im engeren Sinne**

Funktionelle Abnormitäten

Affektive Abnormitäten

vorwiegend anlagebewirkt	vorwiegend umweltbedingt
abnorme Persönlichkeiten	diskordant normal Veranlagte
↓	↓
abnorme Persönlichkeitsentwicklungen	abnorme seelische Entwicklungen
↓	↓
abnorme Persönlichkeitsentwicklungen mit Komplexverselbständigungen	abnorme seelische Entwicklungen mit Komplexverselbständigungen

Neurosen im engeren Sinne mit unterschiedlicher Relation von Anlagewirkung und Umweltfaktor

Persönlichkeitsstörungen

Der Begriff „Persönlichkeitsstörungen" (engl. personality disorders) soll die früher übliche Bezeichnung „psychopathische Persönlichkeiten" ersetzen, um den Bemühungen der WHO um internationale Verständigungen entgegenzukommen (s. „International Classification of Diseases" u. „Diagnosenschlüssel . . .").

Bei den Persönlichkeitsstörungen handelt es sich um anlagebewirkte psychische Abnormitäten mit erhöhter Desintegrationsneigung auf der Gefühls- und Impulsseite der Persönlichkeit, also um affektive Abnormitäten. Man ordnet sie nach unterschiedlichen Gesichtspunkten ein, je nach dem vorherrschenden Orientierungspunkt.

An den abnormen Persönlichkeiten lassen sich mehrere psychiatrische und allgemeinpsychologische Grundfragen sichtbar machen wie z. B. das Problem der Norm, der Polarität und der typologisierenden Einteilung als einzig mögliche Form der Beschreibung. Diese Gesichtspunkte hat vor allem PETRILOWITSCH aufgezeigt. Hier sollen, ohne weiter auf seine auch für die Diagnostik interessanten Gesichtspunkte einzugehen, die Typologisierungen von K. SCHNEIDER und PETRILOWITSCH einander gegenübergestellt werden:

Psychopathische Persönlichkeiten (SCHNEIDER 1950):	Abnorme Persönlichkeiten (PETRILOWITSCH 1960):
Hyperthyme	Hyperthyme
Depressive	Depressive
Stimmungslabile	Stimmungslabile
Erregbare	Explosible
Empfindsame (Sensitive)	Selbstunsichere
Anankasten	Anankastische
Psychastheniker	Asthenische
Gemütlose	Gemütlose
Haltlose	Willenlose
Geltungssüchtige	Geltungssüchtige
Fanatische	Fanatische und paranoische

Die Ähnlichkeit in der Typologisierung beider Autoren ist recht deutlich. PETRILOWITSCH hat dabei „das Temperament als das dynamische Prinzip der Persönlichkeit bezeichnet, als ihre Antriebsseite, als eine der Ausprägungsweisen der gesamten Persönlichkeitsstruktur, die Merkmale wie vitale Aktivität, psychisches Tempo und Lebensmächtigkeit einschließt" (PETRILOWITSCH, 1960, S. 57).

Wichtig ist, auch bei den abnormen Persönlichkeiten die alternative Fragestellung zu vermeiden und gerade hier die Relation von Umweltbedingungen und Anlagewirkung in ihren quantitativen und qualitativen Ausprägungen zu beachten. Dabei spielen die ganz persönlichen Anlagen des einzelnen in seiner Auseinandersetzung mit dem sozialen Raum eine große Rolle. PETRILOWITSCH spricht treffend von „sozialem Erlebnisuntergrund ... Entscheidend sind die bildenden Kräfte, die von der Atmosphäre menschlicher Liebe im Familienkreis, von Sitte und Tradition, von Spiel, Feier, Kunst, von der Muttersprache, von der gültigen Haus- und Staatsordnung ausgehen" (PETRILOWITSCH S. 26). Durch diese und viele andere Aussagen wird sichtbar, wie auch hier der soziologische Maßstab gilt. Das wird bei den Typologisierungen deutlich, in denen psychopathische Persönlichkeiten mit „antisozialen Persönlichkeiten" gleichgesetzt werden.

Auch BRÄUTIGAM beschrieb in seinem „Grundriß der kleinen Psychiatrie" die abnormen Persönlichkeiten (S. 131–154). Dabei ließ er allerdings die Unterscheidung von BINDER zwischen „psychopathischem Dauerzustand" und „psychopathischer Entwicklung" wieder fallen. (Im Sinne der internationalen Verständigung sollte man auch hier von „Persönlichkeitsstörung als Dauerzustand" und von „abnormer Persönlichkeitsentwicklung" sprechen).

Abnorme Persönlichkeitsentwicklungen liegen vor, wenn die mit den abnormen Charaktereigenschaften zusammenhängenden Auffälligkeiten schon in der Kindheit vorhanden waren und sich im Laufe des

Lebens durch ungünstige Milieufaktoren verstärkt haben (Bräutigam S. 133). Auch das Lebensalter muß berücksichtigt werden, da die Symptome als charakterliche Abnormität einen altersmäßigen Gipfel haben.

Mehrere Gesichtspunkte sprechen meiner Meinung nach dafür, die Trennung in Persönlichkeitsstörungen als Dauerzustand und abnorme Persönlichkeitsentwicklungen beizubehalten:

1. Unter einer ‚Entwicklung' verstehen wir einen progredienten Vorgang, der zwar verschieden stark und unter dem Einfluß von Umweltfaktoren oder Behandlung rückläufig sein kann, im übrigen aber nachweisbar sein muß. Das ganze Leben mit seinen Reifungsvorgängen ist eine derartige Entwicklung.

Im Bereich seelischer Störungen nehmen die in Stadien verlaufenden durchsichtigen abnormen seelischen Entwicklungen und die neurotischen Entwicklungen in der Symptomatik zu, wenn die belastenden Einflüsse nicht geändert oder innerlich verarbeitet werden.

2. Menschen mit Persönlichkeitsstörungen als Dauerzustand heben sich meist schon in der Kindheit von ihren Geschwistern ab. Das wird stets sichtbar, wenn man ihre Familienangehörigen befragt. Anankastische abnorme Persönlichkeiten fallen in der Kindheit gegenüber den Geschwistern auf durch größere Scheu, Zurückgezogenheit und Stille, während affektlabile Persönlichkeiten im Vergleich zu abnormen seelischen Entwicklungen eine stärkere Extraversionstendenz haben.

3. Eine Symptomanifestation in einem bestimmten Lebensalter ist kein ausreichender Grund, eine abnorme seelische Entwicklung anzunehmen, da die Symptomatik danach wieder in sich zusammenfallen kann.

Für abnorme Persönlichkeitsentwicklungen dagegen sind gewisse Ausgangspersönlichkeiten disponiert. Gegensätzlich angelegte Menschen, die z. B. eine sthenisch-asthenische Polarisierung in der Grundpersönlichkeit oder eine asthenisch-sthenische Polarisierung zeigen und ausgeprägt ambivalente Grundpersönlichkeiten neigen zu neurotischen Persönlichkeitsentwicklungen. Das gleiche gilt teilweise von depressiven und zu Selbstbeobachtung neigenden Persönlichkeiten.

Menschen mit ausgeprägt asthenischen oder depressiven Zügen neigen zu abnormen Persönlichkeitsentwicklungen, wenn eine Polarisierung durch die Umwelt entsteht, d. h. wenn sie relativ überfordert werden.

Persönlichkeitsstörungen als Dauerzustand

Hierzu gehören die verschiedenen Typen abnormer Persönlichkeiten, die bereits aufgezählt wurden. Sie alle haben als gemeinsames Kennzeichen eine von der Norm abweichende anlagemäßig erhöhte Neigung zur Desintegration. Dadurch entsteht eine für den einzelnen typische Verletzbarkeit, die im wesentlichen gleich bleibt und lediglich in Zeiten biologischer Krisen oder durch normale Altersvorgänge leicht variiert wird. Bei Dekompensation überwiegen die Anlageursachen gegenüber den Umweltfaktoren.

Abnorme Persönlichkeitsentwicklungen

Bei abnormen Persönlichkeitsentwicklungen verstärken sich die abnormen Persönlichkeitszüge durch normale Milieureize des Alltags, wenn diese sich häufig wiederholen. Hier lassen sich, mit den für alle Typologisierungen geltenden fließenden Übergängen, folgende psychopathischen Entwicklungen unterscheiden:

Asthenische Persönlichkeitsentwicklungen, die sich aus den psychasthenischen abnormen Persönlichkeiten herauskristallisieren, werden nicht selten durch akute oder chronische psychische Traumen in Gang gebracht.

Hypochondrische Persönlichkeitsentwicklungen werden meist bei Menschen mit verstärkter Eigenbeobachtung und depressiver Veranlagung hervorgerufen, wobei die unterschiedlichsten Auslösungssituationen angeschuldigt werden, während vielfach Überforderungen eine Rolle spielen. Die Übergänge zu einfachen psychoreaktiven Entwicklungen sind fließend (s. S. 14).

Paranoische Persönlichkeitsentwicklungen zeigen oft eine gewisse Ähnlichkeit mit hypochondrischen Entwicklungen, nur daß hier das Mißtrauen stärker, die depressive Grundstimmung dagegen geringer ist. Dafür lassen sich bei vielen paranoischen Entwicklungen sthenisch-asthenische Polarisierungen nachweisen, wie sie schon bei den Sondertypen der psychoreaktiven Entwicklungen hervorgehoben wurden (s. S. 16).

Querulatorische Persönlichkeitsentwicklungen wären hier ebenfalls nochmals anzuführen. Sie zeigen die umgekehrte charakterologische Polarisierung wie die paranoischen Persönlichkeitsentwicklungen, d. h. eine asthenische Grundpersönlichkeit hat einen sthenischen Gegenpol.

Neurotische Persönlichkeitsentwicklungen. Gemeint sind die Persönlichkeitsentwicklungen, bei denen es zur Verselbständigung von Komplexen kommt. Alle bei den neurotischen Entwicklungen gemachten Ausführungen könnten hier wiederholt werden: Die aus der Anlage stammenden Komponenten sowie das Ausmaß der Desintegration ist ausgeprägter, während die psychotraumatischen Bedingungen für das Ingangsetzen einer solchen Entwicklung geringer sind. Die quantitative Relation von Anlagewirkung und Umweltbedingung ist zugunsten der Anlage verschoben, so daß ubiquitäre Milieureize sich störend auswirken und die abnorme Entwicklung in Gang setzen.

Auch bei diesen Patienten läßt sich ein Ausgangsstadium, ein Vorstadium und ein symptommanifestes Stadium nachweisen. Zwar sind die einzelnen Stufen oft nicht so deutlich wie bei den abnormen seelischen Entwicklungen mit Komplexverselbständigung, sie lassen sich aber doch meist durch eine vertiefte Exploration auch ohne wesentliche Interpretation feststellen.

Vergleich mit der Typologisierung von J. H. Schultz

Zum Abschluß dieser Typologisierung soll versucht werden, sie mit der im deutschen Sprachraum bekanntesten Einordnung von J. H. Schultz zu vergleichen, da hier die meisten Ähnlichkeiten nachweisbar sind. Einschränkend muß nur festgestellt werden, daß Schultz von einem weiten Neurosebegriff ausgeht. Er unterscheidet Fremd-, Rand-, Schicht- und Kernneurosen.

Fremdneurosen sind „abnorme funktionelle Erscheinungen und Verläufe physischer oder psychischer Art, für deren Entstehung das wesentliche und hauptwertige seelische Quellgebiet in groben außerpersönlichen Faktoren, besonders der menschlichen Umwelt, gelegen ist; wir dürfen diese Neurosen als überwiegend ‚exogen' beurteilen" (Schultz 1963 S. 232). ‚Allopsychische Konflikte', also nur Außenkonflikte spielen eine wesentliche Rolle. Die Fremdneurosen entsprechen somit abnormen Reaktionen, soweit es sich um kurzdauernde seelische Reaktionen auf psychotraumatische Einflüsse handelt, oder um abnorme seelische Entwicklungen, soweit chronische Konflikte vorliegen.

Randneurosen sind solche, „bei denen in der Hauptsache primitive mechanische Faktoren wie Gedächtnis, Gewöhnung, bedingter Reflex, kurz, überwiegend Mechanismen von Bedeutung sind, deren Erforschung der eigentlich physiologischen Psychologie zugehörig ist" (Schultz 1963 S. 233). Hierher rechnet Schultz die wichtigen und häufigen Fehlgewöhnungen durch falsche Auseinandersetzung mit dem Körperlichen, weshalb er von „physiopsychischen Konflikten" spricht. Als Beispiel führt er eine Fehlverarbeitung der normalerweise vorhandenen mouches volantes bei irritierbaren Menschen an, wenn sie plötzlich anfangen, diese Erscheinungen als Sehstörung zu verarbeiten.

Die Randneurosen haben keine so klare Parallele zu der geschilderten Typologisierung. Am ehesten können sie noch den abnormen seelischen Entwicklungen zugeordnet werden, wobei es sich aber nicht um einen äußeren Konflikt, sondern um einen mehr im Grenzbereich von

Außenwelt und Innenbereich der Psyche und damit randständigen Konflikt handelt. Somit sind Randneurosen eine Sonderform der psychoreaktiven Entwicklung. Durch ihre Nähe zu körperlichen Vorgängen sind sie eng mit den erlernten Reaktionen verbunden („bedingte Reflexe" im Sinne von PAWLOW) und damit auch mit manchen psychosomatischen Krankheiten.

Schichtneurosen sind diejenigen, „bei denen auf Grund endopsychischer Konflikte Störungen vorhanden sind, die etwa den Bereich treffen, der allgemein klinisch als ‚psychogen' bezeichnet wird. Es handelt sich hier im wesentlichen um ‚Affektprobleme'" (SCHULTZ S. 266). Dies entspricht den Innenkonflikten (s. S. 18). Die Schichtneurosen entsprechen weitgehend den abnormen seelischen Entwicklungen mit Komplexverselbständigung, also den Neurosen im engeren Sinne.

Kernneurosen sind diejenigen, die „wir ... als ‚charakterogen' bestimmt auffassen möchten" (SCHULTZ S. 233). „Hier *hat* der Kranke die Neurose nicht mehr, sondern er *ist* ein Nervöser, ein ‚Neurotiker', ein ‚Psychopath'" (SCHULTZ S. 285). Da die wesentlichen Quellgebiete als ‚charakterogen' gekennzeichnet sind, soll „ausdrücklich betont werden, daß es hier um Letztes der Persönlichkeit, eben um ihren Kern, geht. Der typische Konflikt ist ‚autopsychisch'" (SCHULTZ S. 285). Ganz allgemein handelt es sich bei SCHULTZ um das Problem des „nervösen Menschen". Die Parallele zu den hier geschilderten abnormen Persönlichkeiten ist eindeutig. Da es sich bei den Kernneurosen nach SCHULTZ um abnorme Entwicklungen handelt, lassen sie sich gleichsetzen mit den abnormen Persönlichkeitsentwicklungen mit Komplexverselbständigung (s. S. 25).

Eine Gegenüberstellung ergibt:

Abnorme seelische Reaktionen Durchsichtige abnorme seelische Entwicklungen	Fremdneurosen
Abnorme seelische Entwicklungen mit körperlicher Fehlgewöhnung	Randneurosen
Neurotische Entwicklungen = abnorme seelische Entwicklungen mit Komplexverselbständigung	Schichtneurosen
Abnorme Persönlichkeitsentwicklungen mit Komplexverselbständigung	Kernneurosen

Sexuelle Verhaltensabweichungen

Bei allen internationalen Einteilungsversuchen werden die Störungen des Sexualtriebes gesondert bezeichnet, selbst wenn dabei manchmal von „Sexual*neurosen*" gesprochen wird. Offenbar werden die Störungen des Sexualtriebes als stärker mit der Anlage verankert angesehen, so daß ihnen im Vergleich zu anderen seelischen Störungen eine Sonderstellung eingeräumt wird. (Literatur vor allem BRÄUTIGAM 1967; GIESE 1958 und PLAUT 1960).

Man unterscheidet zwei große Gruppen von Störungen des Sexualtriebes. Bei der einen ist das *Triebziel* verändert, bei der anderen der *Ablauf* des Sexualverhaltens gestört.

Zur ersten Gruppe gehören vor allem die verschiedenen Formen der Homosexualität, die BRÄUTIGAM (1967) zusammengestellt hat, so daß auf seine Monographie verwiesen werden kann.

Ferner rechnen hierzu *sexuelle Perversionen:* Exhibitionismus, Voyeurismus, Sadismus, Masochismus, Fetischismus, Sodomie, Nekrophilie, um nur die wichtigsten zu nennen. Für alle Abnormitäten ist die Einengung des Sexualtriebes charakteristisch. Er kann bei den echten Perversionen nur in Verbindung mit dem abnormen Triebziel befriedigt werden. Dadurch werden die Entfaltungsmöglichkeiten des Menschen eingeengt, was bei zwanghaft anmutenden und suchtartig sich entwickelnden Perversionen besonders ausgeprägt ist.

Innerhalb der durch das abnorme Triebziel bestimmten Störung des Sexualtriebes lassen sich wieder zwei Typen unterscheiden. Die eine Störung ist vor allem durch die suchtartig anmutende Progredienz gekennzeichnet, bei der anderen dagegen bleibt die abnorme Komponente des sexuellen Verhaltens, auch wenn sie unterschiedlich stark ausgeprägt ist, im wesentlichen gleich. Es fehlt also die für den ersten Typ so charakteristische Progredienz.

Die zweite Gruppe von Störungen des Sexualtriebes ist dagegen charakterisiert durch die Störung im Ablauf des Sexualverhaltens, das bei Männern in Form eines *Impotenzsyndroms* auftritt. Die Unterscheidung in eine Impotentia coeundi oder generandi ist dabei weniger treffend als eine solche, die gleichzeitig die zugrundeliegende Variante der Persönlichkeit charakterisiert.

Klinisch ist ein Impotenzsyndrom bei selbstunsicherer Persönlichkeit am häufigsten. Gerade hier kommt es durch die sich wiederholende Enttäuschung zu ungünstigen neuen erlernten Reaktionen. In der Therapie muß man durch stützende Maßnahmen das Selbstgefühl stabilisieren. Die aktiv-autohypnoiden Verfahren (autogenes Training und gestufte Aktivhypnose) sind daher besonders angebracht (s. S. 118 ff).

Klinisch seltener ist das Impotenzsyndrom bei schizoider Persönlichkeitsstörung. Hier wirkt sich die Persönlichkeitsvariante besonders stark auf die Störung des Sexualtriebes aus.

Noch seltener dagegen ist das Impotenzsyndrom bei verdeckten homosexuellen Einstellungen. Solche Störungen werden von Ärzten, die sehr freizügig mit der Vorstellung einer „latenten Homosexualität" umgehen, häufig diagnostiziert. Faßt man die Abnormität des Sexualtriebes aber eng, wie das auch angebracht erscheint, findet man die damit wirklich zusammenhängenden Impotenzsyndrome relativ selten.

Bei Männern sind Impotenzsyndrome, die ausschließlich durch eine seelische Störung in bezug auf die Partnerschaftsbeziehung bedingt sind, ausgesprochen selten. Sie kommen praktisch nur vor bei Männern mit intersexen konstitutionellen Einschlägen (Feminismen), aus denen sich meist ein Ehekonflikt entwickelt.

Dagegen sind vorwiegend seelisch bedingte Impotenzsyndrome bei Frauen (Frigidität, Anorgasmie, Vaginismus und Sexualabwehr) relativ häufig. Auch von daher gesehen wird sichtbar, wie wenig man berechtigt ist, männliche und weibliche Sexualität gleichzusetzen.

Alkoholabusus

Der Alkohol hat eine Sonderstellung innerhalb der toxischen Substanzen, weshalb für die betreffenden Störungen auch eine gesonderte ICD-Positionsnummer (= 303) zugeteilt wurde. Der Alkohol gilt unter anderem als Nahrungs- und Genußmittel und ist in unserem Kulturraum eine sozial akzeptierte Droge.

Eine weitere Sonderstellung hat er dadurch, daß er wie keine andere toxische Substanz sowohl zu Gewohnheitsbildung (Gewohnheitstrinker) als auch zu Sucht (Alkoholkranke im engeren Sinne) oder zu beidem führen kann.

Gewohnheitstrinker

Der Gewohnheitstrinker nimmt laufend etwa die gleiche Menge Alkohol zu sich, ohne daß es bei ihm zu echten Symptomen einer körperlichen Abhängigkeit (Sucht) kommt (d. h. dem Körper muß nicht mehr zugeführt werden, um die gleiche Wirkung zu erzielen) und ohne ausgeprägte körperliche Entziehungserscheinungen beim Absetzen. Ferner schadet der Gewohnheitstrinker nur sich selbst, nicht aber seiner Umwelt durch die fortgesetzte Alkoholzufuhr.

Alkoholsuchtkranke

Bei Alkoholsuchtkranken dagegen zeigen sich die typischen Stadien einer abnormen Entwicklung, die JELLINEK als erster beschrieben hat.

Leider ist seine Nomenklatur unscharf, zu sehr auf den Endzustand ausgerichtet und damit zu wenig klinisch deskriptiv. Außerdem sollte man statt von „Phasen" besser von „Stadien" sprechen; denn mit Phasen bezeichnet man Vorgänge, die sich ständig wiederholen und zum Ausgangspunkt zurückkehren, während Stadien fortschreitende Entwicklungen kennzeichnen:

1. Das *Stadium des progredienten Erleichterungstrinkens* („voralkoholische Phase" nach JELLINEK) beginnt mit dem süchtigen Genuß alkoholischer Getränke und ist immer sozial motiviert, wobei eine befriedigende Erleichterung von seelischen Spannungen empfunden wird. Dieses „Erleichterungstrinken" wird immer häufiger.

2. Im *Stadium der Toleranzsteigerung* („Prodromalphase" nach JELLINEK) bedarf es zur Erreichung der gewünschten Beruhigung einer immer größeren Menge alkoholischer Getränke, wodurch sich die Toleranzgrenze erhöht. Außerdem kommt es in diesem Stadium zu inselförmigen Amnesien während des Alkoholgenusses („alkoholische Palimpseste" nach BONHOEFFER), ferner zu heimlichem gierigem Trinken und zu einem dauernden Denken an Alkohol.

3. Das *Stadium des Zwangstrinkens* („kritische Phase" nach JELLINEK) ist vor allem charakterisiert durch den Kontrollverlust. Der Trinker hat ein drängendes Verlangen nach mehr Alkohol, bis Trunkenheit oder Krankheit eine weitere Alkoholzufuhr unmöglich macht. Ein Trinker in dieser Phase zeigt ein gesteigertes Erklärungs- und Entschuldigungsbedürfnis, großspuriges, aggressives Benehmen, unterbrochen von weinerlichen Zerknirschungen und Interesselosigkeit. Durch den Verlust von Freunden kommt es zu zunehmender Isolierung und Erschütterung der sozialen Basis.

4. Das *Stadium der Sensibilisierung* („chronische Phase" nach JELLINEK) ist beherrscht von verlängerten Rauschzuständen mit weiteren charakterologischen Veränderungen wie ethischem Abbau und Beeinträchtigung des Denkens und Handelns. Vor allem ist dieses Stadium gekennzeichnet durch die Verringerung der Alkoholtoleranz. Schließlich kommt es zu undefinierbaren Ängsten und Zittern, sogar ohne Alkoholgenuß. Dies sind die Vorboten der metalkoholischen Psychosen, deren häufigste das Delirium tremens ist.

Medikament- und Drogenabhängigkeit

Früher pflegte man bei den Nebenwirkungen von Medikamenten auf das Zentralnervensystem von „Sucht, Gewöhnung und Mißbrauch" zu sprechen (s. u. a. LAUBENTHAL). Da mehrere dieser Begriffe vieldeutig sind, hat sich auf Anregung der WHO seit 1963 der übergeordnete Begriff der „Medikamentabhängigkeit" (drug dependence) herauskristallisiert. Sie wird definiert als ein Zustand, der durch wiederholte Einnahme eines „Medikaments" entsteht. (Die englische Bezeichnung „drug" entspricht nicht ganz dem deutschen Wort „Droge". Als Drogen werden Substanzen bezeichnet, die im lebenden Organismus eine oder mehrere Funktionen zu ändern vermögen und insbesondere eine Wirkung auf das Zentralnervensystem ausüben).

Viele Medikamente haben eine Wirkung gemeinsam: Sie erzeugen bei dazu disponierten Menschen eine psychische Abhängigkeit (psychical dependence), wodurch ein periodisches oder dauerndes Bedürfnis (psychic drive) nach dem Medikament entsteht, aus dem Wunsch heraus, eine Euphorie zu erreichen oder eine Dysphorie zu vermeiden.

Manche Medikamente bewirken eine physische Abhängigkeit und damit einen an die Zufuhr von Drogen angepaßten Zustand (adaptive state). Er ist gekennzeichnet durch starke körperliche Störungen, wenn das Medikament weggelassen oder seine Wirkung durch einen Antagonisten ausgeschaltet wird. Die Charakteristika sind sehr unterschiedlich von einem Typ (generic type) zum anderen. Deshalb ist es nötig, die Kennzeichen jedes Typs zu bestimmen (frei aus dem Englischen übertragen aus WHO Technical Report Series. 363, 1967, 6 f). Dabei werden unterschieden: Abhängigkeit vom Morphintyp, Kokaintyp, Cannabistyp, Amphetamintyp, Khattyp, Halluzinogentyp, Barbiturattyp, usw.

Seit 1971 wurde ferner auf Anregung der WHO zusätzlich zu den bisherigen Typen einer Medikamentabhängigkeit und den bisherigen Betäubungsmitteln wie Opiaten eine Bewertungsskala eingeführt. Danach hat jede Droge einen entsprechenden Risikoindex, der sich errrechnet aus

$$\frac{\text{Anzahl Drogenabhängiger} \times \text{medizinischer Indikationswert}}{\text{Anzahl konsumierender Einzeldosen}}$$

(s. Kielholz u. Ladewig, S. 11).

In die *Gefährlichkeitsgruppe 1* gehören alle Präparate, bei denen der medizinische Indikationswert praktisch fehlt, die Gefahr aber, ein „public health problem" zu schaffen, elementar hoch ist. Hierzu zählen die Halluzinogene im weiteren Sinne, Haschisch, Marihuana und die verschiedenen LSD-Präparate. Dies zeigt, daß die ständig aufflakkernde Meinung, Haschisch und ähnliche Präparate seien harmlos und deswegen aus dem Betäubungsmittelgesetz herauszunehmen, gegenstandslos ist. In der Bundesrepublik haben die gesetzgebenden Instanzen nur ganz wenige Ärzte dazu berechtigt, z. B. LSD wegen seines hohen Gefährlichkeitsgrades zu verordnen, bzw. in ihrer ärztlichen Praxis zu verwenden.

Die Cannabis-Präparate wie Haschisch und Marihuana erzeugen zwar nur eine geringe psychische Abhängigkeit, sie sind aber deshalb so gefährlich, weil sie besonders bei Jugendlichen ein starkes Bedürfnis nach mehr Erlebnissen auf gleicher Ebene erzeugen. Von jungen Menschen, die mit Cannabis in Berührung kommen, werden nach Auffassung mehrerer Autoren (z.B. KIELHOLZ), etwa 10 bis 20 % „drogenkrank", wobei später leicht eine wesentlich ernstere Drogenabhängigkeit zu einem Opiat entstehen kann.

Zur *Gefährlichkeitsgruppe 2* werden die Amphetamine gerechnet, deren medizinischer Indikationswert äußerst gering, die Gefahr einer Abhängigkeit jedoch sehr groß ist. Die Wachhaltewirkung derartiger Präparate geht meist so stark auf Kosten der Konzentrationsfähigkeit, daß von hier aus gesehen keine medizinische Indikation vorliegt. Der appetitzügelnde Effekt dagegen stellt nach Auffassung von LADEWIG keine pharmakologische, sondern lediglich eine sekundäre psychologische Wirkung dar und kommt zustande durch die erhöhte Unrast.

In die *Gefährlichkeitsgruppe 3* gehören Medikamente, die einen gewissen medizinischen Indikationswert haben, bei denen sich aber der Verordnende immer klar sein muß, daß bei längerem Gebrauch eine Abhängigkeit entsteht. Hierzu zählen alle barbiturhaltigen Hypnotika (Schlaf- und Beruhigungsmittel).

Zur *Gefährlichkeitsgruppe 4* werden diejenigen Präparate gezählt, die ebenfalls einen klinisch-medizinischen Indikationswert besitzen, bei denen aber in nicht ganz so starkem Maße wie bei der vorher genannten Gruppe bei längerem Gebrauch die Gefahr einer Abhängigkeit entsteht. Zu dieser Gruppe gehören die barbiturfreien Hypnotika und die Ataraktika, vor allem die Meprobamate und die Diazepin-Präparate. Aus diesem Grunde sollte gerade bei den letztgenannten Präparaten eine besonders sorgfältige Indikation gestellt und jede Langzeitverordnung vermieden werden. Zur Zeit aber werden noch durch Ataraktika nicht selten iatrogen verursachte Medikamentabhängigkeiten erzeugt. Das zeigen übereinstimmend mehrere Untersuchungen.

Zum Schluß sollen in diesem Zusammenhang der Vollständigkeit halber die Phenazetin-Präparate genannt werden, die man in eine *Gefährlichkeitsgruppe 5* einordnen könnte. Sie haben zwar einen relativ hohen medizinischen Indikationswert, bei längerem Gebrauch aber entsteht eine Medikamentabhängigkeit, die um so gefährlicher ist, je häufiger es sich bei den speziellen Medikamenten um Kombinationspräparate handelt.

KIELHOLZ und LADEWIG (1972) weisen darauf hin, daß es etwa 200 Spezialpräparate gibt, die eine oder mehrere Substanzen enthalten, durch die eine Medikamentabhängigkeit entstehen kann. Deshalb muß man bei der Verordnung von Medikamenten immer prüfen, was sie im einzelnen enthalten.

Der klinisch besonders wichtige Diazepin-Typ einer Abhängigkeit besteht darin, daß die psychische Abhängigkeit zwar im Vordergrund steht, daß beim Absetzen aber nicht selten physische Entziehungserscheinungen zu beobachten sind. Ein Symptom derartiger Entziehungserscheinungen ist z. B. die erhöhte Anfallsneigung, weshalb Diazepin-Präparate, im Gegensatz zu den meisten anderen Medikamenten, schrittweise entzogen werden müssen.

Jeder Arzt sollte wissen, ob das verordnete Präparat zu einer Abhängigkeit führen kann. Legt man sich aber in der Diagnostik lediglich auf eine *Medikamentabhängigkeit* fest, so genügt es, die Substanz zu charakterisieren, ohne zwischen einer psychischen oder physischen Abhängigkeit zu differenzieren.

Hochaktuell ist nach wie vor der Cannabistyp, weil z. Z. das Haschischproblem immer noch im Vordergrund steht. Thesenhaft formuliert läßt sich dazu folgendes sagen:

Haschisch und Marihuana sind Drogen, die in unterschiedlicher Reinheit und Konzentration in verschiedenen Ländern gewonnen und zubereitet werden. Die Wirksubstanz in dieser Droge ist „Tetrahydrocannabinol".

Cannabis wird am häufigsten beim Rauchen einer Haschischzigarette inhaliert. Es gelangt sehr schnell in den Organismus und wird nach neueren Untersuchungen erst innerhalb einer Woche zu etwa 50 % ausgeschieden. Auf diese Weise sind Kumulationen leicht möglich. Es wird oft behauptet, Haschisch zu rauchen sei nicht schädlich. Diese Ansicht stimmt höchstens, wenn Cannabis nicht wieder geraucht wird, ehe es ganz ausgeschieden ist. Andernfalls handelt es sich eindeutig um Mißbrauch (abuse). Zu einem derartigen Maßhalten sind aber gerade Jugendliche, die den Hauptteil der Haschischraucher ausmachen, nicht oder nur unvollkommen in der Lage. Um ein intensiveres Erlebnis zu haben, nehmen sie die Droge häufiger ein, was zu Intoxikationserscheinungen mit der dafür typischen Leistungsverringerung führt, oder sie weichen auf ein stärkeres Mittel aus.

„Cannabis ist offenbar pharmakologisch nicht so intensiv wirksam, daß es als Pharmakon die Eigenart einer bestimmten Gruppe trägt. In diesem geringfügigen Potential der Cannabis, eine feste Abhängigkeit zu entwickeln, liegt aber gerade seine Gefährlichkeit, weil über die Hälfte der Jugendlichen, die Haschisch zu einem bestimmten Termin als bevorzugtes Mittel angaben, auf Amphetamine, Opium und LSD übergingen. Der Bedeutung der Schrittmacherfunktion der Cannabis wird im allgemeinen zu wenig Rechnung getragen. Durch die psychische Abhängigkeit verlieren die Jugendlichen zunehmend die Freiheit, ihr Drogenverhalten zu steuern (KIELHOLZ u. LADEWIG, 1970, S. 103).

Der Cannabistyp der Abhängigkeit ist nach der Definition der WHO charakterisiert als „mäßige bis deutliche Abhängigkeit von der angestrebten psychischen Wirkung von Cannabis bei weitgehendem Fehlen von körperlicher Abhängigkeit und typischen Abstinenzsymptomen sowie geringer Tendenz der Dosissteigerung" (zit. nach Kielholz u. Ladewig, 1970, S. 101).

Das ernsteste Problem stellt aber das sogenannte „Umsteigen" dar, womit der Übergang zu stärker wirksamen Drogen (Opiumpräparate) gemeint ist.

Nikotinabusus

Vermehrt rückt das Nikotinproblem in das ärztliche Blickfeld. Die Zunahme der Herzinfarkte und des Lungenkarzinoms bei Männern und jetzt allmählich auch bei Frauen, fordert immer dringender eine ärztliche Stellungnahme. Die Pharmakologen rechnen das Nikotin schon längst zu den toxischen Substanzen. Es zählt zu den Drogen, deren Genuß in unserem soziokulturellen Raum toleriert wird. Nikotin als Einstiegsdroge für Cannabis zu werten, wird immer häufiger betont (Kielholz u. Ladewig). Ähnlich wie beim Alkohol kann man beim Nikotin drei Typen von Rauchern unterscheiden: den gelegentlichen Genußraucher, den psychisch abhängigen Raucher und den süchtigen Raucher.

Der *psychisch abhängige Raucher* bleibt in der Regel bei der gleichen Dosis, akzeptiert Situationen, in denen nicht geraucht werden darf und folgt Anregungen zur Enthaltung. Der *süchtige Raucher* dagegen steigert die Dosis, auch wenn er einmal abstinent war, akzeptiert nicht oder nur widerwillig Situationen, in denen nicht geraucht werden darf, und folgt Anregungen zur Enthaltsamkeit selten oder gar nicht. Für ihn ist sogar ein durchgemachter Herzinfarkt kein so alarmierendes Warnsignal, das ihn zu dauernder Abstinenz veranlaßt.

Eigenartigerweise finden die mit dem Nikotinabusus zusammenhängenden Erscheinungen keine befriedigende Repräsentation in der ICD; sie sind lediglich zu finden unter der ICD-Nr. 98971/E, d. h. unter „Spätfolgen von Verletzungen, unbestimmt, ob unbeabsichtigt oder vorsätzlich". Das scheint mir heute nicht mehr vertretbar und muß dringend geändert werden.

Psychosomatische Störungen; körperliche Störungen wahrscheinlich psychischen Ursprungs

Über die Psychosomatik wurden schon mehrere größere Abhandlungen geschrieben. Ein Teil der Autoren ist sehr enthusiastisch, wie z. B. ALEXANDER (1950), DUNBAR (1949), JORES (1967) u. a., eine andere Gruppe von Ärzten bleibt trotz großer praktischer Erfahrung kritisch. Zu ihnen gehört u. a. STOKVIS und WITTKOWER. Einige vorwiegend psychiatrisch orientierte Verfasser sind und bleiben kritisch bis zur Ablehnung wie z. B. WEITBRECHT (1955).

Obwohl der Begriff „Psychosomatik" erst im Vokabular der dreißiger Jahre auftaucht, so daß man meinen kann, es handle sich um eine ganz junge Wissenschaft, ist das Problem uralt. Die Psychosomatik stellt einen mit Enthusiasmus und Vehemenz in die Welt des Arztes getragenen Lösungsversuch dar, um die scheinbar gültige Antwort auf das Leib-Seele-Problem als eine der ewigen menschlichen Fragen zu geben.

Die bisher wichtigsten Lösungen waren:

1. Die Theorie des *psychophysischen Parallelismus,* wonach Denken und Sein, Psychisches und Physisches sich sachlich und zeitlich streng entsprechen, ohne in Wechselwirkung zu stehen. Danach existieren die beiden Arten von Vorgängen nur nebeneinander (PAULSEN, SPINOZA, LEIBNIZ, SCHELLING, SCHOPENHAUER, FECHNER, Hinduismus, Buddhismus).
2. Die Theorie der *psychophysischen Wechselwirkung,* wonach jeder physische oder psychische Vorgang eine physische Ursache oder psychische Bedingung sowie Wirkungen auf der physischen und psychischen Ebene hat.

Demgegenüber sind andere Lösungsversuche, wie der von ARISTOTELES begründete *Hylomorphismus* oder die *Virtuellitätshypothese* nach E. BECKER, nur von peripherer Bedeutung. Wichtiger sind die Theorien, die die Leib-Seele-Frage als ein Scheinproblem aufzulösen versuchen wie L. KLAGES: „Der Leib ist die Erscheinungsform der Seele und die Seele ist der Sinn der Leiberscheinung" oder H. SCHULTZ-HENCKE (1951) mit der Auffassung der Gleichzeitigkeitskorrelation.

Von all diesen Lösungsversuchen, die die Geistesgeschichte der Menschen durchziehen, hat das Denkmodell der psychophysischen Wechselwirkungen das meiste für sich. Unter dem Aspekt ist nichts Psychisches denkbar, dem nicht etwas Leibliches entspräche und umgekehrt. An kranken Menschen schieben sich dabei, wie WEITBRECHT (1955) meint, „die Phänomene einer psychischen oder einer somatischen Erscheinungsreihe vordringlich ins Blickfeld des Beobachters und erfordern eine Untersuchung mit den ihnen jeweils adäquaten Methoden". Das macht WEITBRECHT klar an den Beispielen einer Torsionsfraktur des Kniegelenks oder einem Schädelhirntrauma, bei denen vordringlich die somatischen Vorgänge interessieren. Bei der Eifersuchtsreaktion eines Menschen dagegen sind notwendigerweise die verstehenden psychologischen Zugangswege so vordergründig, daß körperliche Befunde ganz zurücktreten.

Von der leib-seelischen Wechselwirkung, die je nach der Lage des Falles dem einen oder anderen Aspekt den Vorrang gibt, sollte bei der Besprechung aller psychophysischen Probleme ausgegangen werden und damit von einem „empirischen Dualismus" im Sinne von K. SCHNEIDER (1950), wenn man die damit zusammenhängenden medizinischen Fragen erörtern will.

Zu den Lösungsversuchen des Leib-Seele-Problems kommt nun als letztes die *Psychosomatik* hinzu. Sie geht zwar von der psychophysischen Wechselbeziehung aus, postuliert aber gleichzeitig den Vorrang des Psychischen vor dem Somatischen. Damit wird das Forschungsziel gar nicht mehr als solches diskutiert, sondern als Fundament einer Anschauung angesehen.

Eine weitere Einengung der Psychosomatik erfolgt durch die jeweils vertretene schulische Richtung der tiefenpsychologischen Interpretation. Dadurch wurde „aus dem fruchtbaren Problemdenken allzu früh ein dogmatisierendes Systemdenken" (WEITBRECHT, 1955, S. 5).

Ähnlich argumentiert B. STOKVIS (1959): „Psychosomatische Probleme werden häufig unter einem ausschließlich psychologischen Blickwinkel studiert. Dieser Standpunkt, obwohl noch immer der durchschnittliche Ausgangspunkt für die Mehrzahl der heutigen Autoren psychosomatischer Arbeiten, ist in Wirklichkeit ‚ein gestriger', wenn man den materialistischen, rein physischen Blickwinkel als ‚einen vorgestrigen' bezeichnen will. Versucht man aber, den Menschen als psychophysische Ganzheit anzusehen, so läßt das einseitige psychologische Erfassen nur einen theoretischen fiktiven Teil der Persönlichkeit erkennen, genauso wie die rein physische Betrachtung nur ein theoretisches und unvollkommenes Bild des Menschen gibt" (STOKVIS, 1959, S. 437). Obgleich viele heutige Forscher das wissen, erkennen und vertreten, bleibt die Haltung diesen Fragen gegenüber unverändert, so wie die heutigen Menschen nach dem ptolemäischen Weltbild (PTOLEMÄUS 85—160 n. Chr.) die Sonne auf- und untergehen lassen, obwohl sie seit KOPERNIKUS (1473—1543) wissen, daß sich die Erde um die Sonne dreht. Trotzdem aber „sollte es möglich sein, die mit den Menschen zusammenhängenden Probleme tatsächlich unter dem Blickwinkel einer seelisch-körperlichen Ganzheit zu erfassen und zu analysieren. Dies würde dann zu einer neuen Terminologie führen, die an die Stelle der jetzt gebräuchlichen einseitigen physischen oder psychischen Betrachtungsweise zu treten hätte ...

Die medizinische Psychologie ist aber noch lange nicht so weit, ... sondern ist gegenwärtig noch im Stadium, in dem man von ‚Sonnenaufgang' und ‚Sonnenuntergang' spricht, obwohl man es besser weiß. Der Zeitpunkt für die Abfassung eines Werkes, das den ausschließlich psychologischen Standpunkt völlig aufgibt, ist noch nicht gekommen. Es wird Jahrzehnte dauern, bevor dies dann wirklich sein wird. Bis dahin werden Arbeiten über psychosomatische Probleme notwendigerweise auf ‚rein psychologischer' Grundlage beruhen müssen" (Stokvis, 1959, S. 438).

Anzustreben ist somit neben dem echten psychologischen Aspekt eine ihm gerecht werdende Terminologie. Darauf wurde schon zu Beginn hingewiesen (s. S. 4).

Psychosomatische Funktionsstörungen

Sie sind Störungen der vegetativen Regulation, bei denen die psychischen Komponenten überwiegen und anfangs keine oder nur eine geringgradige Progredienz nachweisbar ist. Die Störungen bleiben immer im Bereich der vegetativen Steuerung.

Psychosomatische Krankheiten im engeren Sinne

Bevor geklärt werden kann, was eine psychosomatische Krankheit ist, muß die Frage beantwortet werden, was man unter Krankheit versteht: Krankheit ist immer durch eine Regelwidrigkeit im Bau oder in der Funktion des Leibes und seiner Organe verursacht (K. Schneider, 1950, J. Weitbrecht, 1955, u. a.). Damit gehen wir von einem medizinischen Krankheitsbegriff aus. Nur das kann als Krankheit angesehen werden, was morphologisch nachweisbar ist. Das gilt auch für die Psychosomatik, ist aber gleichzeitig schwierig, weil hier das qualitativ Neue, d. h. das morphologisch faßbar andere, das vorher nicht da war, nun vorhanden ist und das Kranke ausmacht. Zu den psychosomatischen Krankheiten sollen nicht die konversionshysterischen Erscheinungen und die sog. Organneurosen gezählt werden. Bei diesen beiden Typen körperlicher Störungen handelt es sich um rein funktionelle Abnormitäten ohne morphologisch faßbare Befunde. Sie sind aber bei den hier gemeinten psychosomatischen Krankheiten im engeren Sinne immer vorhanden. Gemessen an dem zu häufig gebrauchten Begriff ‚psychosomatische Krankheit' setzen wir uns bewußt durch die Begrenzung für eine psychosomatische Krankheit im engeren Sinne ein.

Von einer psychosomatischen Krankheit sprechen wir, wenn bei körperlicher Krankheit seelische Faktoren eine entscheidende Rolle spielen, oder anders ausgedrückt: Eine psychosomatische Krankheit liegt dann vor, wenn sich bei morphologisch nachweisbarer körperlicher Krankheit gleichzeitig die Zeichen einer abnormen seelischen Störung, meist einer abnormen seelischen Entwicklung, nachweisen lassen. Es sind somit Krankheiten, bei denen von vornherein zwei Reihen nebeneinander sichtbar werden. Neben der erwähnten seelischen Ebene führen körperliche Befunde über Funktionsstörungen zu etwas qualitativ Neuem, nämlich der morphologisch faßbaren Organschädigung. Hier herrschen die Gesetze von Ursache und Wirkung. Für das körperliche Geschehen ist charakteristisch die Nähe zum vegetativen Nervensystem, zum Gefäßsystem, zu den endokrinen Organen und den Organsystemen, die teilweise willkürlich beeinflußt werden können, wie die Atmung und der Magen-Darm-Kanal.

Ferner ist für derartige Erkrankungen, wenn sie wirklich psychosomatisch sind, der stufenweise Verlauf bzw. die stufenweise Verschlimmerung charakteristisch. So läßt sich bei einem sehr hohen Prozentsatz aller psychosomatisch Kranken eine allgemeine vegetative Labilität oder eine vegetative Dysregulation nachweisen, die ein Organsystem bevorzugt.

Wir bezeichnen sie als „traktusgebundene vegetative Labilität". Bei Asthmatikern z. B. kann man hören, daß sie schon seit der Kindheit bei Aufregungen oder seelischen Belastungen mit einem „nervösen Atemsyndrom" (Christian) reagierten. Bei Patienten mit einer psychosomatischen Krankheit im Magen-Darm-Bereich läßt sich oft eine weit in die Lebensgeschichte zurückreichende Anfälligkeit dieses Organsystems eruieren.

Während der Entwicklung zur psychosomatischen Krankheit erfolgt dann einmal der Sprung von der abnormen Funktion zur morphologisch faßbaren Krankheit, z. B. vom nervösen Atemsyndrom zum Asthma bronchiale, von der Gastritis zum Ulcus ventriculi oder duodeni, von den Blutdruckschwankungen zur fixierten Hypertension. Wodurch dieser Sprung in die Dimension qualitativer Veränderungen erfolgt, wissen wir letztlich nicht. Hier müssen auch von der körperlichen Seite noch unbekannte Faktoren mit im Spiel sein. Ebenso gibt uns auch die seelische Ebene allein meist keine Erklärung. Erst aus dem multifaktoriellen Ansatz heraus wird die Entwicklung einer psychosomatischen Krankheit einigermaßen verständlich.

Das vegetative Nervensystem ist somit eine entscheidende Brücke zum Verständnis psychosomatischer Krankheiten. Ein weiteres Glied bilden die Sinnesorgane oder allgemein gesagt die „sensorischen Eintrittspforten". Sie stellen die Verbindung zwischen Ich und Außenwelt dar. Über die Sinnesorgane gelangt die Außenwelt zum einzelnen Menschen. Deswegen sollten die sinnesphysiologischen Gesichtspunkte stärker beachtet werden als das bisher in der psychologischen Medizin geschah.

Ein Ereignis in der Umwelt des einzelnen Menschen kann nur dann zu einem persönlichen seelischen Erlebnis werden, wenn es auf einem der möglichen Wege zu ihm gelangt. Ein schreckerregendes Ereignis z. B. muß über ein Sinnesorgan, wohl vorwiegend über das Auge oder das Ohr, zu demjenigen gelangen, auf den es als Erlebnis wirkt. Das gilt genauso für lang andauernde Einflüsse, die atmosphärisch auf den einzelnen wirken. Die Strenge eines Elternhauses muß durch zahlreiche Sinneseindrücke wahrgenommen werden, damit sie als Erlebnis haftet. Das gleiche gilt für schmerzhafte Irritationen.

Hier läßt sich wie überall in der Natur eine Variationsreihe aufstellen. Auf der einen Seite stehen diejenigen Menschen, die von Sinnesreizen wenig oder gar nicht, auf der anderen Seite wieder die, welche sehr stark auf eine geringfügige Einwirkung reagieren. Es gibt die Geräuschüberempfindlichen, die dann auch meist durch andere Sinneseindrücke stärker beeindruckt werden als andere Menschen. Hierzu rechnen diejenigen, die im allgemeinen als „überempfindlich" bezeichnet werden. Bei ihnen liegt meist eine durchgängige Überempfindlichkeit aller Sinnesorgane oder sensorischer Eintrittspforten vor, die man auch als „diffuse Überempfindlichkeit" bezeichnen kann. Ihr gegenüber steht eine Überempfindlichkeit einzelner Sinnesorgane. Jores u. Mitarb. haben schon länger bei Asthmatikern auf die Überempfindlichkeit des Geruchssinnes hingewiesen und versucht, sie durch Tests zu erfassen. Auch wenn man in der psychologischen Ausdeutung der Befunde nicht so weit gehen will, wie Jores und seine Schule das bei den Asthmatikern tut, darf man die Bedeutung der Sinnesorgane für die Entstehung psychosomatischer Krankheiten nicht unterschätzen. Im Augenblick ist man noch auf Vermutungen angewiesen. In bezug auf den Geruchssinn läßt sich eine enge Verbindung mit den limbischen Strukturen nachweisen. Das gleiche gilt von den Augen, die neben der Sehfunktion noch eine ganz besondere Aufgabe für die vegatative Steuerung haben. Der Hell-dunkel-Wechsel ist der wichtigste exogene Zeitgeber, der ständig auf die endogene, d. i. die circadiane Periodik einwirkt. (Die Literatur zu diesen Fragen wurde von Antje Sontag (1969) zusammengestellt.) Auch vom Gehör ist eine Verbindung mit den vegetativen Steuerungen bekannt.

Nimmt man die in dieser Hinsicht noch nicht so gut untersuchten anderen Sinnesorgane dazu, läßt sich nach dem heutigen Stand unseres Wissens folgendes sagen: Die Sinnesorgane vermitteln dem Menschen die Umwelt in den physikalischen Bereichen, für die sie gebaut sind. Das Auge nimmt physikalische Energien im Wellenbereich des Lichtes wahr, das Gehör die langwelligen Bereiche des Schalls usw. Neben dieser sinnesspezifischen Wahrnehmung aber existiert noch eine unspezifische. Hier dient der physikalische Reiz nur als Trägerwelle, um über das dafür empfängliche Sinnesorgan eine unspezifische zentralnervöse Stimulierung zu bewirken. Die limbischen Strukturen sind dabei ebenso bedeutungsvoll wie die Regulationszentren und tiefer gelegene vegetative Steuerungsbereiche, einschließlich der für den Wachheitsgrad so wichtigen Formatio reticularis.

Die hier geäußerte Bedeutung der Sinnesorgane für die Entstehung psychosomatischer Krankheiten kann so hypothetisch nicht sein, wenn man bedenkt, welche zentrale Rolle in diesem Zusammenhang das vegetative Nervensystem spielt. Darin sind sich alle Autoren von den psychosomatischen Enthusiasten bis zu den Skeptikern einig. Die meisten Gemütsbewegungen sind von vegetativen Reaktionen begleitet. Das ist von allen mit Angst verbundenen Affekten bekannt. Ebenso hinterlassen unterdrückte Gemütsbewegungen vegetativ regulatorische Auffälligkeiten, u. U. in Form von vegetativen Dysregulationen. Wiederholen sich derartige seelische Verhaltensweisen häufiger oder treffen sie auf einen Menschen mit einer anlagemäßig funktionellen vegetativen Abnormität, entwickelt sich bald eine vegetative funktionelle Störung. Dabei handelt es sich um quantitativ unterschiedliche Abweichungen von der Norm, die, so stark sie auch sein mögen, dem Ausgangszustand immer ähnlich bleiben und nichts qualitativ Neues bewirken. Das wird anders, wenn es bei der Weiterentwicklung zu einer morphologischen Veränderung in den bisher nur durch eine vegetative Dysregulation gestörten Organen kommt. Dann entsteht die psychosomatische Krankheit im engeren Sinne.

Das Ulkus in der Magenwand, die Erosion der Darmwand, Spasmus und Sekretion in den Bronchien, wo auch bei extremen Ausmaßen eines nervösen Atemsyndroms eine derartige Reaktion nicht auftritt, sind hierfür Belege.

Durch morphologisch nachweisbare Veränderungen, die auch qualitativ von der Norm abweichen, unterscheiden sich somit die psychosomatischen Krankheiten von allen anderen seelischen Störungen. Bei diesen körperlichen Krankheiten ist der seelische Faktor einer unter mehreren anderen. Erst wenn er stärker ausgeprägt ist, kann von einer psychosomatischen Krankheit gesprochen werden. Nicht jede Krankheit, die psychosomatisch sein *kann*, *muß* es auch sein. Abgesehen von der unterschiedlichen Bewertung der einzelnen Organe bzw. Organsysteme, erleichtern folgende Gesichtspunkte die Beantwortung der Frage in einzelnen Fällen:

Eine gleichsinnige hereditäre Belastung verringert die Wahrscheinlichkeit einer psychosomatischen Krankheit. Die genetischen Faktoren bekommen dabei ein derartiges Gewicht, daß daneben andere Faktoren in die Peripherie rücken.

Dafür lassen sich *körperbaulich konstitutionelle Auffälligkeiten* auch bei überzeugenden psychischen Aspekten nachweisen. Gehäufte Dysplasien, Teilretardierungen oder intersexe Konstitutionsvarianten sind nicht selten angedeutet. Sind sie erheblich, können auch diese Anlagefaktoren so bedeutungsvoll sein, daß seelische Aspekte relativiert werden. Die psychisch-traumatisierenden Faktoren korrespondieren dafür aber mit der konstitutionellen Basis.

Eine vegetative Labilität ist dagegen sehr häufig und läßt sich in der Lebensgeschichte so weit zurückverfolgen, daß sie bei der Annahme eines psychosomatischen Geschehens vorhanden sein muß. Sie kommt vor als allgemeine vegetative Labilität mit den typischen Klagen. Noch häufiger ist sie mit dem Organsystem verbunden, das später erkrankt.

Typisch ist die ebenfalls anamnestisch feststellbare Abhängigkeit der Beschwerden von seelischen Situationen, weshalb DELIUS mit Recht von „psychovegetativen Syndromen" spricht. Man erkennt sie durch eine gute Anamnese besser als durch vegetative Tests. Der „psychosomatische Funktionskreis" (DELIUS u. FAHRENBERG) läßt sich begreiflicherweise durch eine differenzierte verbale Untersuchung viel besser als durch ausschließlich körperliche Befunde diagnostizieren. Umgekehrt ist die Diagnose „vegetative Labilität" oder „vegetative Dystonie", die sehr häufig gestellt wird, erst komplett, wenn die wichtigsten seelischen Faktoren ebenfalls eruiert wurden. Dann können schon bei einer kurzen Untersuchung Schwerpunkte der Belastung festgestellt werden, von denen aus nicht selten eine Stabilisierung besser und dauerhafter zu erreichen ist als allein durch ein Medikament.

Die feste Verbindung von vegetativer Labilität und psychosomatischer Krankheit macht verständlich, warum derartige Krankheiten eine lange Anamnese haben. Aus den psychovegetativen Syndromen können sich psychosomatische Krankheiten entwickeln. Dieser Schritt zeichnet sich meist markant in der Lebensgeschichte ab, wenn die psychologischen Faktoren gewichtig sind.

Auf eine Überempfindlichkeit der sensorischen Eintrittspforten sollte geachtet werden. Entweder handelt es sich hier um eine allgemeine Überempfindlichkeit, z. B. Geräuschen gegenüber, oder um eine solche, die mit dem erkrankten Organtrakt zusammenhängt, wie die Empfindlichkeit des Geruchs oder der Nasenschleimhaut bei Asthma bronchiale oder des Geruchs in Verbindung mit dem Geschmack wie bei den Erkrankungen des Magen-Darm-Traktes. Vielleicht lassen sich noch weitere Zusammenhänge ermitteln wie beim Auge, das der wichtigste Zeitgeber ist für alle vegetativen Vorgänge, die mit dem 24-Stunden-Rhythmus zusammenhängen.

Auf der seelischen Ebene spielen drei Faktoren eine Rolle:

Unter *Grundkonflikten* verstehen wir in Anlehnung an STOKVIS (1959) eine Konfliktthematik in der frühen Lebenssituation. Hierüber lassen sich in bezug auf die psychosomatischen Krankheiten z. Z. noch keine verbindlichen Aussagen formulieren. Fragt man durch vertiefte Exploration nach dieser Lebensperiode der Patienten, lassen sich da und dort Auffälligkeiten finden. Ob ihnen aber eine für den Einzelfall verbindliche krankmachende Bedeutung zukommt und ob sie bei psychosomatisch Kranken häufiger ist als beim Durchschnitt der Bevölkerung, muß noch offenbleiben. Die von manchen Autoren behauptete Bedeutung der gestörten frühen Kindheit ist bei objektiver, vom „fruchtbaren Problemdenken" (WEITBRECHT, 1955) getragener Einstellung nicht beweisbar. Immer wieder stößt man auch bei psychosomatisch Kranken auf Störungen der frühen Kindheit in Form von Strenge, Verwöhnung oder Störungen im Zusammenleben der Eltern bis zu inkompletten Familien (‚broken home situation' der anglo-amerikanischen Literatur). Ob sie aber wirklich für den Einzelfall beweiskräftig sind, ist fraglich. Das muß noch untersucht werden und ist damit nach wie vor Aufgabe der Forschung bzw. einer Psychosomatik der Zukunft.

Bei einer *Schicksalssituation* — das ist die Lebenssituation vor Ausbruch der Symptomatik — ist das anders. Hier zeigen die Mitteilungen der meisten Autoren, voran JORES (1967), daß dem ersten Ausbruch der Symptomatik in der Regel ein gravierendes Ereignis vorausgeht, so daß bei einer gleichzeitig vorhandenen vegetativen Labilität psychosomatische Faktoren zu diskutieren sind. Nach derartigen Kriterien wurden bei uns (JOST) Patienten mit Ileitis terminalis einige Monate bis 6 Jahre nach Ilektomie nachuntersucht, um die Frage zu beantworten, ob es sich bei dieser Krankheit, die auch als „Morbus CROHN" bekannt ist, um eine seelisch bedingte Erkrankung handelt. Die Patienten, bei denen auf Grund einer gleichzeitig vorhandenen allgemeinen oder traktusgebundenen vegetativen Labilität psychosomatische Faktoren in Frage kamen, zeigten bei 7 von 11 Fällen eine für den Einzelfall typische gravierende Schicksalsituation.

Daraus folgt für psychosomatische Krankheiten: Bei Menschen mit einer allgemeinen und vor allem einer traktusgebundenen vegetativen Labilität kann eine Schicksalssituation ein so gravierendes Ereignis bedeuten, daß sich aus der vegetativen Dysregulation eine psychosomatische Krankheit entwickelt. Die Schicksalssituation stellt ein wichtiges Glied in der Kette seelischer Ereignisse dar, wodurch aus einem labilen Zustand eine symptommanifeste Erkrankung entstehen kann. Ihr Vorhandensein ist somit eine wichtige Voraussetzung, um bei weiteren dafürsprechenden Befunden eine körperliche Krankheit als psychosomatisch bedingt anzusehen.

Für einen *aktuellen Konflikt* — das ist ein mit der Schicksalssituation zusammenhängender innerer oder äußerer Konflikt, der bis in die Gegenwart reicht und für die zukünftige Entwicklung des Patienten bestimmend ist — gilt das gleiche, wenn auch nicht in so hohem

Prozentsatz. Bleiben die durch die Schicksalssituation heraufbeschworenen seelischen Belastungen als Dauerspannung bestehen, wirken sie sich als aktuelle Konflikte für den Patienten ungünstig aus und beeinflussen die bereits entstandene Erkrankung so sehr, daß sie sich laufend verschlimmert.

Zukünftig muß hier eine breitere Auswertung dieser Feststellungen gefordert werden. Das ist leicht möglich, da die Befunde durch eine vertiefte Exploration auch ohne deutende Interpretation und ohne eine tiefenpsychologisch fixierte Auffassung des Untersuchers erhoben werden können.

In bezug auf die *charakterologische Seite* der psychosomatisch kranken Patienten liegen die Zusammenhänge heute schon klarer. Die Persönlichkeitsschilderungen einzelner Autoren ähneln sich trotz unterschiedlicher Terminologie, die bedingt ist durch die verschiedene Position der Darsteller. Psychosomatisch Kranke sind Menschen, die — psychiatrisch-deskriptiv ausgedrückt — eher zum zwanghaften Typ gehören. Eine überdurchschnittliche Triebhaftigkeit ist polarisiert mit einer ebenso überdurchschnittlichen ethischen Wertnorm. Emotionen werden stärker und länger retiniert und können sich schlecht oder gar nicht entladen.

Zwangsphänomene können sich gelegentlich, wie in Zeiten biologischer Krisen, sogar bis zu abnormen Zwangsmechanismen steigern. Neben diesen charakterologischen Auffälligkeiten kommen vereinzelt affektlabile und zyklothyme Wesensmerkmale vor, so gut wie nie aber hysterische Elemente. Man findet sie dagegen mehr bei konversionshysterischen Erscheinungen und sog. Organneurosen, die aber mit psychosomatischen Krankheiten im engeren Sinne nichts zu tun haben.

Das Vorherrschen der Zwangsstruktur bei psychosomatischen Krankheiten macht u. a. verständlich, warum sie therapeutisch so schwer beeinflußbar sind.

Das leitet zur *Therapie* über: Auch enthusiastische Anhänger der Psychosomatik gestehen sich ein, daß psychosomatisch entstandene Krankheiten psychotherapeutisch nur schwer und auf lange Sicht nur unbefriedigend zu beeinflussen sind.

Die Kombination von vegetativer Beteiligung, Bedeutung der Schicksalssituation und zwanghafter Persönlichkeitsstruktur gibt einen Hinweis auf die optimale Therapie. Neben der körperlichen Behandlung sollte die Psychotherapie auch in einer Kombination von stützenden Maßnahmen in Form von autogenem Training oder gestufter Aktivhypnose und einer auf die Schicksalssituation und evtl. den aktuellen Konflikt zentrierten analytischen Bearbeitung bestehen. Alle drei Aspekte der Therapie müssen, auf den Einzelfall abgestimmt, gut ineinandergreifen. Die starke und obligatorische Beteiligung des vegetativen Nervensystems aber legt eine besonders intensive aktiv-autohypnoide Therapie nahe, auf die später eingegangen werden soll.

Bei den einzelnen psychosomatischen Krankheiten kann man sich kurz fassen, da sie hinsichtlich der körperlichen Symptomatik in den internistischen Lehrbüchern abgehandelt werden. Aber auch aus der Sicht der Psychodiagnostik sind die speziellen psychosomatischen Krankheitsbilder nicht sehr ergiebig.

Zu Beginn der Forschung hatte man angenommen, daß besonders geartete Erlebnisse mit dazugehörigen psychosomatischen Krankheiten zusammenhängen. Diese Erlebnisspezifität hatte sich als Trugschluß erwiesen. Auch mit Blick auf den befallenen Traktus, d. h. also den Atemtrakt, den Verdauungstrakt usw., hatte sich keine Zuordnung zu bestimmten Erlebnissen oder Erlebniskonstellationen ergeben.

Später tauchte die Vermutung auf, die auch heute noch vor allem in schulisch gebundenen Gruppen diskutiert wird, daß eine Charakterspezifität vorliegt, d. h. daß bestimmte psychosomatische Krankheiten besonders gearteten Charakteren zuzuordnen sind. Auch das kann heute noch nicht in dieser ultimativen Form angenommen werden. Vergleicht man die Beschreibungen verschiedener Autoren und einzelner Krankheitsbilder, fällt doch eine gewisse Ähnlichkeit auf, und zwar gleichgültig, ob ein Asthmatiker, ein Magen-Darm-Kranker oder ein Patient mit einer psychosomatischen Kreislaufstörung beschrieben wird.

Allen psychosomatisch Kranken gemeinsam ist die zwanghafte Persönlichkeitsstruktur. Darüber hinaus lassen sich nach unserer heutigen Kenntnis gewisse Nuancierungen finden, mehr aber nicht.

Viele Magen-Darm-Kranke zeigen eine größere Neigung zu Passivität und Abhängigkeit, viele Kreislaufkranke dagegen eine stärkere Affinität zu Aktivität bis Hypermotilität und viele Asthmatiker einen höheren allgemeinen Spannungszustand sowie eine starke Neigung zu sekundären Reaktionsbildungen, insbesondere durch süchtige Haltungen in Abhängigkeit vom helfenden Objekt.

Gerade im Bereich der psychosomatisch Kranken im engeren Sinne ist noch vieles in Fluß und für wissenschaftliche Fragen offen. Bedenkt man z. B. das Ausmaß der Veränderungen am Darm bei der Colitis ulcerosa oder Enteritis terminalis und die günstige Prognose nach operativer Entfernung des erkrankten Darmteils, muß man feststellen, daß die seelischen Faktoren nur Teilkomponenten in einem multikonditionalen Bündel sind. Beobachtet man die schicksalhafte Chronizität mit progredienter Tendenz mancher Asthmaleiden oder Hypertensionen, möchte man ebenfalls an der Bedeutung seelischer Faktoren zweifeln.

Trotzdem aber sollte man besonders am Beginn von Erkrankungen, die psychosomatisch sein können, die psychischen Faktoren beachten, da gerade dann ein therapeutischer Zugang über diesen Bereich wirkungsvoll sein kann. Fehlen im Einzelfall hereditäre Belastungen und läßt sich dafür eine Schicksalssituation am Beginn der Erkrankung nachweisen, sollten die seelischen Faktoren gebührend berücksichtigt werden. Läßt sich gar eine bis in die Kindheit zurückverfolgbare, u. U. sogar traktusgebundene vegetative Labilität nachweisen, erhärtet sich der Verdacht, daß psychische Faktoren wesentliche Teilkomponenten sind. Findet man schließlich bei dem einzelnen Fall, bei dem die gerade erwähnten Faktoren sich nachweisen lassen, noch eine zwanghaft geartete Persönlichkeit, ist die Möglichkeit der psychosomatischen Krankheit noch größer.

Eine solche Diagnose zwingt zu folgenden therapeutischen Konsequenzen:

1. Psychotherapie sollte so früh wie möglich in den Gesamtbehandlungsplan eingebaut werden und damit einen größeren Bereich einnehmen als das oft heute noch der Fall ist.
2. In der seelischen Krankenbehandlung sollten alle die Verfahren bevorzugt werden, die das vegetative Nervensystem erreichen. Dazu gehören vor allem die aktiv-autohypnoiden Methoden, wie z. B. das autogene Training und die gestufte Aktivhypnose.
3. Eingreifende Maßnahmen wie Cortisonmedikationen sollten nur bei wirklich lebensbedrohlichen anfallsartigen Zuständen bei Asthma bronchiale verordnet werden und auch sonst erst nach Untersuchung durch einen Arzt, der in der Diagnostik psychosomatischer Krankheiten Erfahrung hat. Das gilt auch von den schubweise verlaufenden Erkrankungen vor allem des Darmtraktes.

Das heißt also: Psychotherapie nicht als ultima ratio, sondern so früh wie möglich! Dann ist auch für psychosomatische Krankheiten der Weg offen für Psychohygiene als ideale Psychotherapie.

Die anschließende Tabelle 2 gibt einen Überblick über die hier beschriebenen „Typen seelischer Störungen“, wobei gleichzeitig einzelne Synonyma angeführt werden.

Tabelle 2

Typen seelischer Störungen

	ICD Positionen
I. Vorübergehende kurzfristige psychische Auffälligkeiten, die mit situativen Belastungen in Zusammenhang stehen; abnorme seelische Reaktionen; Konfliktreaktionen; Fremdneurosen (i. S. von SCHULTZ):	307
1. Kurzschlußreaktionen	
2. Erplosivreaktionen	
3. seelisch bedingte Fehlgewöhnungen	
4. einfache situative Konfliktreaktionen	
5. Erschöpfungsreaktionen	
6. depressive Erlebnisreaktionen	
7. Konfliktreaktionen durch Studium und Prüfung	
II. Abnorme seelische Entwicklungen:	
1. Durchsichtige abnorme seelische Entwicklungen; Randneurosen (i. S. von SCHULTZ)	—
2. Neurotische Entwicklungen im engeren Sinne; Schichtneurosen (i. S. von SCHULTZ); abnorme seelische Entwicklungen mit Komplexverselbständigung	300
III. Persönlichkeitsstörungen	
1. Persönlichkeitsstörungen als Dauerzustand	301
2. abnorme Persönlichkeitsentwicklungen	301/300
a) asthenische Persönlichkeitsentwicklungen	
b) hypochondrische Persönlichkeitsentwicklungen	
c) neurotische Persönlichkeitsentwicklungen; Kernneurosen (i. S. von SCHULTZ)	
d) paranoische Persönlichkeitsentwicklungen	
e) querulatorische Persönlichkeitsentwicklungen	
IV. Sexuelle Verhaltensabweichungen	302
V. Alkoholismus	303
1. Gewohnheitstrinker	
2. Alkoholsuchtkranke	

	ICD Positionen
VI. Medikament- und Drogenabhängigkeit	304
1. Psychische Abhängigkeit Gewohnheitsbildung (engl. habituation)	
2. physische Abhängigkeit, Sucht (engl. addiction)	
VII. Psychosomatische Störungen; körperliche Störungen, wahrscheinlich psychischen Ursprungs:	305 und Code Nr. des Organsystems
1. Psychosomatische Funktionsstörungen	305
2. Psychosomatische Krankheiten im engeren Sinne	305 und Code Nr. X Organsystems

Krisenhafte Pubertätsentwicklungen

Die Pubertät oder Adoleszenz – beide Begriffe sollen hier weitgehend synonym gebraucht werden, obwohl das Wort „Pubertät" eigentlich nur die körperlichen Vorgänge und „Adoleszenz" nur die psychologischen Abläufe meint – ist ein krisenhaftes Stadium erster Ordnung, in dem biologische, anlageverursachte, entwicklungspsychologische und soziokulturelle Vorgänge stets zusammen gesehen werden müssen. Läßt man eine der drei Facetten unbeachtet, wird der Gesamtvorgang der Pubertät nur noch verzerrt gesehen.

Der biologische Vorgang der Pubertät vollzieht sich in zwei Stadien: dem Stadium der „Desintegration" oder der „psychophysischen Dysharmonisierung"; ihm folgt das Stadium der „Reharmonisierung" auf der neuen Ebene des Erwachsenen. Veränderungen im ersten Stadium werden vorwiegend durch die beginnende Funktion der Sexualdrüsen verursacht.

Die entsprechenden psychischen Folgen bezeichnete E. Kretschmer als „puberalen Instinktwandel".

Das zweite Stadium läuft nicht so stürmisch ab wie das erste und kann sich bei krisenhaften Pubertätsentwicklungen sehr verzögern. Konstitutionsbiologisch sind viele derartige Störungen, auch wenn Milieufaktoren eine überwiegende Rolle spielen, durch starke dysplastische Varianten entweder systemgebunden als „Teilretardierung" bzw. „intersexuelle Einschläge" oder gestreut als „gehäufte Dysplasien" gekennzeichnet, durch die die „Asynchronie der Wuchstendenzen" (E. Kretschmer, Steinwachs u. Herder) erklärbar werden.

Bevor auf die einzelnen Pubertätskrisen eingegangen wird, sollen die heutigen Erscheinungen der Pubertätsentwicklung dargestellt werden:

1. Der biologische Vorgang der Pubertät beginnt eher als in früheren Zeiten. Diese Erscheinung ist als „Akzeleration" bekannt und hält offenbar noch an. Ob es sich hierbei um ein psychosoziales Problem oder um eine der vielen biologischen Rhythmen handelt, ist noch nicht klar entschieden.

2. Für einen größeren Teil der Jugendlichen dauert der psychosoziale Vorgang der Adoleszenz länger als früher. Er reicht häufig bis in das 3. Lebensjahrzehnt hinein, da dieses „kritische Stadium" menschlicher Entwicklung erst als vollgültig abgeschlossen gelten kann, wenn der einzelne auf der Ebene des selbsterwählten Berufes sich selbst erhalten kann. Der biologische Vorgang der Pubertät ist nach wie vor zwischen dem 18. und 19. Lebensjahr beendet.

3. Viele puberale Reaktionen der heutigen Jugend werden dadurch bedingt, daß sie als Kinder in einem Ausmaß am Leben der Erwachsenen teilgenommen haben, wie das früher nicht der Fall war.

4. Die schnelle Informationsmöglichkeit führt dazu, daß Ereignisse aus anderen Erdteilen ohne Zeitverlust an vielen Stellen zugleich wahrgenommen werden können, was die Massenreaktionen Heranwachsender begünstigt.

5. Die „toxische Gesamtsituation" (EICHHOLZ), womit die selbstzugeführte Intoxikation mit natürlichen oder künstlichen Drogen gemeint ist, nimmt ständig zu. Das ist gerade für den Heranwachsenden gefährlich, weil er in der Pubertät an sich schon durch die labilen vegetativen Regulationen gefährdet ist. Dazu kommen die psychosozialen Faktoren, für die die „toxische Gesamtsituation" als ein Risikofaktor erster Ordnung angesehen werden muß.

Die Beschwerden, die in der Sprechstunde auftauchen, zeigen zwei Schwerpunkte. Es wird über unterschiedliche vegetative Regulationsstörungen geklagt, vor allem am Herzen, sowie Schwitzen und Schlafstörungen. Vier Fünftel der Patienten aber zeigen psychische Störungen wie Schulschwierigkeiten, Konzentrations- und Verhaltensstörungen.

Die Patienten sollen in jedem Fall eingehend körperlich untersucht werden, wobei u. a. auf die Tonsillen zu achten ist. Ferner sollen die körperbaulichen Befunde fixiert und vor allem dysplastische Symptome beachtet werden. Neben dem ärztlichen Gespräch hat ferner die Testuntersuchung eine große Bedeutung, während man die Fremdanamnese nicht zu früh, sondern erst nach dem Aufbau eines festen Rapports zwischen Patient und Arzt erheben sollte. Hier wird nach unseren Erfahrungen häufig falsch gehandelt, indem viele Untersucher zuerst die Fremdanamnese erfassen und dadurch den Zustand des „Angeklagt-Seins", mit dem viele Jugendliche von ihren Eltern oder Lehrern gebracht werden, fixieren, was eine zwanglose Gesprächsführung erschwert oder unmöglich macht. Durch die Erstuntersuchung des Jugendlichen aber, u. U. auch gegen den Willen der Erwachsenen, kann man den Aufbau eines Vertrauensverhältnisses erheblich beschleunigen.

Selbst wenn das erste persönliche Gespräch kein wesentliches Ergebnis zeigt, schafft es eine Atmosphäre des Vertrauens. Das erste Gespräch läßt sich gut beenden durch die Äußerung: „Nun wollen wir einmal hören, was die anderen dazu sagen. Einverstanden?" Auch das Einholen des Einverständnisses scheint mir wichtig. Es ist ohne Ausnahme immer zu erreichen.

Folgende Typen pubertätsbedingter Auffälligkeiten, die zusammengefaßt als „Pubertätskrisen" oder „krisenhafte Pubertätsentwicklungen" bezeichnet werden, (s. JAEGER) sind zu unterscheiden:

Karikierte Pubertätsentwicklungen

Hierbei spielt die Pubertät als der wesentliche pathogenetische Faktor die Hauptrolle. Die Patienten stammen meist aus unauffälligen Familien und sind bis zum Beginn der Pubertät nicht durch abnormes Verhalten aufgefallen. Mit Eintritt der Pubertät aber kommt es zu einer meist stürmischen Symptomatik mit überstarkem Autoritätsprotest, gepaart mit Inaktivität. Auch sonst sind alle normalerweise vorkommenden Erscheinungen der Pubertät gesteigert. Körperbaulich fallen bei diesen Patienten nicht selten Teilretardierungen auf.

Die Pubertätsentwicklung ist oft verlängert und reicht nicht selten über das 20. Lebensjahr hinaus. Danach pendelt sich der frühere Gesamtzustand wieder ein. Das erreichte soziale Niveau entspricht dem Familiendurchschnitt und dem geplanten Bildungsgang. Speziell Frauen wählen gern einen sozialgefärbten Beruf.

Pubertätskrisen als Folge einer frühkindlichen Hirnschädigung

Anamnestisch erhält man Angaben über Schädigungen während eines intrauterinen Lebens. während der Geburt oder in der allerersten Lebenszeit. Auch die Kindheit dieser Menschen ist meist nicht frei von abnormen Auffälligkeiten. Zu den ersten stärkeren Krankheitszeichen aber kommt es zu Beginn der Pubertät. Sie wirkt sich als eine biologische, d. h. eine körperliche Umbruchsperiode durch die zerebrale Schädigung stärker aus als bei physisch Gesunden. Oft sind die Symptome der Inaktivität ausgeprägter als bei karikierten Pubertätsentwicklungen. Das Schulversagen steht wegen der oft verringerten geitigen Leistungsfähigkeit im Vordergrund. Besonders sorgfältig müssen deshalb Intelligenz und Antrieb bei Anforderungen über längere Zeit geprüft werden sowie feinmotorische Leistungsfähigkeit, wenn handwerkliche Berufe ausgeübt werden sollen. In der Beratung müssen Leistungsvermögen und -anforderungen sorgfältig aufeinander abgestimmt werden. Oft kommt es trotz guter Betreuung zu einem sozialen Abstieg.

Puberale Akzentuierung abnormer Charaktereigenschaften

Meist lassen sich im Familienbild ähnlich geartete Persönlichkeiten nachweisen. Bei affektlabilen, antriebsarmen, unruhigen Persönlichkeiten kommt eine bedrohliche Unstetigkeit in die Lebensführung, weil die puberale Unrast nicht mehr oder nur mühsam kompensiert werden kann. In der Jugend besonders gefährdet sind asthenische Persönlichkeiten, weil die Pubertätsentwicklung schon von sich aus Kräfte verbraucht. Sie zeigen oft schon vor der Pubertät leichtere Auffälligkeiten, die sich in der Pubertät akzentuieren. Neben dem Gefühl der Leistungsunfähigkeit dominieren hypochondrisch gefärbte Klagen und Sexualskrupel.

Die Beschwerden lassen nach Abklingen der Pubertät oft nicht ganz nach. Der mit der Pubertätskrise zusammenhängende Leistungsabfall ist vielfach so groß, daß das angestrebte soziale Niveau nicht erreicht wird.

Zwangssyndrome während einer Pubertätskrise

Auch hier lassen sich oft gleichsinnige abnorme Persönlichkeiten im Familienbild nachweisen, wobei meist sogar ein Elternteil Zwangserscheinungen zeigt. Als Kinder sind die späteren Patienten stiller als ihre Geschwister und in der Entwicklung der Sexualtriebe meist voraus.

Die Kinder sind übergewissenhaft, fleißig und brav. Mit Beginn der erheblich vorverlagerten Pubertät kommt es zu stärkeren Zwangserscheinungen in ganz verschiedener Form. Skrupulöse Haltungen und Einstellungen sind hauptsächlich um die Sexualsphäre zentriert, da sich auf dieser Ebene die altersspezifischen Probleme abspielen.

Gerade dieser Gruppe von Patienten muß durch die Umbruchsperiode der Pubertät hindurchgeholfen werden, da sich danach die Zwangsphänomene in der Regel wieder verlieren.

Pubertätskrisen durch Diskrepanz zwischen Leistungsfähigkeit und geforderter Leistung

Auch diese Patienten sind in der Sprechstunde nicht selten. Die hochgradig Schwachsinnigen fallen schon meist in der Schule, d. h. vor der Pubertät, auf. Kinder aber, die ihre intellektuelle Leistungsminderung in den unteren Klassen durch Fleiß, Stetigkeit und vermehrte Aufmerksamkeit noch gut kompensieren können, sind dazu gerade im ersten Stadium der Pubertät nicht mehr fähig. Die Umbruchsperiode fordert von ihnen so viel Energie, daß sie den geistigen Anforderungen nicht mehr gewachsen sind. Kurzschlußreaktionen in Form von Weglaufen und Affekthandlungen einschließlich Suizidversuchen sind die häufigsten Folgen.

Hier muß besonders die Leistungsfähigkeit in all ihren Dimensionen erfaßt werden. Bei der anschließenden Beratung ist größte Vorsicht geboten, da die meisten Menschen sehr empfindlich auf die Frage der Intelligenzminderung reagieren.

Krisenhafte Pubertätsentwicklungen durch Milieuschäden

Es handelt sich meist um Jugendliche aus inkompletten oder gestörten Familien (engl. ‚broken home situation'), daneben um Einzelkinder oder Jüngste in weitem Abstand, selten dagegen um älteste Kinder. Verwöhnte Kinder sind häufiger anfällig als zu streng erzogene. Die Symptomatik dieser gestörten Jugendlichen ist sehr unterschiedlich. Es kommt zu Verhaltensstörungen, Kurzschlußreaktionen und Schulschwierigkeiten. Skrupulöse Erscheinungen sind sehr selten. Die Diagnose ist nicht schwer, da es sich meist schon um ausgeprägte Störungen handelt, bevor der Arzt aufgesucht wird. Leichtere Pubertätsstörungen durch Milieuschäden sind in der Regel in den bekannten Auffälligkeiten zu finden. Erst wenn sie für den einzelnen ausgeprägter werden, wird ärztliche Hilfe aufgesucht.

Initiale Schizophrenien

Hier begegnen wir dem großen Dilemma in der Diagnostik und Psychotherapie Jugendlicher. Eine beginnende schizophrene Psychose kann bei sehr vielen der geschilderten Typen von Pubertätsstörungen als Differentialdiagnose erwogen werden. Eine gleichsinnige Heredität in Form gleichartiger Psychosen oder deutlich schizoider Persönlichkeiten im Familienbild ist häufig. Die Anamnese läßt sich eindeutig bis zum Beginn der Pubertät verfolgen, auch wenn die Patienten erst gegen Ende dieser Entwicklungsperiode zum Arzt kommen. Nur die letzten Auffälligkeiten, die Anlaß für eine Kliniksbehandlung sind, treten kurz vorher auf. Inaktives Verhalten herrscht bei den Symptomen vor. Es kann plötzlich umschlagen in überschießende unbeherrschte Ausbrüche. Werden subjektive Beschwerden geäußert, so sind es hypochondrische Befürchtungen. Leider kann man häufig die Diagnose initialer Schizophrenien nicht aus dem Querschnitt stellen, sondern muß sich begnügen mit einer Diagnose etwa in Form von „Verdacht auf schleichende Persönlichkeitsänderung".

Syndrome seelischer Störungen *

Allgemeines

Ordnen heißt einteilen. Dazu ist ein Maßstab wichtig, nach dem eingeteilt werden soll. Im Bereich der Medizin bieten sich verschiedene Ordnungskategorien an. Sie richten sich nach dem befallenen Organ oder Organsystem, wie z. B. bei den psychosomatischen Krankheiten, und nach der Art der wesentlichen Ursache (Entzündung, Trauma, Tumor).

In der Psychiatrie hat sich bisher die Einteilung empfohlen in exogene Psychosen, endogene Psychosen, abnorme seelische Störungen und abnorme Persönlichkeiten.

Als grobe Einordnung kann man dies gelten lassen. Schwieriger wird es, wenn die Gruppen weiter unterteilt werden sollen. Das läßt sich am Beispiel der „Schizophrenien" zeigen, bei denen seit M. Bleuler (1941) viele Autoren mit Recht von einer „Gruppe der Schizophrenien" sprechen. Darunter läßt sich die große Fülle psychotischer Erscheinungen zusammenfassen, die in einigen führenden Symptomen der Schizophrenie vorkommen, ohne den Befunden Gewalt anzutun. Da die Ursache der Erkrankung Schizophrenie unbekannt ist, wird jede Einteilung, die sich nach Symptom, Verlauf oder anderen Teilkomponenten richtet, überfordert. Deshalb ist die reine Beschreibung der psychopathologischen Phänomene zwar unverbindlicher, dafür aber zumindest so lange gültig, bis die Ätiologie erforscht ist. Bis dahin müssen wir uns mit einer Syndromlehre begnügen.

Die Syndromlehre hat ihre Vorläufer. Am bekanntesten ist in der Psychiatrie Hoche, der sich gegen die ersten Einteilungsversuche der psychiatrischen Erkrankungen von Kraepelin wandte und mit Begeisterung für „psychiatrische Syndrome" einsetzte. Ähnliches geschah in der Neurologie. Hier trat Kroll für „neuropathologische Syndrome" ein, wobei er sich im wesentlichen an dem befallenen Teil des Zentralnervensystems orientierte. Gegenwärtig spielen ausgeprägte am Syndrom orientierte Aspekte in der Psychiatrie vor allem in Frankreich eine Rolle (H. Ey und P. Pichot).

Auch auf das Gebiet seelischer Störungen läßt sich eine Syndromlehre übertragen. Ihr Prinzip ist:

Die *Beschreibung* soll im Vordergrund stehen, im Gegensatz zur Deutung.

---

* s. dazu Tab. 3, S. 81

Das *Leitsymptom* soll den Ausgangspunkt der Beschreibung darstellen (z. B. Zwangsphänomene oder Angst).

Die Anamnese soll sich anhand des *biographischen Längsschnittes* orientieren und dabei Familienbild, Erlebnisse und Charakterentwicklung gleichermaßen berücksichtigen.

Neben den Leitsymptomen sollen andere persönlichkeitsspezifische Merkmale beschrieben werden, damit nach Möglichkeit der Mensch als Ganzes sichtbar wird.

Das Bedürfnis zu einer deskriptiven Diagnostik entsteht dadurch, daß im Bereich seelisch bedingter Störungen gleich zwei Begriffe so miteinander verkoppelt werden, als ob sie in jedem Falle zusammengehörten. Das läßt sich bei der Verbindung von ‚Zwang' und ‚Neurose' zeigen, wobei durch die Verquickung zu ‚Zwangsneurose' der Eindruck entsteht, als ob alles, was mit Zwang zusammenhängt, nur eine Neurose sein könnte. Das ist aber keineswegs der Fall, weshalb schon Rümke (1967) unverbindlicher und auch von den Phänomenen geleitet von ‚Zwangssyndromen' sprach. Den Anregungen von Rümke bin ich jahrelang gefolgt, habe sie in der praktischen klinischen Tätigkeit erprobt, in bezug auf die Patienten mit Zwangsphänomenen noch etwas ausgebaut und auf andere seelische Störungen übertragen, was hier dargelegt werden soll.

Zwangssyndrome

Der Zwang

Auch der Begriff ‚Zwang' wird häufig unkorrekt gebraucht und meist viel zu schnell mit ‚Neurose' verbunden. Dadurch wird der Eindruck erweckt, als ob jedes Zwangssymptom neurotisch wäre. Die Bezeichnung ‚Zwangsneurose' läßt sich aber auch bei einem weitgefaßten Neurosebegriff nicht immer anwenden.

Von einem Zwang nach der Definition von K. Schneider kann allgemein dann gesprochen werden, wenn sich der Betroffene von einem „Bewußtseinsinhalt nicht lösen kann, obschon er ihn gleichzeitig als inhaltlich unsinnig oder wenigstens als ohne Grund beherrschend und beharrend beurteilt" (zit nach J. Weitbrecht S. 26). Den meisten Zwangserscheinungen haftet etwas eigenartig Automatisches und Persönlichkeitsfremdes an, das manchmal hinorganisch anmutet. Ähnliches gilt für pathologisch formale Denkstörungen in der Schizophrenie. Nicht alle Zwangssymptome sind in jedem Falle durch Komplexe oder abnorme Erlebnisse bedingt. Es muß hierzu auch eine „angeborene Strukturanomalie" (J. Weitbrecht) bzw. eine Störung des „Assoziationsapparates" (E. Kretschmer) angenommen werden, welche „die Erlebniswirkungen eben gerade in diesen speziellen Verarbeitungs- und Denkformen leitet" (J. WEITBRECHT S. 116). Somit ist der Zwang letztlich etwas Leibliches, das stark mit der Anlage verbunden ist, weshalb wir gerne die Bezeichnung ‚zwanghaft geartet' gebrauchen. Alle anlagemäßigen Faktoren können in verschiedener Stärke und Kombination mit anderen Auffälligkeiten verbunden sein. Deshalb ist es notwendig, auch die Zwangserscheinungen differenziert zu typologisieren.

Selbst im Normbereich gibt es derartige Zwangsphänomene, z. B. wenn man bei Ermüdung nicht von einer Melodie, einem Rhythmus oder einer Wortfolge loskommt.

Diskordant-normale zwanghafte Persönlichkeiten sind sehr verbreitet und oft da besonders geschätzt, wo berufliche Anforderungen an Pünktlichkeit, Ordnungsliebe und Pflichtbewußtsein gestellt werden. Derartige Menschen fühlen sich auch leicht zu solchen Berufen hingezogen, die eine Liebe zum Detail fordern, wie im Bank- oder im Verlagswesen. Wenn auch auf der einen Seite dadurch eine Sozialisierung der Anlage möglich ist — analog der Anlage zum Darstellerischen beim Schauspieler — ist andererseits eine Überforderung in dieser spezifischen Haltung gefährlich.

Für die psychotherapeutische Arbeit mit dem autogenen Training ist es wichtig, die Polarisierung zwischen hysterischer Struktur und zwanghafter Anlage zu kennen. Während der hysterisch Strukturierte eine überdurchschnittlich gute Ideoplasie mit einer besseren Realisierung des Schwereerlebnisses hat und dadurch tiefe hypnoide Zustände erreicht, ist dies bei zwanghaft Gearteten nicht der Fall. Da sie zu einer Parzellierungstendenz neigen, können sie schlecht generalisierte Schwereempfindungen erleben, und sie erreichen nie so tiefe hypnoide Zustände wie hysterisch Strukturierte. An diesen und vielen anderen Beispielen sieht man, daß sich die beiden einander gegenübergestellten Typen bis weit in das Leibliche hinein unterscheiden und dadurch manche psychologischen Aspekte erst sekundär sind. Vielleicht gilt das auch für Phänomene wie Suggestion, Autosuggestion, Schlaftiefe usw.

Zwanghafte Reaktionsweisen. Hierzu sind die diskordant Normalen zu rechnen, die etwas übertrieben gewissenhaft, genau, pünktlich, korrekt sind und schwer in entsprechenden Situationen aus dieser Haltung herauskommen.

Psychasthenische Zwangssyndrome. Sie sind als Störung weit verbreitet. Neben den Zwangserscheinungen lassen sich asthenische Verhaltensweisen da und dort im Lebensgang nachweisen, so daß, gemessen am sozialen Niveau der unmittelbaren Umwelt, die soziale Position dieser Patienten niedriger ist. Komplexe und Konflikte werden häufig mehr durch asthenische Komponenten bedingt als durch die Zwangsphänomene selbst. Entfremdungserlebnisse, ein „abaissement du niveau mental", eine „folie de doute" oder „déjà-vu-Erlebnisse" sind, ebenso wie ängstliche und skrupulöse Verhaltensweisen gerade bei dieser Gruppe von Zwangssyndromen besonders ausgeprägt, so daß enge Beziehungen bestehen zu dem „caractère scrupuleux inquiet" der Franzosen, bzw. zum „sensitiven Charakter" nach E. Kretschmer.

Beispiel: Ein 28jähriger Mann hatte bereits 18 Semester studiert und wagte es nicht, ins Examen zu gehen, weil er immer noch meinte, nicht genügend vorbereitet zu sein. Er berichtete, er leide ferner daran, daß er so schnell ermüde. Deshalb brauche er mehr Schlaf als andere und würde morgens erst am Vormittag aufstehen. Nachts könne er dagegen nicht schlafen, so daß er regelmäßig Schlafmittel nehmen müsse.

Schon als Kind sei er übergenau gewesen, habe Melodien nicht aus dem Gedächtnis gebracht und die Gewohnheit gehabt, seine Schulmappe immer zweimal zu packen oder auf dem Schulweg peinlich genau darauf zu achten, nicht auf einen Strich zu treten.

Jetzt wieder würde er morgens noch müder erwachen als er abends beim Hinlegen gewesen sei. Er habe kaum Kontakt zu seinen Studienkollegen und würde sich immer mehr von den anderen zurückziehen, da er oft das Empfinden habe, sie hätten etwas gegen ihn.

Bei der Untersuchung wirkte der Patient schon äußerlich überdurchschnittlich korrekt, überdurchschnittlich ordentlich gekleidet, bescheiden, zurückhaltend und still. Die Kontaktfähigkeit war mäßig, die Stimme leise, langsam und wenig moduliert. Emotionell wirkte er leicht gedrückt, schwunglos, langweilig und nur wenig profiliert. Auch geistig zeigte er sich wenig wendig und einförmig, aber in bezug auf die Intelligenz überdurchschnittlich begabt.

Derartige Krankengeschichten sind relativ häufig und vor allem in leichter Abwandlung immer wieder anzutreffen.

Der Verlauf hängt wesentlich mehr von der asthenischen als der anankastischen Komponente der Persönlichkeit ab. Gelingt die Aktivierung nicht, wird meist das gesteckte Ziel der beruflichen Entwicklung nicht erreicht.

Für die Therapie ist es wichtig, ausgesprochen analytische Behandlungen zu vermeiden. Sonst fließen die aktiven Reste der Persönlichkeit des Patienten in die Analyse, so daß für die Lebensgestaltung wenig oder keine Kraft übrigbleibt. Auch im Falle einer klinischen Psychotherapie muß sorgfältig darauf geachtet werden, daß die Behandlung nicht zu lange währt. Die Schwierigkeiten, die Patienten wieder in das reale Leben zurückzuführen, sind oft besonders groß. Therapeutisch indiziert ist eine kurze, biographisch orientierte Charakteranalyse, eine sorgfältige Abstimmung des Lebensraumes an die vorhandene Leistungsfähigkeit und eine ermutigende Aktivierung.

Sind bei dieser Art von Patienten ängstliche Befürchtungen stark, entstehen fließende Übergänge zu den psychasthenisch-phobischen Syndromen (s. S. 60).

Zwangssyndrome in einer biologischen Krise

Hierbei handelt es sich um klinische Bilder, die herauszuarbeiten sinnvoll ist, weil sie häufig vorkommen.

Beispiel: Ein 19jähriger Patient kam zur Behandlung, da das Interesse an der Schule nachgelassen hatte. In der Familie gab es einzelne Blutsverwandte, die in verschiedenen Richtungen auffällig waren. Er selber war als Kind etwas kränklich, sonst aber nicht auffällig. Vom 12./13. Lebensjahr ab wurde er ernster und unausgeglichener. Er mußte lange über alles nachdenken und konnte sich nur schwer zu etwas entschließen. Die sexuellen Skrupel waren besonders stark. Er hatte befürchtet, durch Onanie geisteskrank zu werden. Bei der Untersuchung zeigte der Patient körperbaulich einige dysplastische Symptome. Psychisch wirkte er im Kontaktbereich gestört und schwunglos bis in die Sprache hinein, emotionell blaß und zu dysphorischen Stimmungen neigend. Intellektuell waren keine Auffälligkeiten festzustellen. Wie stark Zwangserscheinungen in das Verhalten hineinreichten, konnte erst rückwirkend bei der stationären Beobachtung des Patienten festgestellt werden. Sein Verhalten beim Aufstehen, bei den täglichen Verrichtungen des Lebens oder beim Essen waren durchgehend von einer Fülle zwanghafter Verhaltensweisen bestimmt. So konnte er nur aufstehen, wenn die Hausschuhe genau an derselben Stelle standen, wo er sie am Vorabend hingestellt hatte. Das aber war nicht selbstverständlich, weil er mit seinem Bruder das Zimmer teilte. Deshalb hatte er morgens manchmal nicht aufstehen und zur Schule gehen können, weil die Schuhe nicht dort standen, wo sie stehen sollten. Ebenso konnte er sich nur an den Eßtisch setzen, wenn alles genau geordnet dort lag, wo es zu liegen hatte. Ausnahmen wurden nicht geduldet. So war sein Tagesablauf durchzogen von möglichen Hindernissen durch mangelnde Ordnung. Wo die von ihm selbst errichtete Ordnung zerstört war, stellte das für den weiteren Tagesverlauf ein unüberwindliches Hindernis dar.

Der Patient konnte 6 Jahre später nachuntersucht werden. Die ihn blockierenden Zwangserscheinungen hatten noch etwa 3 Jahre bestanden und waren dann langsam abgeklungen. Er hatte aber seine schulische Ausbildung nicht abschließen und deshalb die technische Hochschule nicht besuchen können. Bei der Nachuntersuchung zeigte er noch einige Zwangserscheinungen, wie übergroße Gewissenhaftigkeit und Neigung zu grübelnder Beschäftigung mit Nebensächlichem. Der Zwang störte ihn aber jetzt nicht mehr.

Bei Patienten mit Zwangssyndromen in einer biologischen Krise läßt sich häufig die von Rümke hervorgehobene große Schwankung der Störungen nachweisen. „Sie kommen und gehen, ohne daß man deutlich spürt, was eigentlich verändert ist. Zwangsideen tauchen manchmal mit, dann wieder ohne das Gefühl des subjektiven Zwanges auf . . . Die Inhalte sind überwiegend von aggressiver Art, werden von perversen, manchmal sogar sehr stark perversen Phantasien geliefert, ohne daß sich damit das Erleben von Verderbnis, Ansteckung usw. verbindet. Seltsame blasphemische Gedanken können den Kranken eine Zeitlang quälen. Manchmal gibt es auch kurzdauernde Zwangsrituale. Psychasthenische Erscheinungen kommen ... in reichem Maße vor. Eine Kombination mit Tics ist häufig" (Rümke S. 99). Rümke nannte die Zwangsphänomene „Zwangserscheinungen bei dégénerés supérieurs". In Anlehnung daran habe ich vom „degenerativen Zwangssyndrom" gesprochen, das schon in der Bezeichnung nicht ganz wertfrei ist. Jetzt ziehe ich die hier gewählte Bezeichnung „Zwangssyndrom während einer biologischen Krise" vor, da die Umbruchsperioden wichtige pathogenetische Teilkomponenten darstellen. Neben Pubertät, Klimakterium und Wochenbett können derartige Zwangssyndrome auch bei Rekonvaleszenz nach schweren körperlichen Krankheiten auftreten.

Der *Verlauf* der Zwangssyndrome bei biologischen Krisen ist meist relativ günstig, weil nach der Umbruchsperiode auch die Zwangserscheinungen nachlassen oder sogar verschwinden.

Auch für die *Therapie* ist es wichtig, diese Gruppe hervorzuheben, weil es hier vorwiegend um eine Hilfestellung bei der Überwindung der biologischen Krisensituation geht, dagegen auf die Zwangserscheinungen nicht so stark eingegangen zu werden braucht. Diese Haltung kann sich steigern bis zu einer Kontraindikation zur Psychotherapie bei Zwangserscheinungen, die nur während der Schwangerschaft auftreten. Direkte psychotherapeutische Maßnahmen dagegen spielen bei all diesen Zwangssyndromen in biologischen Krisen mehr eine sekundäre Rolle.

Zwangssyndrome bei neurotischer Entwicklung — oder Zwangsneurosen im engeren Sinne

Dazu schreibt Rümke: „Eine echte Zwangsneurose findet man nur selten, das will sagen: eine Zwangsneurose, die den Kriterien entspricht, die für eine Neurose im engeren Sinne gelten: gestörte Triebentwicklung, die sich in einer Fixation an die analerotische, sadistische Phase äußert, Störungen in der Ich-Entwicklung. Deutliche Anzeichen dafür, daß die Zwangserscheinungen als Ausdruck verdrängter Triebregungen in verhüllter oder symbolischer Form oder auch als Abwehrerscheinungen zu betrachten sind. Bei diesen Kranken ist ja die Abwehr erheblich größer als bei den Psychasthenikern. Die erwähnten psychasthenischen Züge können ganz fehlen. Die Persönlichkeit ist von härterer Konsistenz. Der Charakter ist überwiegend analerotisch-sadistisch geformt. Die geistige Beweglichkeit ist stärker eingeschränkt. Doch leben diese im engeren Sinne neurotischen Patienten in der Hauptsache in der gleichen Welt wie der normale Mensch" (Rümke S. 96/97).

Zum Unterschied von den bisher geschilderten Zwangssyndromen zeigen diese Patienten nur wenige oder keine psychasthenischen Züge. Das Abwehrzeremoniell gegen die Zwangsphänomene ist dagegen stark entwickelt und geht manchmal bis ins Bizarre. Die Persönlichkeit neigt mehr zu narzistischen Einstellungen. Niemals aber findet man den sensitiven oder asthenisch-skrupulösen Typ. Vorherrschend ist dagegen der „zwangsneurotische Charakter" nach Freud, d. h. die starre, geistig wenig bewegliche Persönlichkeit. Warmherzige Menschen aber trifft man nie unter Patienten mit Zwangsneurosen im engeren Sinne, schon weil eine Introversion vorherrscht.

Beispiel: Ein 35jähriger Mann, zeit seines Lebens ein aktiver, gewissenhafter, strebsamer und beruflich erfolgreicher Mensch, war seit 8 Jahren verheiratet und hatte 2 Kinder. Seit 3 Jahren plagte ihn ein zunehmender Waschzwang, der ihn mit großer Vehemenz dazu trieb, immer mehr Zeit für diese Zwangserscheinungen zu opfern. Vor seiner Behandlung war er rastlos mehrere Stunden täglich mit Waschen beschäftigt. Er bekam erst Ruhe, wenn er einem Ritual entsprechend alles getan hatte, wozu er innerlich getrieben wurde. Lautstark berichtete er darüber, wobei vor allem immer wieder das dranghaft Getriebene deutlich wurde. Eine vertiefte Anamneseerhebung deckte in engem zeitlichem Zusammenhang mit dem Ausbruch der Symptomatik ein schuldhaftes sexuelles Verhalten auf. Ferner war weiter zurückliegend ein übertrieben starkes Ehrgefühl und Empfinden für Recht und Unrecht festzustellen. Es war ein Erziehungsprodukt bei gleichzeitig ehrgeizig-gewissenhafter Charakterstruktur. Die auf Sauberkeit und Ordnung ausgerichteten Erziehungsmaßnahmen waren ausgeprägt und mehr von der Mutter als vom Vater an den Patienten herangetragen worden. Im psychischen Befund stellte man neben einer guten Kontaktfähigkeit vor allem eine lebendige Hyperaktivität fest, die bis zur Rastlosigkeit ging. Emotionell wirkte der Patient reagibel, aufgeschlossen, jetzt aber ängstlich getrieben, intellektuell betont, wendig und strebsam. Die Behandlung bestand in einer medikamentösen Ruhigstellung bei gleichzeitiger analytischer Bearbeitung der Biographie mit Schwerpunkt auf der Zeit der Dekompensation. Nach einer Stabilisierung gelang dem Patient das autogene Training, das ihm auch noch nach der klinischen Behandlung gute Dienste leistete.

Der klinische Unterschied gegenüber den bisher beschriebenen Zwangssyndromen ist vor allem die andersgeartete Grundstruktur der Persönlichkeit. Sie ist aktiv im Gegensatz zu den psychasthenischen Zwangssyndromen. Durch die sthenisch-aktive Komponente der Persönlichkeit ist das Abwehrzeremoniell gegen die Zwangsmechanismen stark entwickelt und reicht bis ans Bizarre. Die durch die Umwelt bedingten Einflüsse sind von Kindheit an stärker, ebenso ist die Schicksalssituation gravierender als bei den vorher beschriebenen Zwangssyndromen.

Der *Verlauf* der Zwangsneurose ist im Vergleich zu den anderen Typen günstiger, da die Aktivität der Persönlichkeit bei einer psychologisch orientierten Behandlung bessere Möglichkeiten für eine Bearbeitung gibt. Bei einzelnen Patienten zeigt sich dagegen eine starke Progredienz, so daß man hier an andere Typen der Zwangssyndrome denken muß.

Die *Behandlung* muß im Schwerpunkt analytisch orientiert sein, was oft mehr Zeit fordert als bei anderen seelischen Störungen. Daneben spielen autohypnoide Verfahren, wie das autogene Training und die gestufte Aktivhypnose, ebenfalls eine Rolle; sie vermitteln nach gewonnenen Einsichten eine bessere Distanz. Dies entspricht dem Modell der „zweigleisigen Methode" nach E. Kretschmer. Psychopharmaka kann man daneben nicht entbehren. Sie erleichtern die Psychotherapie bei vielen Patienten erheblich.

Anankastisch abnorme Persönlichkeiten

Menschen mit derartigen psychopathischen Dauerzuständen sind sehr gewissenhaft, pedantisch, innerlich unsicher und ängstlich. Gegen ihre Umgebung sind sie oft streng, hart, lieblos und neigen dazu, sich selbst zu quälen und die Umgebung zu tyrannisieren. Dysphorische Verstimmungen und leichte Irritierbarkeit sind bei ihnen häufig. Zwangsphänomene sind da und dort in den Lebensgang eingestreut, beherrschen aber nicht immer die Szene ganz. In der Familie finden sich vermehrt abnorme Persönlichkeiten oft ähnlicher Färbung. Die Patienten zeigen selten eine Progredienz ihrer Störung, im Gegensatz zu den malignen Zwangssyndromen. Die Symptomatik kann zu bestimmten Zeiten und in bestimmten Situationen ausgeprägter sein.

Auch der Verlauf ist gleichbleibend mit geringen Schwankungen. Die *Behandlung* soll in psychagogischen Maßnahmen bestehen. Eine betont analysierende Behandlung ist kontraindiziert, die Grundübungen des autogenen Trainings und der gestuften Aktivhypnose dagegen besonders geeignet. Zwar lernen die Patienten oft nur mühsam die Selbstversenkung; sie ist ihnen aber im Gegensatz zur Gruppe des malignen Zwangssyndroms nicht unmöglich. Gewisse methodische Nuancierungen sind jedoch wichtig, weil die Patienten wegen ihrer anankastischen Grundstruktur zu Parzellierung beim Lernen der Grundübung neigen, während ihnen eine mehr globale Gesamtumschaltung schwer gelingt im Gegensatz zu den hysterisch strukturierten. Die zusammenfassende Form der Konzentration, von mir als ‚Radikalisierung' bezeichnet, ist deshalb wesentlich. Das Trainieren der Viszeralübungen des autogenen Trainings dagegen, d. h. die Herz-, Atem- und Abdominalübung ist gerade bei dieser Gruppe von Patienten eher kontraindiziert, da hierdurch der Zwangsmechanismus jedesmal erneut angesprochen und evtl. den hypochondrischen Verarbeitungen Vorschub geleistet wird. Beim Aufbau der wandspruchartigen Leitsätze ist es wichtig, die Indifferenzeinstellung gegenüber den Zwangserscheinungen allgemein zu halten, etwa durch die Formel „jeder Zwang gleichgültig". Bei einer engeren Fassung der Vorsatzbildung werden sonst zu leicht die Zwangssyndrome verlagert.

Der Behandlungserfolg ist oft nicht überzeugend, da das Weltbild derartiger Menschen sehr verschoben und ihnen ihre Abnormität gar nicht bewußt ist. Das wird vor allem deutlich, wenn die Mitmenschen unter der Abnormität eines Anankasten leiden.

Maligne Zwangssyndrome oder Zwangskrankheit

Wie notwendig eine Typologisierung der Patienten mit Zwangserscheinungen ist, und wie falsch es ist, Zwang mit Neurose gleichzusetzen, wird gerade bei dieser Gruppe von Störungen deutlich. Ebenso wird hier die innere Beziehung von Zwang und Wahn sichtbar. Hierüber haben sich viele Psychiater geäußert, vor allem CARP, VON GEBSATTEL, O. KANT, PETRILOWITSCH und RÜMKE.

Wahnkranke und Zwangskranke leben in einer Welt ohne ‚Harmlosigkeit'. In beiden Welten werden überall Bedeutungen und Ereignisse gesehen, die ihnen nicht zukommen. „Der Zwangskranke aber weiß um das Unsinnige der ihm auffallenden Bedeutungen. Dem Paranoiker ist die Bedeutsamkeit der Erscheinungen eins mit ihrer Realität. Dem Anankasten schimmert die ursprüngliche Wirklichkeit mit ihrem Charakter der Unschuld und Harmlosigkeit, wenn auch unerreichbar, durch den Hexensabbat der magischen Bedeutungen durch" (VON GEBSATTEL, zit. nach RÜMKE, 1967, S. 90). Trotz aller Ähnlichkeit sind aber Wahn und Zwang doch voneinander zu unterscheiden.

Die Wahnthematik ist im allgemeinen umfangreicher und großartiger. In ihr spiegeln sich alle großen menschlichen Lebensereignisse wider. Man wähnt sich glücklich und groß. Die Zwangsthematik ist einförmiger, enger. In ihr kommen nur die negativen Seiten des menschlichen Lebens zum Vorschein, wobei alles schmutzig, gefährlich und drohend ist. Das Destruktive herrscht vor.

Manche Zwangserscheinungen lassen sich aus Persönlichkeitsstruktur oder aus psychoreaktiven Konstellationen verstehen. RÜMKE schlägt vor, sie „zwangsartige Erscheinungen" zu nennen. Sie spielen sich in der charakterologischen und verstehbaren Schicht der Persönlichkeit ab.

Bei den Patienten dieser Gruppe findet man in der Familie mehrere Menschen mit Zwangserscheinungen. Die Abnormitäten treten bei den Patienten früher auf als bei den Eltern (Anteposition) und sind deutlicher, stärker, aufdringlicher, ja, sie bekommen hier erst Krankheitswert im Gegensatz zu den Zwangserscheinungen der Eltern. Es lassen sich mildere Formen von den penetranten Verläufen unterscheiden. RÜMKE bringt einen Vergleich zu der Paranoia: „Das Problem der Beziehung der eigentlichen Paranoia zu den milden paranoiden Zustandsbildern einerseits und zur Schizophrenie andererseits geht in der Tat parallel mit dem Problem der malignen Zwangskrankheit" (RÜMKE S. 98).

So auch hier: Bei den leichten Formen des malignen Zwangssyndroms finden wir Menschen, deren Einstellungen und Haltungen den Dingen des Lebens gegenüber von Zwangsphänomenen milde durchzogen sind. Für sich allein könnten sie gut und ohne Komplikationen existieren. Sie geraten aber in Spannungen mit der Umwelt, sowohl im Beruf als auch in der Familie, weil eben ihre Auffassung von den Dingen des Lebens anders ist als bei den Mitmenschen. Das gilt besonders gegenüber Ordnung, Pünktlichkeit, Großzügigkeit und Gefühlsäußerungen. Gerade unter diesen Menschen leidet die Umwelt, weil die Auffassungen von Grundempfindungen dem Leben gegenüber vom Durchschnitt stark abweichen. Die ausgeprägteren Formen der malignen Zwangssyndrome sind aber besonders auffällig und heben sich deutlich von den leichteren Typen ab. Es überwiegen die asthenischen Einstellungen bei weitem; sie fließen allerdings vorwiegend in die Zwangsimpulse. Dadurch ist die Persönlichkeit oft hart, unduldsam und in Tiefen unzugänglich und verschlossen. Die Patienten sind meist egozentrisch, narzistisch und haben sehr oft stärkere sadistische Impulse. Die Persönlichkeit ist meist starr, geistig und emotionell nicht beweglich. Der Gefühlskontakt zu den Mitmenschen ist sehr gering. Introversion überwiegt gegenüber Extraversion.

Der Zwang aber beherrscht den ganzen Menschen, auch wenn er ihm nicht nachgibt. Inhaltlich herrscht das Schmutzige, das Verdorbene, das mit den Exkrementen sich Beschäftigende vor. „Das Abwehrzeremoniell (gegen den Zwang) nimmt exzessive Formen an (und) ist manchmal derartig barock, daß schon deswegen an eine Schizophrenie gedacht werden muß" (RÜMKE S. 98). Für den Patienten mit einem malignen Zwangssyndrom ist die Welt stärker mit Angst erfüllt als bei anderen an Zwangsphänomenen Leidenden. Schon daher ist oft das starke Abwehrzeremoniell bedingt.

Das subjektive Leiden der Kranken ist besonders stark, schon weil die Zwangsphänomene so durchdringend sind und gleichzeitig die Angstspannung sehr hoch ist. Die Verbindung zur gemeinsamen Welt geht nicht so stark verloren, sondern wird durch die persönlichen, privaten und beruflichen Kontakte ständig aufrechterhalten. Es entsteht ein dauernder Zwiespalt für die Kranken, unter dem sie stark leiden, auch wenn sie es nicht zeigen; denn sie können ihren Leidenszustand meist gar nicht ausdrücken, weil die Persönlichkeit so starr introvertiert, hart und auf sich selbst bezogen ist.

Beispiel: Ein Theologiestudent kam zur klinischen Behandlung, da er im Studium nicht weiterkam. Schon der Vater hatte an Zwangserscheinungen gelitten und war sehr hart und streng in der Erziehung. Wegen seiner Zwangserscheinungen aber war der Vater niemals in ärztlicher Behandlung gewesen. Der Patient selber kam in der Schule nur schwer weiter. Die Leistungen waren zwar immer gut, er wurde aber mit allen ihm gestellten Anforderungen nur schlecht fertig. Bei auch nur geringfügigem Versagen in der Schule bestrafte er sich häufig selber. Nach dem Abitur trat er einem Yogazirkel bei und praktizierte seither mehrere Stunden Yogaübungen. Deswegen mußte er schließlich früher aufstehen, um die Übungen schon morgens durchzuführen. Auch abends kam er später ins Bett, da ihn die Übungen wieder mehrere Stunden aufhielten. Er mußte sich in den letzten Monaten zweimal täglich mehr als eine Stunde von Kopf bis Fuß waschen.

Bei der klinischen Behandlung bat der Patient um ein Einzelzimmer, da er auch in der Klinik ständig Gelegenheit haben müsse, seine Yogaübungen und sein Waschzeremoniell durchzuführen. Außerdem scheue er den Kontakt mit den Mitmenschen.

Während mehrerer psychiatrischer Explorationen kam es zu einem sehr geringen Kontakt mit dem Arzt. Nur das gesprochene Wort stellte die Brücke zum Untersucher dar. Im übrigen aber fehlte jede gefühlsmäßige Beteiligung ebenso wie die Blickzuwendung. Der Patient sprach mit nach abwärts gebeugtem Kopf. Der Blick war starr zur Erde gewandt. Leise und geheimnisvoll, eher flüsternd, als ob Verbotenes mitgeteilt würde, erzählte er seinen Lebensgang. Alle Berichte ähnelten mehr einem Monolog als einem Zwiegespräch. Die Physiognomie war starr und unbeweglich. Gleichzeitig wirkte der Patient extrem ängstlich, scheu, mißtrauisch, unlebendig und starr. Intellektuell war er eher überdurchschnittlich begabt, aber unfähig, von der geistigen Leistungsfähigkeit wirklich Gebrauch zu machen.

Ein ausgeprägtes Zwangsritual beschäftigte den Patienten. Er praktizierte seine Yogaübungen morgens und bis spät in die Nacht hinein. Ebenso war er häufig auch tagsüber für viele Stunden mit Waschen beschäftigt.

Bei einem anderen Patienten, bei dem im großen und ganzen ein ähnliches Bild vorherrschte, waren die Zwangserscheinungen stärker auf die Nahrungsaufnahme zentriert, so daß er im Zusammenhang mit dem schweren Zwangszeremoniell extrem abmagerte.

Bei wieder einem anderen Patienten mit ähnlicher Gesamtverfassung lag der Schwerpunkt auf einem extremen Waschzwang. Wird bei allen derartigen Patienten der Zwang nicht befriedigt, kommt es zu großen Unruhezuständen.

Verlauf. Die malignen Zwangssyndrome haben auf die Dauer gesehen einen sehr ungünstigen Verlauf, der wellenförmig oder gleichmäßig progredient sein kann.

Therapie. Auch von der Behandlung her gesehen ist die Unterscheidung der verschiedenen Typen von Zwangssyndromen wichtig. Bei Patienten mit einem malignen Zwangssyndrom hilft in der Regel keine Form von Psychotherapie. Durch eine Analyse wird die Qual der Patienten oft nur vergrößert. Die Erreichbarkeit des Patienten ist so geringfügig, daß ein nennenswerter Tiefgang der Behandlung nicht zu erzielen ist. Auch die Fähigkeit, beim autogenen Training Schwere und Wärme zu realisieren, ist so minimal, daß sich der damit verbundene zeitliche Aufwand nicht lohnt. Der Schwerpunkt der Behandlung liegt hier nur auf einer Psychopharmakotherapie mit einer auf den Einzelfall abgestimmten Kombination von Neuroleptika und Thymoleptika. Vereinzelt wurden auch große Insulinkuren oder Elektroschockbehandlungen durchgeführt. Sind diese tiefgreifenden somatischen Behandlungen wirkungslos, so muß bei einzelnen Patienten, die besonders geplagt sind und es ausdrücklich verlangen, ein psychochirurgischer Eingriff erwogen werden.

Angstsyndrome und phobische Syndrome

Angst und Phobie

Angst und Furcht gehören zu den Gefahrenschutzinstinkten. Die Furcht ist einer der phylo- und ontogenetisch ältesten Uraffekte des Menschen und der Tiere. Sie löst starke vegetative physiologische Reaktionen aus wie Pupillenerweiterung, Blutdruckerhöhung, Tachykardie, Beschleunigung der Peristaltik, Blässe, Schwitzen, Anstieg von Adrenalin und Grundumsatzsteigerung. Die Furcht bleibt immer auf das bedrohliche Ereignis gerichtet, während die Angst ungerichtet ist und daher frei fluktuiert. Durch beide fühlt sich das Lebewesen getrieben, sich der Not und Gefahr zu entziehen, entweder durch einen reflektorischen Immobilisationszustand (Totstellreflex) oder durch einen ebenso reflexartig ausgelösten Bewegungssturm zur Flucht, Abwehr oder zum Gegenangriff.

Die Angst setzt ein Wissen voraus und kommt daher wohl nur beim Menschen vor. Philosophen, Theologen und Psychologen haben sich viel mit der Angst beschäftigt. Sie kamen je nach ihrer Position zu unterschiedlichen Auffassungen. Geburtsangst (Freud), Todesangst (Kierkegaard), Angst vor dem Nichts (Heidegger) oder Schuldangst sind hier zu nennen. In Wirklichkeit kann jede bedrohende Beeinträchtigung des Lebens Angst erzeugen, ebenso jeder Mangel an Lebensraum, das eigene Gewissen und Unklarheit über das Können und Wissen, Unübersehbarkeit der Lebenssituation und geistige Erschütterung bei soziokulturellen Umschichtungen. Die Angst ist je nach Veranlagung des einzelnen in Ausmaß und Ausprägung extrem unterschiedlich.

Ausführlich haben sich mit der Angst beschäftigt: R. BATTEGAY, H. VON DITFURTH, V. VON GEBSATTEL, P. KIELHOLZ, S. KIERKEGAARD, M. LOOSLI-USTERI, M. NEUMANN, F. PANSE und F. RIEMANN.

Im Gegensatz zu der mehr diffusen und frei flottierenden Angst ist die *Phobie* (griech. Angst oder Furcht) eine abnorme Objekt- oder Situationsangst. Die Phobie ist ein an Situationen und Vorstellungen geknüpfter Angstaffekt. Sie entsteht, wenn Menschen mit einer erhöhten habituellen Angsthaltung in bestimmte Situationen geraten, die schon von sich aus eine ängstliche Beklemmung hervorrufen können. Normalerweise haben viele Menschen, wenn sie auf einem Turm, einer Brücke, einem steilen Berggipfel oder dem oberen Stockwerk eines Hochhauses stehen, eigenartige vegetative Reaktionen wie Schwindel, Kopfdruck und Zittern, hinter denen auf der emotionellen Ebene die Angst steht. Ähnliches gilt von Vorstellungen wie Examen, Krankheit, Tod. Bei erhöht ängstlichen Menschen kommt es nun leicht zu einer Fixierung der Angst an bestimmte Situationen. Wiederholen sich die Konstellationen, so tritt die Angst immer leichter auf, bis schließlich schon das Denken an die Situation den Affekt auslöst. So kommt es durch Wiederholungen zum Einschleifen neu erlernter Reaktionen und damit zu immer engeren Verkoppelungen zwischen der Situation oder der Vorstellung und dem Angstaffekt.

Neben erhöhter Ängstlichkeit findet man bei vielen Phobikern zwanghafte Züge mit verstärkter Retentionsneigung von Affekten. Die Befallenen können sich von der ängstlichen Empfindung nicht lösen, obwohl sie gleichzeitig das Widersinnige einsehen. Diese zwanghaften Züge sind bei manchen Patienten so ausgeprägt, daß sie den Zwangssyndromen ähneln. Etwas seltener kommen Verbindungen zu der hysterischen Persönlichkeitsstruktur vor.

Die diffuse Angst ist dagegen nicht so stark an Vorstellungen und Situationen geknüpft. Sie tritt zwar oft in Verbindung mit einer Angst erzeugenden Situation erstmalig auf, löst sich aber wieder davon ab. Die diffuse Angst bleibt jedoch als Daueraffekt bestehen oder tritt unabhängig von äußeren und inneren Konstellationen mehr anfallsartig auf.

Beide Typen von Angstsyndromen, diffuse Angst und Phobie, sind nicht selten an Krankheiten der endokrinen Organe geknüpft (Schilddrüse, Nebenniere) oder mit psychiatrischen Erkrankungen gekoppelt.

Diffuse Angstsyndrome

Akute diffuse Angstsyndrome. Sie sind gleichzeitig ein Beispiel für eine psychoreaktive Störung oder abnorme seelische Reaktion und treten meist nach plötzlichen und in der Regel überdurchschnittlich schweren akuten psychischen Traumatisierungen auf. Typisch hierfür sind Angstzustände nach Verkehrsunfällen.

Beispiel: Ein bis dahin im wesentlichen gesunder 40jähriger Patient kam 3 Monate nach einem Verkehrsunfall in klinische Behandlung wegen dauernder Angstzustände, Schlafstörung, Gewichtsverlust und störenden vegetativen Symptomen. Sobald der Patient einschlafen wollte, tauchte der Verkehrsunfall in allen Einzelheiten vor ihm auf; wenn er an sein Bett oder das Schlafengehen dachte, bekam er Herzklopfen und Angst.

Am Verkehrsunfall selbst war er unschuldig, denn in einer unübersichtlichen Kurve war ihm ein angetrunkener Fahrer ins Auto gefahren, das danach Totalschaden hatte. Der Patient wurde bei dem Verkehrsunfall weder verletzt noch bewußtlos. Die mit dem Unfall zusammenhängenden juristischen Fragen waren zum Zeitpunkt der Behandlung noch nicht abgeschlossen.

Der Kranke hielt das für unwesentlich. Als selbständiger Unternehmer war er ausschließlich daran interessiert, möglichst bald seine Leistungsfähigkeit wiederzugewinnen, da davon sein ganzer Betrieb abhing. Bei der Untersuchung wurden keine körperlichen Befunde eruiert. Psychisch zeigte er bei zyklothymem Temperament eine emotionelle Labilität mit deutlichen psychischen und vegetativen Angstreaktionen bei Erwähnung des Verkehrsunfalls. Prämorbid war der Patient nur ganz geringfügig ängstlich.

Die Behandlung bestand in einer intensiven medikamentösen Ruhigstellung durch eine Schlafkur, die zunächst tief geführt werden mußte. Nachdem eine beginnende Distanzierung erreicht war, begann man noch in der Schlafkur mit einer Hypnosebehandlung (Narkohypnose). Bei auslaufender Schlafkur wurde die Hypnose in autogenes Training überführt. Die konzentrierte Behandlung war erfolgreich. Der Patient konnte bald wieder seinen Betrieb voll verantwortlich übernehmen und wurde auch nicht labilisiert, als er sich nach einigen Monaten mit den juristischen Fragen beschäftigen mußte.

Hier konnte also das akute diffuse Angstsyndrom zum Abklingen gebracht werden. Die relativ normale prämorbide Persönlichkeit und die gerade Lebensentwicklung waren dafür ganz wesentlich mitverantwortlich.

Chronisch diffuse Angstentwicklungen. Nur selten klingen Angstsyndrome so gut ab, wie das vorhin geschildert wurde, denn sie entwickeln sich meist ungünstig.

Auch hierfür ein Beispiel:

Ein fast 50jähriger Mann in selbständiger Position mußte viel mit dem Auto unterwegs sein, um den Umsatz seines Betriebes zu steigern. Auch er hatte einen Verkehrsunfall, an dem er unschuldig war. Es entwickelte sich danach ein ähnliches Angstsyndrom wie in dem vorher geschilderten Beispiel. Der Patient kam ein Vierteljahr nach dem Unfall zur klinischen Therapie, nachdem frühere Behandlungen erfolglos waren. Außerdem hatte er durch seinen Anwalt eine Klage gegen den Unfallverursacher eingereicht, da er wegen der fortbestehenden Beschwerden seine alte Tätigkeit nicht mehr so erfolgreich ausüben konnte. Er verlangte einen Ausgleich seines finanziellen Verlustes für die Zeit, in der er nicht voll leistungsfähig war.

Da der Schädiger den Unfall verschuldet hätte, müßte er bzw. seine Versicherung auch für den Schaden aufkommen.

Prämorbid konnte man bei diesem Patienten ängstliche Verhaltensweisen in schwierigen Lebenssituationen und einige charakterologische Auffälligkeiten feststellen.

Deshalb waren ruhigstellende Maßnahmen von vornherein kontraindiziert. Zunächst wurde versucht, durch vertiefte Exploration Einblick in die feineren Zusammenhänge zu bekommen. Dabei zeigte sich, wie sehr der Patient seine Beschwerdefreiheit mit der Arbeit und dem Ausgang des Schadensprozesses in Verbindung brachte. Hieraus konnte man das Ausmaß der prospektiven Tendenzen ablesen. Ferner wurde eine Mischung von asthenisch-sthenischen Haltungen und demonstrativen Verhaltensweisen festgestellt.

Das ist ein typisches Beispiel dafür, wie durch ungünstige prospektive Tendenzen bei entsprechender Charakterstruktur das Abklingen abnormer seelischer Reaktionen verhindert wird, so daß es zu psychoreaktiven Entwicklungen kommt. (Das hier geschilderte Beispiel entspricht am meisten der auf Seite 15 charakterisierten Sonderform einer psychoreaktiven Entwicklung.) Ist die Ängstlichkeit anlagemäßig stark, so kann auch sie ein Grund dafür sein, daß diffuse Angsthaltungen nicht abklingen, sondern sich weiterentwickeln. Es handelt sich dann um paranoische oder hypochondrische Persönlichkeitsentwicklungen (s. S. 25). Durch die Angst entstehen hier Übergänge zu den später zu besprechenden chronisch progredienten Angstentwicklungen (s. S. 73).

Für die Psychotherapie sind in der Regel bei derartigen chronischen diffusen Angstzuständen kombinierte Verfahren wichtig, wie sie auf S. 162 beschrieben wurden. Durch eine intensive Somatotherapie, meist in Form einer Psychopharmakotherapie, muß eine geeignete Basis für eine Psychotherapie geschaffen werden. Auf dem Höhepunkt der medikamentösen Sedierung kann man dann mit einer intensiven Hypnotherapie (Heterohypnose) beginnen. In der Regel sind derartige Kranke durch die medikamentöse Ruhigstellung gesteigert suggestibel. Zunächst wird durch Ruhehypnosen die medikamentöse Sedierung intensiviert (Narkohypnose). Zunehmend werden auf den Einzelfall abgestimmte therapeutische Suggestionen, die auf den Patienten und seine Probleme eingehen, mit in die Hypnose hineingenommen. Gleichzeitig unterweist man den Patienten in den Grundübungen des autogenen Trainings, damit er zu einer Selbstversenkung im Sinne der gestuften Aktivhypnose (s. S. 121) kommen kann.

Anfallsweise Angstsyndrome. Alle Affekte schwanken in ihrer Stärke. Das gilt auch für die Angst. Daneben aber gibt es ängstliche Zustände, die anfallsweise wie aus heiterem Himmel auftreten. Bei vielen derartigen Zuständen muß man endokrine Störungen, wenn nicht Krankheiten der Drüsen mit innerer Sekretion annehmen.

Beispiel: Eine 32jährige Frau war schon in ihrer Jugend ängstlich gewesen. Nach 2jähriger Ehe hatte sie ein Kind geboren, das aber mit einer schweren Mißbildung am Kopf nicht lebensfähig war. Zu ihrem Unglück hatte sie dieses fast ohne Kopf geborene Geschöpf gesehen, was in ihr sofort einen großen Schreck auslöste. Seit dieser Zeit wurde sie von Angstanfällen geplagt, die insbesondere vor der Periode auftraten. Plötzlich und unvermittelt kam es zu Herzklopfen, starkem Angstschweiß, Blässe und einer elementaren Angst mit Todesgedanken. Der bis an die Grenze des physisch Erträglichen reichende Zustand dauerte eine halbe bis mehrere Stunden an und klang dann langsam ab. Danach aber erinnerte sie sich noch lange an den Angstanfall und fürchtete sich vor dem nächsten.

Bei der Untersuchung fiel die Patientin wegen recht erheblichen Dysplasien auf mit einer Neigung zu Adipositas. Bis auf eine vegetative Labilität war körperlich kein pathologischer Befund zu erheben. Psychisch war sie vor allem ängstlich, unruhig und im Denken auf die angstauslösenden Erlebnisse eingeengt. Ferner zeigte sie ein extrem erhöhtes Anlehnungsbedürfnis, wodurch der Ehemann überfordert wurde. Der entstandene Ehekonflikt war unmittelbarer Anlaß für die Psychotherapie, die auch da zunächst gut ansetzen konnte, zumal viele Angstanfälle durch eine einfühlbare Empfängnisfurcht ausgelöst wurden.

Ähnlich charakteristisch sind viele Schilderungen von Patienten mit paroxysmalen Angstanfällen. Im Mittelpunkt der Beschwerden stehen elementare Angstanfälle mit dem Gefühl der vitalen Bedrohung. Im Gegensatz zu den Phobikern sind die Befürchtungen vor dem nächsten Anfall zwar vorhanden, aber keineswegs so vorherrschend, wie man es im Verhältnis zur Schwere des Angstanfalls vermuten könnte.

Der *Verlauf* derartiger anfallsweiser Angstsyndrome ist manchmal mäßig progredient, meist aber stationär. Die Angstanfälle wiederholen sich in einer wenig vorhersehbaren Folge. Sind die sekundären Reaktionen aber nicht stark, bleibt im wesentlichen alles gleich. Das gilt bedauerlicherweise auch für die Therapie. Sie kann zwar durch geeignete Medikamente (Sedativa, Psychopharmaka) den einzelnen Anfall erträglicher machen, was sich dann auf die sekundären psychischen Reaktionen auswirkt; darüber hinaus aber ist die Beeinflussungsmöglichkeit gering. Den möglichen somatischen Ursachen aber sollte man durch biochemische und neurophysiologische Untersuchungen nachgehen.

In der *Psychotherapie* stehen autogenes Training und gestufte Aktivhypnose an erster Stelle, da es durch sie gelingt, neben der vegetativen Stabilisierung eine Indifferenz den Angstanfällen gegenüber zu vermitteln, was sich oft auf den Verlauf des paroxysmalen Geschehens günstig auswirkt. Einem anfallsweise auftretenden Geschehen nicht machtlos ausgeliefert zu sein, festigt das Selbstgefühl, diszipliniert den Patienten und hilft dadurch auch gegen die Angst. Wenn die Grundübungen des autogenen Trainings gut beherrscht werden und immer wieder einmal eine gestufte Aktivhypnose durchgeführt wird, gelingt es gelegentlich, Angstanfälle abzufangen.

Am Rande der anfallsweisen Angstsyndrome stehen alle paroxysmal auftretenden vegetativen Dysregulationen wie paroxysmale Tachykardie, Stenokardie oder anfallsweise Blutdruckkrisen. Das paroxysmale Angstgeschehen ist meist sogar sekundär, d. h. eine Folge der vegetativen Dysregulationen. Deshalb soll es hier auch nicht weiter geschildert werden.

Bei allen Angstreaktionen muß eine endogene oder exogene Psychose besonders sorgfältig ausgeschlossen werden, da die Angst eine spezifisch menschliche Reaktion ist und deshalb auch als Symptom bei allen möglichen Erkrankungen vorkommen kann. Noch wichtiger ist das Erkennen depressiver Phasen, da sie auch in leichter Form (larvierte Depression) die Bereitschaft zu ängstlichen oder phobischen Reaktionen erhöhen. So kann manches Angstsyndrom oder phobisches Syndrom Ausdruck einer endogenen Depression sein, das bei abklingender Phase wieder verschwindet.

Phobische Syndrome

Da Phobie und Zwang in mancher Hinsicht miteinander in enger Beziehung stehen, bietet sich bei phobischen Syndromen eine ähnliche Typologisierung an wie bei Zwangssyndromen.

Phobische Reaktionsweisen. Sie gehören zum Bereich diskordant normalen Verhaltens und sind verbunden mit einer überdurchschnittlichen Ängstlichkeit und Unsicherheit, verringertem Selbstvertrauen und gesteigerter Neigung zu Befürchtungen. In normalen Lebenssituationen sind diese Haltungen gut kompensiert. Die phobischen Reaktionsweisen werden jedoch sichtbar, wenn der so Geartete übermüdet oder überfordert ist. Er kann dann u. U. überstürzte Entscheidungen treffen, um den befürchteten Folgen auszuweichen oder keine Entschlüsse fassen, weil er die Folgen fürchtet.

Der *Verlauf* ist meist günstig, weil es sich um nur diskordant Normale, d. h. um Menschen mit einer geringfügigen Abweichung von der Norm handelt.

Deswegen ist auch *keine Therapie*, sondern eine psychohygienische Prophylaxe notwendig. Menschen, die phobische Reaktionen zeigen, müssen sich körperlich ertüchtigen, aber Ermüdung und Überforderung vermeiden, um die mäßigen Abweichungen von der Norm, von denen aus u. U. ungünstige Entwicklungen ausgehen können, nicht zum Schicksal werden zu lassen.

Psychasthenisch phobische Syndrome. Hierbei handelt es sich um eine relativ häufig vorkommende Kombination von Ängstlichkeit und Schwäche, die oft noch mit einer vermehrten Neigung zu Selbstbeobachtung gekoppelt ist. Menschen mit psychasthenisch phobischen Syndromen sind ferner meist selbstunsicher und neigen dazu, sich in Frage zu stellen.

Klinisch können hier zahlreiche Beispiele gegeben werden. Viele Patienten mit Erythrophobien oder anderen am eigenen Körper sich abspielenden Befürchtungen sind solche psychasthenischen Phobiker. Ferner gehören hierher manche Patienten, die wegen einer Impotentia coeundi in Behandlung kommen, da die erhöhte Ängstlichkeit den Leidensdruck vermehrt. Hierzu zählen auch Menschen mit einem allgemeinen Verlust an Unbefangenheit, vor allem sich selbst gegenüber. Sie halten übersorgfältig psychohygienische Maßnahmen ein, weil sie befürchten, sonst krank zu werden. Es sind aber die kleineren Befürchtungen, bzw. die um körperliche Unzulänglichkeiten, die den psychasthenischen Phobiker zum Arzt führen.

Der Verlauf ist meist nicht sonderlich progredient. Die Symptomatik bleibt im wesentlichen gleich.

Die Therapie muß die psychasthenische Komponente der Persönlichkeit oft mehr berücksichtigen als die phobische.

Deswegen stehen alle Formen einer Aktivierung im Vordergrund. „Die Unbefangenheit zu leben", worauf W. Schulte bei jeder Form von Psychotherapie so großen Wert legt, ist gerade für Patienten mit psychasthenisch phobischen Syndromen eine zentrale Forderung. Ist sie erreicht, so ist den Patienten ganz entscheidend geholfen. Deshalb wirken auch die „paradoxen Intentionen" nach V. E. Frankl so gut, weil den Patienten hierdurch klar wird, wie sehr sie durch die Befürchtungen ihre verringerte Aktivität zusätzlich untergraben. Ebenso sind alle Formen einer Hypnotherapie indiziert, wobei „Mut, Sicherheit und Selbstvertrauen" die richtigen Vorstellungen sind, die an den Patienten herangetragen werden (Heterohypnose) oder die sie sich selbst vergegenwärtigen sollen (autogenes Training oder gestufte Aktivhypnose). Die meisten phobischen Syndrome sprechen auf Hypnose oder ähnliche Verfahren gut an, wodurch neu erlernte Reaktionen eingeübt werden. Im Englischen spricht man von ‚conditioning' und ‚behaviortherapy' (Verhaltenstherapie) als einer auf lerntheoretischen Vorstellungen aufgebauten Behandlung (Eysenck, Wolpe u. a.).

Sedierende Maßnahmen sind bei diesen Patienten ausgesprochen kontraindiziert, da sie die ohnehin schon verringerte Aktivität noch mehr reduzieren.

Phobische Syndrome in biologischen Krisen. Hier werden phobische Züge während biologischer Krisen über die Schwelle gehoben, so daß die Umbruchsperioden eine wichtige Ursache darstellen. Vor allem sind die Pubertät, aber auch Wochenbett oder Klimakterium zu nennen, abgesehen von Rekonvaleszenz nach schwerer körperlicher Krankheit.

Phobische Syndrome in biologischen Krisen sind durch phobische Symptome und durch Symptome der jeweiligen Umbruchsperiode charakterisiert. Ängstliche Befürchtungen sind für bestimmte Stadien der Lebensentwicklung typisch. Während der Pubertät sind Probleme um sexuelle Befürchtungen häufig, speziell im Zusammenhang mit Onanie. Ebenso sind Ängste im Zusammenhang mit dem Wachstum, der Ausgestaltung von Körperteilen, vor allem des Gesichts, oder Befürchtungen in bezug auf die geistige Leistung nicht selten. Im Klimakterium dagegen wachsen sich die für diese Lebensperiode typischen Probleme zu Phobien aus. Gerade an den in Abhängigkeit von der Lebensentwicklung wechselnden Themen läßt sich das Sosein der Phobie verstehen. Wie beim Wahn einer schizophrenen Psychose gilt: Psychologisches Verstehen erklärt das Sosein eines Symptoms — hier der Phobie — aber nicht sein Dasein.

An einem *Beispiel* konnte das vor Jahren besonders klar beobachtet werden:

Eine zur Zeit der Behandlung 48jährige Frau kam zur klinischen Psychotherapie, da sie seit vier Jahren zunehmend an Befürchtungen im Zusammenhang mit Todesgedanken litt. Zu Beginn dieser Ängste war die Periode unregelmäßig geworden und hatte seit $1^1/_2$ Jahren aufgehört. Wesentlich war hier die Lebensentwicklung im Hinblick auf die phobischen Symptome. Als Kind hatte die Patientin zeitweise an Ängsten gelitten, die sich um die Schulleistungen bewegten. Während der Pubertät hatte sie mehrere Jahre lang schwere, teils recht abstruse Befürchtungen. Gleichzeitig waren die Schulleistungen so zurückgegangen, daß sie die Oberschule verlassen mußte. Protestreaktionen der Familie gegenüber waren erheblich. Als die Patientin etwa 19 Jahre alt war, gingen die Befürchtungen wieder zurück. Als sie dann heiratete und schwanger wurde, traten sie erneut auf und bewegten sich später im wesentlichen um die Gesundheit der Kinder. In einer damals durchgeführten Psychotherapie hatte man versucht, ihre Befürchtungen zu deuten und mit Komplexen in Verbindung zu bringen. Man meinte, daß sie die Kinder und ihren Mann ablehne, was aber nicht der Fall war. Seit 4 Jahren war sie wie in der Pubertätszeit behandlungsbedürftig, wobei Todesgedanken sie so sehr plagten, daß sie nicht auf die Straße gehen konnte. Eines ihrer nun schon erwachsenen Kinder mußte immer um sie sein.

Bei diesem Beispiel zeigt sich im *Verlauf* eine deutliche Abhängigkeit der Symptomatik von einer biologischen Krise, während in gut kompensierten Zeiten keine phobischen Störungen von Krankheitswert auftreten. Die kombinierte *psychosomatische Behandlung* bestand in Psychotherapie mit Ermutigung, Übungen zur Überwindung der phobischen Symptome und autogenem Training. Das Resultat war befriedigend und konnte jahrelang katamnestisch verfolgt werden.

Phobische Syndrome bei neurotischer Entwicklung oder phobische Neurosen im engeren Sinne. Schon die Persönlichkeit ist anders als die bei psychasthenisch phobischen Syndromen. Aktive Persönlichkeitsanteile mit mutigen Haltungen sind unverkennbar und leicht neben gleichzeitig ängstlichen Einstellungen zu eruieren. Im Ausgangsstadium findet man divergente Anlagen. Konstitutionell sind intersexe Einschläge deutlich, während Teilretardierungen seltener vorkommen als bei anderen neurotischen Entwicklungen. Dafür zeigen sich gerade bei diesen Patienten hysterische Charaktermerkmale häufiger als bei anderen Phobien. Während sich bei den psychasthenisch phobischen Syndromen zwanghafte Merkmale viel regelmäßiger und deutlicher zeigen, lassen sich bei phobischen Neurosen die Zeichen der Verdrängung von Angstempfindungen oft leicht nachweisen.

Beispiel: Eine 30jährige Patientin kam zur Behandlung wegen Gedächtnisstörungen und der Befürchtung, daß sie als Sekretärin versage. Diese Phobie habe begonnen, als sie durch Gespräche mit einer klugen, lebendigen und wohl überragenden Frau das Gefühl einer geistigen Unterlegenheit gehabt habe. Zusätzliche Faktoren, die durch eine stark ambivalente Bindung an einen Mann hervorgerufen waren, konnte sie zu Beginn der Behandlung nicht einsehen, da sie die damit zusammenhängenden Probleme nicht erkannte. Erst im Verlauf der analytischen Behandlung gelang ihr die Einsicht. Nun erst war sie in der Lage, die Verdrängung ihrer ambivalenten Triebprobleme und die Angst vor dem geistigen Versagen zu erkennen. Sie hatte gleich zu Beginn der Therapie das autogene Training erlernt, das durch mehrere gestufte Aktivhypnosen vertieft werden konnte. Schon dadurch hatte sich die phobische Symptomatik und damit die geistige Leistung gebessert. Trotzdem war sie noch immer anfällig, weniger im Beruf als in ihrer privaten Lebenssituation. In der weiteren analytischen Behandlung wurden die Triebambivalenzen aufgearbeitet, was zur völligen Stabilisierung führte.

Der *Verlauf* derartiger unbehandelter phobischer Syndrome bei neurotischen Entwicklungen zeigt eine gewisse Progredienz. Die Spontanheilungsquote ist nicht besonders hoch, weil die ängstlichen Persönlichkeitsanteile im Laufe der Zeit überwiegen. Bei Behandelten aber wird die Prognose besser, wenn es gelingt, die aktiven Charaktereigenschaften des Patienten zunächst zur Introspektionsfähigkeit für eine analytische Therapie und dann für eine Synthese zu verwenden.

Die *Therapie* sollte vorwiegend zweigleisig durchgeführt werden, d. h. Analyse und autogenes Training werden auf den Einzelfall abgestimmt (s. S. 156). Eine Analyse allein kann den Patienten zu Einsichten führen; um das phobische Verhalten aber zu überwinden, bedarf es doch der ‚Umkonditionierung'. Sie erleichtert den Abbau der Symptome. Durch eine aktiv-autohypnoide Behandlung allein wiederum läßt sich zwar die Symptomatik meist bald bessern, dafür aber ist die Rezidivgefahr besonders groß, so daß sich auch von daher gesehen die Kombination mit einer analytischen Behandlung empfiehlt. Da phobische Syndrome bei einer neurotischen Entwicklung meist nicht bis in die frühe Kindheit zurückreichen — im Gegensatz zu den Zwangssyndromen bei neurotischen Entwicklungen — läßt sich eine derartige zweigleisige Psychotherapie zeitlich befristet gut durchführen. Die Prognose ist dann im Durchschnitt gut.

Phobisch-abnorme Persönlichkeiten. Im Umkreis des Patienten findet man oft mehrere Blutsverwandte mit ähnlicher Problematik. Wenigstens ein Elternteil zeigt meistens Züge von Ängstlichkeit. Manchmal finden sich auch Zyklothymien bei den Verwandten.

Die Patienten haben neben der ängstlichen Grundhaltung zahlreiche phobische Züge und wirken häufig getrieben, manchmal gespannt. Asthenische Haltungen sind in der Regel nicht vorhanden im Gegensatz zu den häufigen psychasthenisch-phobischen Syndromen. Dadurch können beide Typen gut voneinander unterschieden werden. Schließlich ist auch noch der Inhalt der Ängste insofern auffällig, als phobisch-abnorme Persönlichkeiten häufig hypochondrische Befürchtungen haben. Dadurch ähneln einige Zustände den hypochondrischen Persönlichkeitsentwicklungen.

Bei Menschen mit diesen psychopathischen Dauerzuständen läßt sich ein leicht zyklothymer wellenartiger Verlauf der Stimmungslage feststellen.

Der Verlauf ist chronisch konstant mit nur leichten Schwankungen, aber ohne ausgeprägte Progredienz.

Die Behandlung besteht in psychagogischen Maßnahmen und einem weitgehend, wenn nicht ausschließlich auf Selbstübung aufgebauten Training. Die Resultate sind oft nicht überzeugend, da die Anlage stark überwiegt.

Chronisch progrediente Angstsyndrome, maligne Angstsyndrome oder Angstkrankheit. Sowohl in der Reihe der Angstsyndrome als auch bei einzelnen phobisch ängstlichen Syndromen gibt es eine Gruppe von Patienten mit ausgesprochener Progredienz der Symptomatik, die entweder wellenförmig oder gleichmäßig verläuft. Manche Kranke scheinen am Rande der Zyklothymie zu stehen, wobei es außerhalb der Phasen noch zu einer Progredienz kommt. Frauen sind häufiger befallen. Die Erkrankung beginnt meist spät, bei Frauen aber noch vor dem Klimakterium. Manche Patienten äußern dabei die Vermutung, daß es sich um ein frühes Klimakterium handelt. Die Progredienz erinnert dann manchmal in der Tat an klimakterisch involutive Psychosen.

Die Symptomatik ist ausgesprochen ängstlich gequält, getrieben und manchmal mit hysteriformen Zügen durchsetzt, so daß viele Patienten als hysterisch verkannt werden. Da aber im Vordergrund das ängstlich Getriebene steht, ist die Abgrenzung oft doch nicht schwer. Schließlich herrscht bald ein konstant weinerlicher Zustand vor, so daß der Eindruck einer echten Jammerdepression entsteht.

Der *Verlauf* ist chronisch progredient, bis er im Alter durch die zunehmenden Alterungserscheinungen evtl. nicht weiter fortschreitet oder in eine Involutionspsychose einmündet.

Eine Psychotherapie ist bei diesen Zuständen in der Regel kontraindiziert. Im Vordergrund der Behandlung sollten Neuroleptika und Thymoleptika in geeigneter Mischung stehen.

Hysterische Syndrome

Bei den bisherigen Ausführungen war es meist überflüssig, den Begriff ‚Hysterie' zu verwenden. Zweckmäßigerweise sollte man versuchen, ohne ihn auszukommen. Abgesehen von dem gerade in dieser Bezeichnung häufig enthaltenen negativen Werturteil sind folgende Gesichtspunkte wichtig:

Zunächst wird unter ‚hysterisch' eine allgemeine Verhaltensweise oder Einstellung verstanden, die im Prinzip jedem Menschen zur Verfügung steht. Sie besteht in der Fähigkeit, beliebige Gefühlsregungen auszudrücken, sobald man sie sich stark genug vergegenwärtigt. Die Vorstellung von Furcht z. B. kann vegetative Reaktionen auslösen, abgesehen von physiognomischen und psychomotorischen Veränderungen.

Die Fähigkeit zu derartigen hysterischen Verhaltensweisen ist schon innerhalb der Norm unterschiedlich. Sie ist klein bei mehr pedantischen Menschen, die wegen ihrer Gewissenhaftigkeit sich nur schwer etwas außerhalb von ihnen Liegendes vorstellen oder gar darbieten können. Sie ist groß dagegen bei Schauspielern, die davon leben, sich in die Rolle eines anderen zu versetzen und seine Empfindungen darzustellen. Es gelingt also dem Menschen, seelisches Verhalten in körperliches zu transponieren. Der Vorgang wurde von der Psychoanalyse treffend als ‚Konversion' bezeichnet.

Forel nannte diese Erscheinungen in der Hypnose ‚Ideoplasie'. Auch beim autogenen Training sprechen wir von einer guten oder weniger guten Ideoplasie, worunter die verschiedengradige Fähigkeit verstanden wird, konzentrative Vorstellungen körperlich zu realisieren, wie z. B. die Schwerekonzentration, die zu Hypotonie der Muskulatur führt.

Derartige Fähigkeiten sind häufig gekoppelt an Geltungsbedürfnis, Beeinflußbarkeit und Darstellungsfähigkeit.

Zweitens wird unter dem Begriff ‚hysterisch' die hysterische Reaktion verstanden. Sie ist medizinisch gesehen wesentlich. Es handelt sich — eingeordnet in die hier geschilderte Typologisierung — um eine relativ häufige Form einer seelischen Störung, die meist als Kurzschlußreaktion verläuft. Die häufigsten psychoreaktiven Störungen sind vor allem hysterische Reaktionen, bei denen nicht selten zweckgerichtete, wunschbedingte oder tendenzgebundene Verhaltensweisen vorkommen. Da sich seelische Erregungen leicht in somatische Bereiche verlagern, dienen körperliche Vorgänge dem Ausdruck seelischen Verhaltens. Hier wird häufig von „Organneurosen" gesprochen im Gegensatz zu den psychosomatischen Krankheiten, bei denen dieser Ausdrucksgehalt meist nicht vorkommt. Auch die Neigung zur Entwicklung innerer Konflikte und damit zusammenhängend zur Komplexbildung bzw. Verselbständigung der Komplexe ist im Vergleich zu den zwanghaft strukturierten Menschen erhöht.

Drittens wird unter dem Begriff ‚Hysterie' ein psychopathischer Dauerzustand verstanden, der in den Bereich der geltungssüchtigen und affektlabilen abnormen Persönlichkeiten gehört und oft als „hysterische Psychopathie" bezeichnet wird. Es sind Menschen, die körperbaulich oft hypoplastische Stigmen zeigen mit psychischen Infantilismen und einer Neigung zu Demonstrationen, Geltungssucht, darstellerisch Unechtem und Pseudologistischem. Eine gewisse Bindung an das weibliche Geschlecht ist erkennbar. Zeigen Männer derartige Charakterzüge, lassen sich bei ihnen Feminismen bis in den Körperbau nachweisen.

Hysterische Reaktionsweisen

Sie sind eine sehr häufige, den Menschen als Typ charakterisierende Verhaltensweise, die nicht im geringsten abnorm ist. Bei einer stärkeren Ausprägung kann die „essentielle Labilität der Persönlichkeit" etwas höher sein, so daß sie die Matrix für hysterische Reaktionen oder Entwicklungen darstellt.

Hysterische Reaktionen

Sie kommen ebenfalls häufig vor. Akute psychotraumatische Ereignisse führen zu Symptomen, denen man das Darstellerische meist leicht ansieht. Klinisch häufig sind Lähmungen oder Erregungen, stuporöse oder erregte Gefühlszustände, vor allem aber passive Erlebnisreaktionen. Alle Symptome, auch wenn sie stark auftreten, lassen meist rasch nach, wenn die belastende Situation wegfällt. Typischerweise finden wir derartige abnorme Reaktionen nicht im Bereich der Zwangsphänomene. Zwangserscheinungen sind gerade dadurch charakterisiert, daß sie lange haften, sich immer wieder einstellen und damit geradezu die Antipoden der hysterischen Reaktionen darstellen.

Hysterische Entwicklungen

Sie sind dagegen, wie schon aus dem Wort ‚Entwicklung' hervorgeht, durch eine Progredienz gekennzeichnet. Unter chronisch psychotraumatischen Dauerbelastungen kommt es zur Produktion von Symptomen mit starkem Ausdrucksgehalt, weshalb die Muskulatur häufig beteiligt ist.

Es sind also keine diskreten Erscheinungen, sondern solche, die sich aufdrängen bzw. die Aufmerksamkeit der Umwelt auf sich ziehen wollen.

Beispiel: Eine 44jährige Frau litt an anfallsartigen Zuständen, die sich jedesmal vorher durch Aufregungen ankündigten. Der erste derartige Zustand trat kurz vor der Geburt des vierten Kindes ein. Danach wiederholten sich die Erscheinungen alle 2—4 Wochen. Vorher war die Patientin ein stiller Mensch mit leicht gedrückter Stimmungslage. Die Verstimmungen waren während der Krankheit noch ausgeprägter. Bei der Untersuchung fielen konstitutionell ausgeprägte leptosom dysplastische Züge auf. Die Patientin war abgemagert, sonst waren keine körperlichen Auffälligkeiten nachweisbar. Auch das Elektroenzephalogramm war normal. Psychisch wirkte die Patientin aufgeschlossen, psychomotorisch langsam. Sie sprach mit leiser Stimme. Auch die Stimmung war gedrückt; intellektuell war sie wenig differenziert.

Lebenssituation: Die verheiratete Patientin lebte mit ihren vier Kindern in sehr engen Wohnverhältnissen bei der Schwiegermutter. Der Mann hielt mehr zu seiner Mutter. Die Patientin hatte große Angst vor einer Schwangerschaft. Sie wußte, daß ihre Störung durch seelische Faktoren bedingt war.

Es handelte sich hier um eine Reaktion der ganzen Persönlichkeit, die gleichsinnig auf die chronische psychotraumatische Dauerbelastung antwortete. Da die Patientin schon zu leichteren Verstimmungen neigte, zeigte sich unter der seelischen Belastung die Symptomatik als depressive Erlebnisreaktion mit gleichzeitiger Interesselosigkeit. Abnorme Verdrängungserscheinungen dagegen wurden nicht beobachtet.

Der *Verlauf* derartiger hysterischer Entwicklungen hängt entscheidend von der Ausgangspersönlichkeit ab. Ist sie vital, findet sie leichter eine Lösung aus dem chronischen Konflikt. Ist die Grundpersönlichkeit aber asthenisch, was bei derartigen leidenserzeugenden psychotraumatischen Dauerspannungen eher der Fall ist, findet sie alleine keine Lösung. Deshalb wird Hilfe erbeten. Das Symptom dient als Signal dafür, daß eine belastende Situation vorliegt. Spontan kommt es nur selten zu einer Besserung, wenn die belastende Situation gleichbleibt, da die Persönlichkeit auf diese Dauerbelastung gleichsinnig reagiert. Wenn sich dagegen in dem Gesamtgefüge der Belastungen etwas ändert, kommt Spontanremission häufig vor. So wird auch von hier aus gesehen deutlich, wie wichtig eine genaue Diagnostik ist und wie ungenau prognostische Pauschalbeurteilungen bei ‚Neurosen' sind. Gerade dieser Typ einer psychoreaktiven Entwicklung beweist, daß eine genaue Typologisierung seelischer Störungen nötig ist.

Die *Therapie* muß sich um eine Lösungsmöglichkeit der psychotraumatisch wirkenden Dauerbelastung bemühen. Deshalb muß der Arzt sich mit den schwachen Impulsen der Persönlichkeit identifizieren, die sich gegen die Belastung wehren wollen. Dadurch wird in der Behandlung die Konfliktspannung zunächst erhöht, ja sogar u. U. erst ein innerer Konflikt geschaffen. Das aber ist die Voraussetzung dafür, daß der Patient überhaupt an eine Auseinandersetzung heranzugehen wagt. Beschäftigt er sich erst einmal mit den Problemen, so wird das in der falschen Richtung starr gewordene System bzw. die erstarrte Entwicklung labilisiert und kommt damit in Bewegung. Das führt meist zu neuen Einstellungen, die sich für den Patienten entlastend auswirken.

Seltener dagegen kommt es darauf an, dem Patienten zu helfen, sich mit der ausweglosen Situation abzufinden. In dem Fall ist es wichtig, die sthenischen Haltungen zu mobilisieren.

Hysterische Neurosen

Dieser häufig vorkommende Typ einer psychoreaktiven Entwicklung muß genauer beschrieben werden. Das Bild ist bunt, so daß hier keine Krankengeschichte als Beispiel vorangestellt, dafür aber die oft wiederkehrenden Angaben zur Vorgeschichte und die Befunde geschildert werden sollen.

Im *Familienbild* wird über vereinzelte sich auffällig verhaltende Blutsverwandte berichtet, bei denen die Freude am Darstellerischen bzw. am Eigenwilligen sichtbar ist.

Im *Ausgangsstadium* zeigen die Menschen, die später an einer hysterischen Neurose leiden, Unebenmäßigkeiten der Entwicklung mit dem Zeichen der Verzögerung. Kindliche Angewohnheiten werden länger beibehalten. Anforderungen des bevorstehenden Stadiums der Lebensentwicklung sind nicht so leicht an das Kind heranzutragen und werden von ihm schwerer akzeptiert. Das Lutschen z. B. wird schwerer aufgegeben. Die Sauberkeitsgewöhnung wird schlechter oder erst später erreicht. Ferner ist das Trotzstadium im dritten Lebensjahr länger und intensiver, und die Spannungen sind gerade in dieser Zeit in der Familie größer. Die Anhänglichkeit an einen Elternteil – meist den des anderen Geschlechts – ist stärker als bei anderen Kindern, wodurch auch hier Spannungen entstehen. Die Spannung der Geschwister untereinander kann überdurchschnittlich groß sein.

Andererseits können vereinzelt frühreife sexuelle Verhaltensweisen auftreten. Schon Freud hatte von seinen Patientinnen derartige Angaben erhalten und daraus geschlossen, daß die durchschnittliche menschliche Sexualentwicklung so verlaufe. Man wird wohl einen derartigen Verlauf nur bei solchen frühreifen und nervösen Kindern vermuten, im übrigen aber nur in den einzelnen Stadien der Lebensentwicklung verschieden stark ausgeprägte lokale körperliche Empfindungen annehmen, die mit dem in der Pubertät beginnenden Sexualtrieb bloß die Körperregion, an der sie sich abspielen, gemeinsam haben.

Es entsteht leicht die von der Psychoanalyse so überaus wichtiggenommene, um nicht zu sagen als beherrschend angesehene sog. Ödipus-Konstellation. Hierbei ist bei Mädchen die Bindung an den Vater bei gleichzeitiger Ablehnung der Mutter charakteristisch; bei den Jungen liegen die Verhältnisse umgekehrt. Diese Dreiecks-Konstellation wurde von den tiefenpsychologischen Schulen verschieden gesehen. So haben z. B. die Anhänger der Psychoanalyse die Bindungen der Mädchen an den Vater oder der Jungen an die Mutter als beinahe inzestuöse Haltungen gedeutet und von daher alles abgeleitet. Die Individualpsychologen dagegen werten vor allem die Rivalitätshaltung gegenüber dem gleichgeschlechtlichen Elternteil.

Von einer mehr beschreibenden Form der Psychotherapie her gesehen, kann man lediglich sagen: Die Dreieckssituation Vater-Mutter-Kind ist eine zu intakten Familien gehörende Gruppierung von Menschen, die sich bei der unterschiedlichen Position der Kinder in der Geschwisterreihe verschieden auswirkt. Sie ist von besonders starker Bedeutung bei Einzel- und Erstkindern, weniger bei dem letzten Kind und noch weniger bei den dazwischen stehenden Kindern. Sie hängt ferner ab von der Zuneigung der Eltern zu ihren Kindern und davon, wie die Kinder auf die emotionelle Zuwendung reagieren.

Schon von Geburt an sind Kinder unterschiedlich, so daß sie verschieden auf die Zuneigung von Vater oder Mutter reagieren. Sind Eltern von innen heraus wohl temperiert ihren einzelnen Kindern zugeneigt, ist die Gefahr zu starker Bindung gering. Sie kann leicht größer werden bei Erstgeborenen, da es sich hier um das erste Erlebnis der Mutter in bezug auf Schwangerschaft, Geburt und Mutterschaft handelt. Sie kann ebenso besonders stark sein bei Hinfälligkeit eines Kindes durch Anomalie, Krankheit oder einer Auffälligkeit, die die Mutterinstinkte anspricht, oder bei bestimmten Artungen des Kindes, zu denen auch die hysterischen Reaktionsweisen gehören. Wer auf Zuwendung stärker reagiert und diese Reaktionen besser und sichtbarer zum Ausdruck bringen kann, wird leichter geliebt als das weniger reagierende und verschlossene Kind.

Ferner treten bei diesen Kindern die labilen Stadien der Entwicklung stärker in Erscheinung und dauern länger an.

Zu einem späteren Zeitpunkt der Lebensentwicklung können noch Schulschwierigkeiten kommen als Ausdruck dafür, daß erstmalig ernstere geistige Leistungen außerhalb einer spielerischen Situation und neue außerfamiliäre soziale Kommunikationen gefordert werden.

Als charakteristische gemeinsame Symptome der Menschen, die später an einer hysterischen Neurose im engeren Sinne leiden, läßt sich somit folgendes nachweisen: In den labilen Stadien der Entwicklung sind alle Reaktionen stärker und halten länger an. Neue Anforderungen werden schwerer angenommen, so daß sich die Kinder nur mühsam anpassen können.

Im *Vorstadium* sind alle evtl. im Ausgangsstadium vorhandenen Auffälligkeiten intensiver ausgeprägt. Fällt das Vorstadium in die Pubertät, sind die puberalen Auffälligkeiten ebenfalls deutlicher vorhanden als beim Durchschnitt der Jugendlichen. Sie können sich manchmal bis zu krisenhaften Pubertätsentwicklungen ausformen. Darüber hinaus beobachtet man noch häufig folgendes:

Die Menarche ist bei Mädchen oft deutlich verspätet, was bei der heute zu beobachtenden Akzeleration besonders auffällt. Dem entspricht das Persistieren kindlicher Haltungen bis weit in die Pubertät hinein.

Die Ablösung vom Elternhaus erfolgt unvollkommen und spät, oft erst gegen Ende des zweiten oder zu Beginn des dritten Lebensjahrzehnts, dann manchmal besonders abrupt und mit Hilfe vorzeitig oder vorschnell legalisierter Bindungen an das andere Geschlecht. Sie werden geradezu als Vehikel der Ablösung benützt, wodurch in mehrfacher Hinsicht ungünstige Verbindungen mit allen daraus resultierenden Komplikationen entstehen.

Die ersten emotionellen Beziehungen zu Menschen des anderen Geschlechts, die später als beim Durchschnitt entstehen, sind besonders gefühlsgetragen. Vor allem bei Mädchen kann die Altersdifferenz zu männlichen Partnern groß sein.

Bei der Berufswahl werden von Mädchen Tätigkeiten bevorzugt, die die ethischen, sozialen und instinktgebundenen Haltungen ansprechen. Das zeigte eine Katamnese von Pubertätskrisen recht eindeutig. Auch bei Jungen lassen sich, wenn auch nicht so ausgeprägt, ähnliche Tendenzen nachweisen.

Das *symptommanifeste Stadium* ist bei den hysterischen Neurosen ganz besonders bunt. Schon die Symptomwahl hängt von vielen konstitutionellen und vegetativ-dysregulatorischen Faktoren ab. Dazu kommt dann der Ausdrucksgehalt, durch den sich, zumindest bei körperlichen Symptomen, diese Störungen von den psychosomatischen Krankheiten unterscheiden. Der Ausdrucksgehalt ist so ausgeprägt, daß er lange Zeit als wesentliches Kennzeichen aller seelischen Störungen angesehen wurde und es teilweise auch noch wird. In Wirklichkeit aber spielt der Ausdrucksgehalt nur bei den hysterischen Neurosen eine dominierende Rolle.

Das gilt vor allen Dingen für Symptome, die sich im körperlichen Bereich abspielen, weshalb man hier gerne von „Organneurosen" spricht. Bei den Organneurosen handelt es sich somit um hysterische Neurosen, bei denen zweckgerichtete und tendenzgebundene Einstellungen ausgedrückt werden sollen. Sie unterscheiden sich von den psychosomatischen Krankheiten (s. S. 35) in mehrfacher Hinsicht.

Neben der körperlichen Ebene, auf der die Symptome sichtbar werden, gibt es vegetative und psychische Auffälligkeiten, durch die derartige psychoreaktive Entwicklungen auftreten. Auch hier sind die Symptome geräuschvoll und deutlich sichtbar. So können die Patienten im Kontaktbereich unvermittelte und stärkere Schwankungen zeigen oder mehr psychomotorische Äußerungen, wie funktionelle Motilitätsstörungen (Tics) und anfallsartige Zustände, durch die die Konfliktspannung ausgedrückt werden soll. Das ist über die Psychomotorik als direktes Ausdrucksorgan seelischer Vorgänge gut möglich, so daß gerade hier seelische Störungen sichtbar gemacht werden können. Das gleiche gilt vom emotionellen Bereich. Auch hier kommen häufig Symptome vor, wie paroxysmal auftretende emotionelle Dysregulationen oder depressive Erlebnisreaktionen, durch die ein Konflikt sichtbar gemacht werden soll. Es werden bevorzugt solche Symptome gewählt, durch die es möglich ist, die innere Verfassung deutlich auszudrücken. Treten schließlich im geistigen Bereich Symptome auf, sind auch sie im Kern demonstrativ, wenn z. B. erlebte Ausfälle durch funktionelle Amnesien möglichst drastisch sichtbar gemacht werden.

Der *Verlauf* ist durch starke Schwankungen gekennzeichnet. Kürzere Anamnesen können charakteristischer sein als lang andauernde, wie sie z. B. bei Patienten mit psychosomatischen Krankheiten gefunden werden. Spontanremissionen sind gerade bei diesem Typ seelischer Störungen ganz besonders häufig. Auch ein wellenförmiger Verlauf kann typisch sein. Die Störungen sprechen auf Umweltveränderungen besonders stark an. Ein Wechsel der Lebenssituation in Beruf oder Familie kann ebenso einen Rückgang der Symptome bedingen wie eine innere emotionelle Stabilisierung. Dies haben die langfristigen Katamnesen deutlich gezeigt (s. Ernst).

Die *Psychotherapie* muß bei hysterischen Syndromen in aufdeckenden Maßnahmen bestehen. Somit werden alle Formen einer analytisch orientierten Psychotherapie bevorzugt. Welche Methode dabei gewählt wird, hängt praktisch vom Arzt und seiner Ausbildung, d. h. von seiner Schule ab. Prinzip der Behandlung muß sein, die Verdrängung rückgängig zu machen und damit den verselbständigten Komplex wieder mit der Gesamtpersönlichkeit in Einklang zu bringen. Das ist ein verstandesmäßiger Vorgang. Gleichzeitig müssen aber durch emotionelle Faktoren die seelischen Kräfte, die den Konflikt aus dem Zentrum des Bewußtseins verdrängt haben, unwirksam gemacht werden. Das kann nur durch starke gefühlsmäßige Bindungen geschehen, die in der Behandlung selbst wirksam werden durch die innere Beziehung des Patienten zum Arzt. Man bezeichnet sie als affektive Resonanz, affektiven Brückenschlag oder — nach der Terminologie der Psychoanalyse — als Übertragung. Durch die emotionelle Verbindung des Patienten zum Arzt werden also Verdrängungen rückgängig gemacht und anschließend die neugewonnenen Einstellungen in der Tiefenperson verankert. Das ist das zweite gemeinsame Charakteristikum jeder Form aufdeckender Psychotherapie.

Neben den analytischen Verfahren spielen aktiv-autohypnoide Maßnahmen im Gegensatz zu dem Vorgehen bei anderen seelischen Störungen keine zentrale Rolle.

Zum Abschluß eine tabellarische Gegenüberstellung:

Tabelle 3

Syndrome seelischer Störungen

Zwangssyndrome	*Phobische Syndrome*	*Hysterische Syndrome*
Zwanghafte Reaktionsweise	Phobische Reaktionsweise	Hysterische Reaktionsweise
Psychasthenisches Zwangssyndrom	Psychasthenisch-phobisches Syndrom	Hysterische Reaktion
Zwangssyndrom in biologischen Krisen	Phobisches Syndrom in biologischen Krisen	Hysterische Entwicklung als einfache psychoreaktive Entwicklung
Zwangssyndrom in neurotischer Entwicklung oder Zwangsneurose im engeren Sinne	Phobisches Syndrom bei neurotischer Entwicklung oder phobische Neurose im engeren Sinne	Hysterisches Syndrom bei neurotischer Entwicklung oder hysterische Neurose im engeren Sinne
Anankastisch-abnorme Persönlichkeiten	Phobisch abnorme Persönlichkeiten	Hysterisch abnorme Persönlichkeiten
Malignes Zwangssyndrom oder Zwangskrankheit	Malignes Angstsyndrom oder chronisch progrediente Angstentwicklung oder Angstkrankheit	

Diagnostik seelischer Störungen

Bei der Diagnosestellung herrscht immer einer der beiden folgenden Gesichtspunkte vor: die durch fehlende körperliche Befunde ermittelte Diagnose per exclusionem und die Diagnose durch Nachweis vorhandener psychischer Auffälligkeiten. Schließt der eine oder andere Befund, der durch ein u. U. differenziertes Verfahren ermittelt wurde, einzelne somatische Erkrankungsmöglichkeiten aus, kommt man zu der Feststellung: Da körperlich kein krankhafter Befund nachweisbar ist, handelt es sich um eine seelische Störung. Vor ihrer wissenschaftlichen Erforschung galt fast ausschließlich der Gesichtspunkt einer derartigen Diagnostik per exclusionem oder ex iuvantibus. Man befaßte sich zunächst nur mit der somatischen Diagnostik und erst bei negativem Ergebnis mit seelischen Faktoren. Je differenzierter eine somatische Untersuchungsmethode ist, desto fragwürdiger kann es werden, evt. vorhandene Befunde als krankhaft anzusehen. Je komplizierter, umfassender, detaillierter und somit u. U. für den einzelnen Patienten eingreifender eine körperliche Untersuchung ist — ganz zu schweigen von den Kosten — desto problematischer wird ein derartiges Vorgehen.

Aus all diesen Gründen ist es heute z. T. ausgesprochen unzweckmäßig, in jedem Fall das gesamte somatisch-diagnostische Rüstzeug auf einen Patienten anzuwenden und erst, wenn diese Bemühungen negativ sind, die seelische Störung festzustellen. Gerade heute muß sich der moderne Arzt bemühen, von Anfang an eine auf den Einzelfall abgestimmte somatische und psychologische Diagnostik anzuwenden. Bei der Untersuchung des Seelischen geht es darum, den Patienten auf der Ebene des Kontaktes, der Psychomotorik, der Affektivität und des Denkens zu beobachten, zu beschreiben und schließlich zu diagnostizieren. Es kommt somit auf eine Beobachtung des Verhaltens und eine Beschreibung der festgestellten Phänomene an, die mit einer biographischen Orientierung verknüpft werden. Bei den psychiatrischen Krankheiten, den exogenen und endogenen Psychosen, verschiebt sich der Schwerpunkt auf die vorhandenen Symptome. Bei seelischen Störungen dagegen haben die biographischen Aspekte ein gewisses Übergewicht. In jedem Fall aber herrscht ein Ergänzungsverhältnis vor.

In diesem Teil der Darstellung soll der Untersuchungsgang selbst in seinen einzelnen Schritten dargestellt werden, weil das für viele Ärzte ohne Rücksicht auf ihre spezielle berufliche Ausrichtung bedeutungsvoll ist.

Exploration mit ungerichteten Fragen und Anregungen

Die Diagnostik beginnt mit der ersten Begegnung zwischen Arzt und Patient. Die Möglichkeit voll auszunützen und zu gestalten, sollte sich niemand entgehen lassen. Deshalb wird schon seit 20 Jahren angeregt, das erste Gespräch nicht zufälligen Faktoren zu überlassen, um es diagnostisch optimal zu gestalten. Seit 1952 haben die darauf abgestellten Untersuchungen die Ergiebigkeit des dabei gewonnenen „ersten Eindrucks" und die hohe diagnostische Treffsicherheit immer wieder bestätigt. Nachuntersucher konnten feststellen, daß sich die so gewonnenen Befunde auch auf andere Praxissituationen übertragen lassen und nicht an den persönlichen Untersuchungsstil und das eigene Krankengut gebunden sind.

Um die ungerichteten Sprechaufforderungen an den Patienten wirksam zu gestalten, sollten sie dem Wesen, dem Sprachgefühl und der landsmannschaftlichen Eigenart des Arztes angepaßt sein, dann aber gleichbleiben, weil sich dadurch die diagnostische Ergiebigkeit erhöht. Auch sonst wird ja darauf geachtet, Reizsituationen gleichzuhalten, damit der Unterschied der Reaktionen besser beurteilt werden kann. Das gilt für naturwissenschaftliche Untersuchungen genauso wie für psychologische, für somatisch-medizinische Befunderhebungen ebenso wie für psychiatrische.

Einige Formulierungen, die sich in den letzten Jahren bewährt haben, seien hier zusammengestellt:

„Sie haben das erste Wort". „Beginnen Sie bitte" oder einfach „Bitte" (mit einer leichten Handbewegung), oder „Was führt Sie zu mir?" Der zweite Anstoß ist leicht und einheitlich zu formulieren, etwa durch „Na, und?" Auch die dritte Anregung ergibt sich zwanglos durch die Aufforderung: „Erzählen Sie mal!"

Bei mir selbst hat sich in den letzten Jahren folgende, in der Zwischenzeit standardisierte Reihenfolge von Fragen bewährt: „Was hat's denn?" – „Na, und?" – „Erzählen Sie mal".

Alle Äußerungen des Arztes sind also unbestimmt, auch in den sprachlichen Formulierungen. Dadurch bieten sie dem Patienten wenig Halt, so daß er gut zu spontanen Mitteilungen angeregt wird. Es ist erstaunlich, wie schnell dann beim Patienten das Gefühl entsteht, alles sagen zu können. Ebenso lassen sich Zweitexplorationen zur Kontrolle eines in Ausbildung befindlichen Kollegen gestalten, etwa durch die Eröffnung: „Gestatten Sie, daß auch ich mir ein persönliches Bild von der Angelegenheit mache?" Anschließend folgen dieselben ungerichteten Fragen.

Für gewöhnlich ist die ärztliche Anamnesetechnik fest genormt: Man stellt Fragen und wartet auf Antworten. Eine derartige Einstellung läuft letztlich auf eine Art Fragebogen hinaus, bei dem in der Tat nur ein ganz dürftiges Gerüst erfaßt wird, das Wesentliche aber meist ungesagt bleibt. Bei der üblichen Form der Fragetechnik erhält der Arzt zwar Antworten auf seine Fragen, mehr aber nicht. Dabei ist es für die Erfassung des Gegenübers und seiner Not, die ihn zum Arzt führt, oft wichtig, gerade das zu hören, was nicht gesagt wurde. Die Exploration mit ungerichteten Fragen und Anregungen ist die empfehlenswerte Form der Anamnesetechnik, zumindest für die erste Begegnung zwischen Arzt und Patient. Der Patient soll angeregt werden, etwas zu sagen, ohne daß ihm eine durch die Fragestellung bedingte Zielvorstellung angeboten wird. Auf diese Weise wird er direkt dazu gebracht, schneller und eher vom Wesentlichen zu sprechen. Er wird nicht durch eine direkte Frage in eine bestimmte Richtung gedrängt, auch nicht durch eine neue direkte Frage unterbrochen, sondern höchstens durch eine ungerichtete Aufforderung erneut angeregt.

So verändert die Exploration mit ungerichteten Fragen und Anregungen die Berichterstattung des Patienten und seine emotionelle Grundeinstellung in der ersten ärztlichen Untersuchungssituation. Gleichzeitig aber ändert sie auch die Haltung des Arztes. Er muß bis auf die anregenden, aber kein unmittelbares Antwortziel bietenden Fragen passiv bleiben und aufnahmebereit für alles, was vom Patienten kommt. Da bei direkten Fragen nur direkte Antworten erwartet werden, ist die Aufmerksamkeit des Arztes darauf gerichtet. Bei einer ungerichteten Frage dagegen fehlt dem Antwortenden die klare Zielvorstellung, auf die hin sich die Äußerungen bewegen sollen, was beim Zuhörenden die Zentrierung der Aufmerksamkeit auf die Präzision der Antwort verringert. Es entsteht dadurch das, was von vielen psychotherapeutisch Arbeitenden als „freischwebende Aufmerksamkeit" bezeichnet wird. Sie ist eine wichtige Voraussetzung für das „richtige Zuhören" (Balint), das u. a. bewirkt wird durch die veränderte Fragetechnik.

Meist empfiehlt es sich auch bei der Exploration mit ungerichteten Fragen und Anregungen, einige wesentliche Angaben des Patienten möglichst unauffällig wörtlich festzuhalten. Auf alle Fälle sollte man aber nach einer derartigen etwa 3 Minuten dauernden Erstuntersuchung seinen Eindruck schriftlich fixieren, um ihn im Verlauf der Behandlung besser mit den späteren Auffassungen vergleichen zu können. Durch die schriftliche Fixierung übt der Untersucher, seine Gedanken zu präzisieren und seine Urteilsgewinnung zu überprüfen. Es geht also ausschließlich um eine Eindrucksgewinnung und nicht um eine Blitzdiagnose.

In jede ärztliche Sprechstunde kommen vier Kategorien von Patienten mit lediglich unterschiedlicher Thematik und Häufigkeitsverteilung: somatisch Kranke, seelisch Gestörte, abnorme Persönlichkeiten und endogen bzw. exogen psychotisch Kranke. Diese vier Kategorien lassen sich durch eine Exploration mit ungerichteten Fragen und

Anregungen in einer auf einige Minuten beschränkten Eindrucksgewinnung im Sinne einer ersten Verdachtsdiagnose erfassen, so daß die weiteren diagnostischen Maßnahmen danach besser gesteuert werden können.

Die *organisch Kranken* schildern knapp, formal gebunden und in einem straff geführten logischen Aufbau ihre Beschwerden, die wegen ihres geringen Umfanges u. U. sofort schriftlich fixiert werden können. Bei typischen Krankheitsbildern kann gelegentlich eine schon weitgehend präzise Diagnose gestellt werden. Im allgemeinen aber sollte der Untersucher lediglich feststellen, daß es sich hier um eine körperlich verursachte Krankheit handelt, deren genauerer Diagnostik er noch nachgehen muß.

Beispiele: Protokollnummer 8, P. M., 66 J.: „Ich habe eine Nervenentzündung von einem Zahn. Ich habe ihn ziehen lassen. Trotzdem hörten die Schmerzen nicht auf. Immer allmählich kommen die Schmerzen. Die Wärme war gut. Ich habe ein Heizkissen daraufgetan. Als ich beim Obstauflesen war, war es naß, da haben die Schmerzen gleich wieder angefangen. Allmählich kann ich mir nicht mehr die Zähne putzen und mich nicht mehr waschen. Wenn ich nur den Mund so bewege, kann es hier stechen (zeigt auf die rechte Gesichtsseite). Dann kommt es beim Essen hauptsächlich" usw.

Erster Eindruck: Organischer Schmerzzustand. Abschlußdiagnose: Trigeminusneuralgie.

Protokollnummer 63, H. A., 21 J.: „Ich war am 11. 7. eingeliefert, weil ich Ohnmachten hatte. Da hat man eine Rückenmarkspunktion gemacht. Ich hatte eine Hirnhautentzündung und evtl. Hirnrindenentzündung. — Ich war dann in der Hals-Nasen-Ohrenklinik. Es soll eine Kieferhöhlenentzündung gewesen sein, die die Hirnhautentzündung veranlaßt hat. Ich sollte wiederkommen, wenn die Entzündung abgeheilt ist. Nun bin ich da."
Erster Eindruck: Organisch. Abschlußdiagnose: genuine Epilepsie (Langen, 1954, S. 71).

Seelisch Gestörte, vor allem mit abnormen seelischen Reaktionen und abnormen seelischen Entwicklungen dagegen bleiben während der Schilderung ihrer Beschwerden nur ganz kurz bei einer formalen Darstellung und gleiten bald in eine erlebnisgebundene Mitteilungsweise über. Die Angaben haben dabei die Tendenz, auf den wesentlichen Konflikt, d. i. der aktuelle Konflikt, hinzusteuern. Die Befunde sind so eindrucksvoll, und die diagnostische Treffsicherheit ist so groß, daß sich die hier geschilderte Anamnesetechnik besonders anbietet.

Auch hierfür ein Beispiel: Protokollnummer 154, A. S., 41 J.: „Also ich kriege Anfälle, Herr Doktor, meistens vor der Periode oder, wenn ich überreizt bin mit der Arbeit, dann kriege ich so Störungen, Pelzigkeit in den Gliedern, und wenn das so weiterschreitet und ich nicht gleich einen Arzt bekomme, dann werde ich auch starr dabei. Und sobald ich eine Spritze habe, da legt es sich sofort wieder" — „Na und?" — „Das kriege ich meistens, wenn ich schaffe. Ich schaffe in einer Schuhfabrik, und dann muß ich sehr streng arbeiten und habe zwei Kinder und bin Witfrau, und dann habe ich noch genäht für andere. Ich glaube, das ist zuviel geworden für mich". — „Erzählen Sie mal." — „Vor drei Wochen habe ich einen schweren Anfall gehabt von nachts 2 Uhr bis morgens 6 Uhr, und da hat der Doktor nichts anderes geben können als Morphium, und das habe ich schon öfters gekriegt. Die Anfälle äußern sich: Mir wird schlecht, nicht wie bei Brechreiz, einfach nicht wohl, so blöd, und dann kriege ich ein Angstgefühl und ich denke, es greift mich einer, wenn auch niemand da ist. Damit kämpfe ich schon 2 Jahre. Dann war ich im Krankenhaus in T., dann bin ich daher gekommen, da habe ich zweimal einen Anfall gehabt in 8 Wochen. Voriges Jahr um dieselbe Zeit bin ich in der Medizinischen Klinik gelegen, und da haben sie nichts weiter feststellen können, und ich bin heimgekommen und habe am selben Tag einen Anfall bekommen, den schwersten."

Erster Eindruck: Neurose, Abschlußdiagnose: funktionelle Anfälle bei ambivalenter Einstellung zum Alleinstehen und einer zu Demonstrationen neigenden Persönlichkeit (LANGEN, 1954, S. 58).

Bei den abnormen Persönlichkeiten streuen die Befunde begreiflicherweise viel stärker. Zwar überwiegt die erlebnisgebundene Darstellungsweise, die Mitteilungen steuern aber nicht auf einen Konflikt hin. Das ist ein ganz wichtiger Unterschied gegenüber abnormen seelischen Reaktionen und abnormen seelischen Entwicklungen.

Bei den endogenen Depressionen, die in jeder ärztlichen Sprechstunde ungemein häufig sind, dann aber als larvierte Depressionen auftreten, ist die Darstellungsweise ebenfalls sehr charakteristisch.

Zunächst *zwei Beispiele.* Protokollnummer 83, G. K., 43 J.: „Ich weiß eigentlich gar nicht, was in mir ist. Ich kann gar nicht sagen, was es eigentlich ist. Vor allem mein Kopf und meine Gedanken. Wegen Geschäft fährt mir alles vor den Augen rum. Sehen tue ich auch mal nichts, und dieser Tage wurde ich kraftarm. Habe keinen Gedanken mehr und dann habe ich kein Interesse mehr und im Leib . . ." (Mitteilungen dauerten 2 1/2 Minuten).

Erster Eindruck: vorwiegend endogene Depression. Abschlußdiagnose: endogene Depression.

Protokollnummer 121, R. H., 40 J.: „Ich habe immer so arge Schmerzen. Also da hat es angefangen. Also da im Daumen, und jetzt gehts weiter bis da her. Da oben ist alles so druckempfindlich, auch an den Nieren, und im Rücken tut's auch immer weh. Ich kann halt nicht mehr schaffen mit der Hand." — „Na und?" — „Ich habe halt immer Schmerzen, ich weiß nicht, was ich sagen soll".

Erster Eindruck: Endogene Depression. Abschlußdiagnose: Endogene Depression (LANGEN S. 82).

Die Patienten schildern hier gleichfalls erlebnisgebunden, jedoch im Gegensatz zu den beiden vorigen Kategorien meist knapp und stokkend, so daß ein wörtliches Mitschreiben des Arztes leicht möglich ist. Die Mitteilungen, die auf den fragenden Reiz hin auftreten, brechen oft ab, um kreisförmig an den Ausgangspunkt zurückzukehren. Das kreisförmige Zurückführen der Gedanken, das auch sonst dem psychopathologischen Befund bei endogenen Depressionen entspricht, ist so charakteristisch, daß jeder Untersucher darauf aufmerksam wird, sobald seine Wahrnehmungsfähigkeit dafür geschärft ist. Voraussetzung aber für das ausdrucksphänomenologische Verhalten, das für den endogen Depressiven in seinen verschiedenen Schattierungen so charakteristisch ist, ist die Exploration mit ungerichteten Fragen und Anregungen. Nur in der explorativen Schwebesituation wird der Befund so deutlich, daß der Untersucher immer an eine durch endogene Depression hervorgerufene Veränderung der Affektivität denken muß. Anschließend kann er durch weiteres Befragen seinem Verdacht nachgehen.

Beginn der Symptomatik

Hat sich der Patient an diese Art der Untersuchung gewöhnt und ist er dadurch in seiner Mitteilungsbereitschaft aktiver geworden, kommt als zweiter Schritt in der Diagnostik das Einstellen auf den Beginn der Symptomatik. Das klingt einfacher als man denkt. Handelt es sich um vordergründige seelisch bedingte Störungen, wird durch die Verdrängung der Anfang verwischt. Dann kann es für den Patienten schwierig, wenn nicht unmöglich sein, sich an den Beginn der Beschwerden zu erinnern, die ihn u. U. erst nach langer Zeit zum Arzt führen. Die Verdrängung aber wird durch die Aufforderung, sich genau zu erinnern, verringert. Dadurch wird ein die seelische Störung begünstigender Faktor schrittweise rückgängig gemacht. Wichtig ist, dabei möglichst genau das erste Auftreten der Symptomatik, die auch jetzt den Anlaß zur Untersuchung darstellt, zu fixieren. Es ist oft erstaunlich zu sehen, wie genau Patienten schließlich in der Lage sind, über den Beginn der Symptomatik zu sprechen, obwohl sie anfangs nur ungenaue Andeutungen machen konnten.

Erfassen der psychologischen Konstellation vor Beginn der Symptomatik

Ist der Beginn der Symptomatik deutlich erfaßt und fixiert, wird als drittes die psychologische Konstellation aufgehellt. Die hierzu gehörenden Fragen zu stellen hat aber nur Sinn, wenn in der Tat das erste Auftreten der Störungen klar erfaßt und wiedergegeben wurde. Die Frage soll sichtbar machen, was sich kurze Zeit vor Ausbruch der Symptomatik ereignete: „Was war kurze Zeit vorher"? oder „Was hat sich kurze Zeit vorher ereignet?"

Hier muß durch ein etwas drängendes Verhalten eine positive Antwort verlangt und keine ausweichende Reaktion akzeptiert werden.

Die Antwort des Patienten auf die Frage aber sollte wörtlich mitgeschrieben werden, da sich das Gesagte nur sehr schwer genau behalten läßt. Das Mitgeteilte hat nur scheinbar zunächst keinen Bezug zum Ganzen, so daß sich der Arzt später schwerer oder unmöglich daran erinnern kann. Erst wenn die gesamte Entwicklung deutlicher faßbar geworden ist, läßt sich die psychologische Konstellation vor Ausbruch der Symptomatik besser in das Gesamtgeschehen einordnen und damit auch behalten.

Das auf die Frage Mitgeteilte ist ebenso wichtig wie das auf die ungerichtete Frage zuerst Gesagte oder der Initialtraum. Was hierbei gesagt wird, enthält erfahrungsgemäß die ambivalente Situation, in die der Patient damals hineingekommen war und die sich schrittweise verstärkte. Zwar stoßen wir im Leben häufig auf Situationen, die uns zu zwiespältigen Einstellungen und damit zu Ambivalenzen führen, ohne daß sie eine seelische Störung provozieren; sie entstehen aber dann, wenn eine größere innere Entscheidung verlangt wird, der der einzelne nicht oder nur schlecht gewachsen ist, oder wenn durch die Entscheidung bestimmte Charaktereigenschaften angesprochen werden, für die er verwundbar ist. Schließlich gibt es entscheidungsschwache und zwanghafte Persönlichkeiten, die auch in relativ banalen Situationen zu ambivalenten Haltungen neigen. Sie werden dann zu einem mit der Charakterstruktur zusammenhängenden Faktor, der seelische Störungen bedingt.

Es ist wichtig, die Lebenssituation, in der die Symptomatik begann, zu kennen, weil hiermit ein wesentliches Stadium jeder abnormen seelischen Entwicklung erfaßt wird. Das gilt vor allem für Neurosen im engeren Sinne, bei denen es sich um abnorme seelische Entwicklungen mit Komplexverselbständigung handelt. Gerade bei diesen Typen seelischer Störungen können wir, wie bereits ausgeführt (s. S. 19), ein Ausgangsstadium, ein Vorstadium und ein symptommanifestes Stadium voneinander unterscheiden. Das Aufhellen der Lebenssituation um den Ausbruch der Symptomatik erfaßt gerade die symptommanifestierende Dekompensation und damit den Übergang vom Vorstadium zu dem Zustand der abnormen seelischen Entwicklung, in dem die Symptome sichtbar werden. In der Regel ist die damals bedeutungsvolle Lebenssituation auch zur Zeit der Untersuchung noch bedeutsam, weshalb eine derartige Situation mit Recht als „aktueller Konflikt" bezeichnet wird. Ihn zu erkennen, ist Ziel der ersten Schritte einer Diagnostik seelischer Störungen. Da später auch die gezielte oder steuernde Analyse ganz wesentlich am aktuellen Konflikt orientiert bleibt, ist es wichtig, ihn zu erfassen.

Die psychologische Konstellation vor Ausbruch der Symptomatik wird in der Literatur als „Schicksalssituation" bezeichnet. Sie läßt sich abheben von den „Grundkonflikten" als der psychischen Konstellation in den ersten Lebensjahren. Sie werden von einigen psychotherapeutischen Schulen für so entscheidend bei der Entwicklung seelischer Störungen gehalten, daß praktisch die ganze Behandlung um die frühkindliche Lebenssituation zentriert bleibt. Die überragende Bedeutung der Grundkonflikte läßt sich aber zur Zeit noch nicht beweisen. Das wird erst möglich sein, wenn man größere Gruppen mit fest umschriebenen seelischen Störungen entsprechenden Kontrollgruppen gegenüberstellt. Bis dahin ist man auf Eindrücke angewiesen, die wissenschaftlich nicht hieb- und stichfest bewiesen werden können.

Bei der Beurteilung der Schicksalssituation ist das anders, weil sie meist greifbarer und abwägbarer ist und in der Regel auch objektiviert werden kann. Dadurch sind auch prognostische Kriterien leichter möglich als durch die Beurteilung der Grundkonflikte.

Familienbild

Jede seelische Störung ist eine Mischung aus Anlagewirkung und Umweltfaktor. Deshalb soll sich der Untersucher in jedem Fall ein Urteil über die Anlagekomponenten bilden. Das ist beweiskräftig möglich durch die Erfassung des Familienbildes. Dabei geht es nicht darum zu erfahren, ob Geistes- oder Gemütskrankheiten in der Familie vorgekommen sind, sondern um ein etwas differenziertes Forschen nach besonderen Charaktertypen, alleinstehenden Blutsverwandten, Suiziden, andersartigen Kranken, gestörten Ehen usw.

Überblickt der Patient eine nicht zu kleine Zahl von Blutsverwandten, läßt sich ein recht guter Eindruck vom Familienbild gewinnen, zu dem er genetisch und soziologisch gehört.

Zum Familienbild gehört als zweites das Erfragen der *Geschwisterreihe.* Auf diese Zusammenhänge haben als erster A. ADLER und später zahlreiche Mitarbeiter hingewiesen. Viele Auffassungen der individualpsychologischen Schule gingen von der Stellung in der Geschwisterreihe aus. Auch Unbefangenen wird es einleuchten, daß es nicht gleichgültig ist, ob der Patient Einzelkind, Erst- oder Letztgeborenes in einer Reihe von Geschwistern ist. Hier hat jede Position ihre besonderen psychologischen Kennzeichen, die zwar nicht unbedingt auftreten müssen, aber doch sehr häufig sind.

Das Erstgeborene ist meist ein Exerzierfeld der Erziehung der Eltern, die in ihm ein Musterbeispiel heranbilden möchten als Vorbild für andere. Deshalb wird die Erziehung meist zu streng. Ferner ist das Erstgeborene zumindest im ersten Jahr seines Lebens allein, so daß sich in dieser Zeit die Aufmerksamkeit zweier Erwachsener ausschließlich darauf konzentriert. Das Dazukommen eines Geschwisters „entthront" den Prinzen.

Das Letztgeborene ist dagegen in der Regel verwöhnter als seine Geschwister. Das wird besonders deutlich, wenn es sich gleichzeitig um ein nachgeborenes Kind handelt, das erst in größerem Zeitabstand nach einer relativ bald aufeinanderfolgenden Geschwisterreihe zur Welt kommt.

Das Einzelkind ist ebenfalls in eine charakteristische Situation gestellt, indem es zeit seines Lebens mit der emotionellen Zuwendung zweier Erwachsener fertigwerden muß. Die Eltern stellen ihm durch übermäßige Sorge und ihren verwöhnenden oder diametral entgegengesetzten Erziehungsgrundsätzen oft schwer zu meisternde Aufgaben.

Dasselbe gilt in etwa für das fakultative Einzelkind, das lange allein bleibt, bis in größerem Abstand ein nachgeborenes Kind kommt oder bei dem der zeitliche Abstand zwischen den vorher oder nachher geborenen Geschwistern groß ist.

In diesem Zusammenhang ist es also wichtig zu erfahren, in welchem zeitlichen Abstand die einzelnen Geschwister geboren sind und wie die Geschlechtsverteilung innerhalb der Geschwisterreihe war. Es ist nicht gleichgültig, ob der Patient ein Junge unter lauter Schwestern, oder ob die Patientin ein Mädchen unter lauter Brüdern war, um nur die extremen Positionen zu kennzeichnen. Auch ist es nicht gleichgültig, ob der Patient als Erstgeborenes ein Junge oder ein Mädchen war, dem Brüder oder Schwestern nachfolgten. Die Fülle der hier möglichen Konstellationen zu kennen ist wichtig, auch wenn man aus den Befunden nicht schwerwiegende Rückschlüsse ziehen will.

Orientierende Diagnostik

Die orientierende Diagnostik kann an Hand von 6 Fragen gestaltet werden, die im wesentlichen von der Individualpsychologie und teilweise von der Existenzanalyse entwickelt wurden. Hierbei handelt es sich um Fragen, die besonders ergiebig sind, weil sie das Wesen und die Lebensleitlinie des Patienten erkennen lassen.

Älteste Erinnerung. Im Durchschnitt berichtet der Patient Eindrücke aus dem 3. Lebensjahr, wenn man ihn etwas drängend auffordert, wirklich die Erlebnisse zu berichten, die ganz weit zurückliegen. In seiner Mitteilung ist die Situation enthalten, für die der Patient aufgrund seiner Lebensgeschichte und Charakterstruktur so empfänglich war, daß sie im Gedächtnis haftete.

Je weiter zurück die älteste Erinnerung reicht, desto unschärfer wird sie und zeigt dann nur eine dumpfe Gefühlstönung, ohne an ein präzises Ereignis gekoppelt zu sein. Diese gefühlsstarken Erlebniskonglomerate können die Einstellungen eines Menschen so stark beeinflussen, daß sie für viele Bereiche des Lebens entscheidend sind.

Frage nach einer Schwierigkeit. Hierbei soll über eine Schwierigkeit berichtet werden, die irgendwann im Laufe des Lebens einmal auftrat. Meist werden sich wiederholende Erlebnisse berichtet. Handelt es sich um einmalige Ereignisse, so waren es wieder meist solche, von denen eine größere Affektdynamik ausging.

Frage nach einer Angst. Sie hängt eng mit der Vorfrage zusammen. Auch hier können entweder einmalige stark wirkende Erlebnisse mitgeteilt werden oder Erinnerungen, die immer wieder auftreten und den Patienten beunruhigen. Gerade für diese Konstellation aber gilt, daß Erlebnis und Charakter zusammengehören. Die Erlebnisse können in ihm Ängste erzeugen, durch die er verwundbar ist. Die Antworten auf diese Fragen berühren sämtliche Bereiche des menschlichen Lebens.

Frage nach dem letzten Traum, dem Traum, der auf das Fragen hin einfällt oder der sich häufig wiederholt. Psychologisch gesehen besteht eine innere Beziehung zwischen der ältesten Erinnerung und dem letzten Traum. Hier sind wiederkehrende Träume, die Stereotypträume, ganz besonders wichtig.

Frage nach dem, was der Patient am liebsten tun würde, wenn er ganz frei von krankhaften Symptomen wäre. Sie ist die wichtigste der 6 Fragen. Sollte es aus Zeitmangel nicht möglich sein, alle 6 Fragen zu stellen, muß wenigstens diese gestellt werden, da sie, im Gegensatz zu den bisher aufgezählten Fragen, den teleologischen Aspekt enthält, der sich hinter den meisten seelischen Störungen in verschieden starkem Ausmaß verbirgt. Die Antwort auf die Frage enthält das, wovor der Patient in Wirklichkeit Angst hat, es zu tun. Gerade deshalb ist sie so besonders wichtig.

Frage nach der möglichen existentiellen Entwicklung. Sie wird vor allem bei seelischen Störungen jenseits der Lebensmitte gestellt. Man forscht danach, zu welchem Zeitpunkt seines Lebens der Patient sich anders entscheiden würde, wenn er nochmals zu leben hätte. Diese Frage rührt u. U. letzte Probleme im Menschen auf und sollte deshalb nur gestellt werden, wenn eine tragende emotionelle Verbindung zum Patienten besteht. Dann aber kann die Antwort sehr lohnend sein.

Problematik der prognostischen Kriterien

Der Wunsch zu wissen, wie die Dinge sich in der Zukunft entwikkeln, ist alt und reicht in alle Gebiete des Lebens. Religionen und politische Dogmen leben davon, auch die Medizin. Wird der Mensch krank, taucht bei ihm die bange Frage auf: Wie geht es weiter? Die Frage an den Arzt nach der Diagnose („Herr Doktor, sagen Sie, was fehlt mir?") ist in Wirklichkeit eine Frage nach der Prognose. Den Patienten interessiert nur, wie es weitergeht. Auch der Arzt ist an der Prognose interessiert. In manchen Gebieten der Medizin sind Voraussagen leicht, in manchen schwerer, in wieder anderen bis auf vage Vermutungen unmöglich.

Prognostische Beurteilungen müssen sich auf Katamnesen stützen. Hierum haben sich mehrere Autoren seit Jahren bemüht. Zu nennen sind vor allem: ANNEMARIE DÜHRSSEN (1963), ERNST (1959), EYSENCK (1961), LANGEN und VEIT (1956). Am psychiatrischen Krankengut haben M. BLEULER (1941) und LANGFELDT (1937) einige grundsätzlich wichtige Fragen erörtert.

Die Problematik der Katamnesen kreist vor allem um die Frage der Kontrollgruppen und führt zu der Antwort: Es gibt keine vergleichbaren Gruppen, die allen statistischen Erfahrungen gerecht werden.

Um diesen Fragen zu begegnen, haben wir (LANGEN und RENATE WENKE 1967) als Ausgangsmaterial „Psychotherapiebedürftige" nachuntersucht, wobei wir eine Gruppe behandelter mit einer gleichgroßen Gruppe unbehandelter Patienten verglichen haben. Eine derartige Untersuchung geschah, soweit wir übersehen, in dieser Form erstmalig. Obwohl sich beide Gruppen nicht immer ganz genau entsprachen, waren sie doch in vielen Variablen sehr ähnlich. Die Untersuchung hatte zwei wesentliche Ergebnisse:

1. Bei den unbehandelt gebliebenen Patienten, die bei der Nachuntersuchung eine Besserung gezeigt hatten, konnten die maßgeblichen Faktoren für eine Spontanheilung deutlich gemacht werden. *Der Milieuwechsel* wurde häufig von den Patienten selbst als eine wichtige Hilfe bei der Überwindung ihrer Schwierigkeiten angegeben, auch bei nur vorübergehender Milieuveränderung. In einer anderen Umgebung bekommt jedes Problem neue Beleuchtungen und Schattierungen, so daß sich die Einstellung des Menschen dazu wandeln kann. Diese allgemein bekannte Tatsache sollte als wichtige ärztliche Empfehlung nicht vergessen werden. Sie wurde schon von LANGFELDT bei der prognostischen Beurteilung der Psychosen gewürdigt. Aus der eigenen ärztlichen Erfahrung kann bestätigt werden, daß gerade bei Jugendlichen der Milieuwechsel eine wichtige gezielte therapeutische Maßnahme sein kann (LANGEN u. ANNEMARIE JAEGER). Auch die stationäre Psychotherapie selbst wirkt schon durch den vorübergehenden Milieuwechsel, der entsprechend gruppentherapeutisch ausgenutzt werden sollte (ENKE 1965, LANGEN 1956, PLOEGER u. a.).

Auch *der Zeitfaktor* konnte bei den günstigen Spontanverläufen als erhebliches Moment eruiert werden. Einzelne Patienten drückten dies klar in ihrem Bericht aus, ohne daß daraus eine Resignation herauszuhören war. Erinnert sei an das Motto, das über dem Schwabinger Krankenhaus stand: „Die Zeit eilt, teilt, heilt", oder an die humoristische Äußerung von WILHELM BUSCH: „Die Zeit, die alte Bügelfrau, macht alles wieder schlicht".

Die *Nachreifung der Persönlichkeit* hängt mit dem Zeitfaktor zusammen, da viele seelische Störungen mit einer durch eine Teilretardierung verursachten Entwicklungsverzögerung verbunden sind. Ein Notstand kann die Person zur Reifung bringen. Sie zu fördern, ist ein zentrales Anliegen jeder Form von Psychotherapie. Manchmal muß u. U. dabei der Notstand vorübergehend vergrößert werden, um später eine bessere Kompensation zu erreichen.

Ein *Gefordertwerden der Person* bewirkt häufig günstige Spontanverläufe. Bei einer alleinstehenden Patientin z. B. ging die Symptomatik zurück, als ihr durch ihre Geschwister und deren Kinder eine Aufgabe zuwuchs. Die so gewonnene Daseinsberechtigung verschaffte ihr Sinn und Ziel. Ähnliche Beispiele auf anderen Ebenen des menschlichen Lebens konnten beobachtet werden.

Günstige Spontanverläufe können sich ebenfalls entwickeln, wenn ein anderer Hilfestellung gibt.

Diesem Heilungsmodell begegnet man demnach auch außerhalb der ärztlichen Situation. Einmal können es die Eltern oder andere nahe Angehörige sein, die sich dem Hilfsbedürftigen verstärkt emotionell zuwenden, oder es handelt sich um Außenstehende, die ihm beispringen.

Durch die Verbindung mit einem anderen fühlt sich der Mensch verstanden und wird dadurch in sich selbst eins. Hierbei spielt das Stillhalten und Horchen des anderen eine ebenso große Rolle wie das Fragen und Antworten. „Der normale und innerlich lebendige Mensch macht im Umgang mit seinen Mitmenschen ebenfalls die Erfahrung positiver Wechselbeziehungen, die ihn im Sinne einer Bereicherung verändern" (A. MAEDER, 1949, S. 104). Die Wirkung des Menschen auf den Menschen kann erzieherischer, aufweckender oder kommunikativer Art sein. „Der Mensch hilft sich selber in einer Kommunikation mit dem Nächsten und Geliebtesten und im Zusammenhang mit den Glaubensgehalten, die ihm aus der Welt entgegenkommen" (JASPERS S. 58).

Daß schließlich auch der religiöse Glaube bei einzelnen Spontanheilungen von den Patienten als wichtiger Faktor hervorgehoben wurde, soll hier nur erwähnt werden. Er tauchte bei einzelnen Nachuntersuchten bezeichnenderweise verzerrt als sektiererische Religiosität auf.

2. Der von uns durchgeführte Vergleich Behandelter und Unbehandelter in der Psychotherapie ergab als zweites, daß Psychotherapie auch bei sehr genauer statistischer Sicherung etwas zu leisten vermag. Von den behandelten Patienten zeigten zwei Drittel eine verschiedengradig ausgeprägte Besserung, während ein Drittel ungebessert geblieben war. Bei den Unbehandelten aber war dieses Verhältnis umgekehrt. Hier war nur ein Drittel verschiedengradig gebessert, während zwei Drittel ungebessert blieben. Hinsichtlich der sozialen Entwicklung beider Patientengruppen dagegen waren statistisch signifikante Unterschiede nicht festzustellen.

Demnach bessert sich etwa ein Drittel seelisch Gestörter durch Spontanheilung.

Im übrigen lassen sich — jedenfalls teilweise — die an Psychosen gewonnenen prognostischen Kriterien auch in der Psychotherapie anwenden. Für die Beurteilung von Psychosen gilt: Ein akuter Ausbruch weist auf einen günstigen Verlauf hin, während ein schleichender Beginn eine meist schlechte Prognose anzeigt. Damit verbunden sind die Korrelation der günstigen Prognosen bei deutlich erkennbarer auslösender Situation und die schlechten Prognosen bei nicht erkennbarer auslösender Situation (LANGFELDT 1937). Ebenso wirken gute Umweltverhältnisse vor und nach der Psychose prognostisch günstig.

All das läßt sich gut auf seelische Störungen übertragen. Eine *schwere Schicksalssituation vor Ausbruch der Symptomatik weist* auf eine leichte seelische Störung hin, die bei besonders gravierenden Belastungen nur zu abnormen seelischen Reaktionen, nicht aber zu einer abnormen seelischen Entwicklung führt. Kommt es dagegen nach einer relativ geringfügigen seelischen Belastung zur Symptommanifestation, so weist das von vornherein auf eine schwere seelische Störung hin, die u. U. sogar Ausdruck einer abnormen Persönlichkeit oder abnormen Persönlichkeitsentwicklung („Kernneurose" im Sinne von SCHULTZ) sein kann.

Die *Dauer der Beschwerden* ist ein fast ebenso verläßliches Kriterium, so daß auch hier eine Parallele zur Psychosenbeurteilung entsteht. Schleichender Beginn entspricht einer langen, akuter Beginn einer kurzen Beschwerdezeit. Hier leuchtet die Beziehung ohne weiteres ein. Alle lang anhaltenden Symptome als Folge einer seelischen Störung weisen schon wegen ihrer Dauer auf eine viel ernstere Auffälligkeit hin als kurz bestehende Beschwerden. Selbstverständlich sind diese Feststellungen etwas summarisch, wobei Ausnahmen die Regel bestätigen. So kam erst kürzlich ein 24jähriger Patient mit einer Erythrophobie zur Behandlung, die nur einige Monate bestand und trotz intensiver Bemühungen nicht günstig zu beeinflussen war. Im großen und ganzen aber ist auch die Dauer der Beschwerden ein verläßliches prognostisches Kriterium.

Die Dauer der Beschwerden ist zwangsläufig häufig mit dem *Lebensalter* gekoppelt. Hier lassen sich aber wesentlich schwerer prognostische Aussagen machen. Lediglich folgendes kann annäherungsweise gesagt werden: Seelische Störungen, die in der Kindheit beginnen, die Pubertät überdauern und danach klinisch in Erscheinung treten, haben eine besonders schlechte Prognose.

Seelische Störungen, die im dritten und vierten Lebensjahrzehnt erstmalig auftretenden, sind prognostisch günstiger als späte.

Die zweite Regel zur prognostischen Beurteilung endogener Psychosen bezieht sich auf die *prämorbide Persönlichkeit.* Diese Erkrankungen haben häufig eine günstigere Prognose, wenn die prämorbide Persönlichkeit aktiv, reagibel und von nicht zu niedriger Intelligenz ist. Dagegen müssen passive prämorbide Persönlichkeiten mit geringerer psychischer Reagibilität vor allem dann prognostisch ungünstig beurteilt werden, wenn sie einen niedrigen Intelligenzquotienten aufweisen. Das ist weitgehend auf die seelischen Störungen übertragbar. Ihre Prognose ist um so besser, ihre Spontanheilung um so wahrscheinlicher, je aktiver und emotionell wendiger die Grundpersönlichkeit ist. Wird dann das Ausmaß der Intelligenz verkoppelt mit der Möglichkeit der Einsichtsfähigkeit, was bei anankastisch-schizoiden Persönlichkeitsstrukturen nicht gleichsinnig miteinander verbunden zu sein braucht, trifft auch dieser Gesichtspunkt auf wichtige prognostische Kriterien.

So läßt sich sagen: Patienten mit asthenischen Persönlichkeitsanteilen haben eine viel schlechtere Prognose und geringere Spontanheilungsquote. Auch die tiefenpsychologischen Schulen, die in der Hemmung das Wesentliche einer seelischen Störung sehen, erblicken in den asthenischen Persönlichkeitsanteilen ohnehin stärker in der Anlage verankerte Komponenten, obwohl der Mensch gerade von diesen Arbeitsrichtungen aus vorwiegend als ein Produkt seiner Umwelt angesehen wird. Passiv-asthenische Persönlichkeitsanteile verschlechtern somit die Prognose, aktiv-sthenische Komponenten verbessern sie. Das gilt noch mehr vom *Milieu,* da Umweltfaktoren bei seelischen Störungen stärker wirksam sind als bei Psychosen. Ein gutes Milieu, gleichgültig ob im Elternhaus, in der Ehe oder im Beruf, bessert die Prognose. Sie wird verschlechtert durch ungünstige Umweltfaktoren.

Über diese Gesichtspunkte hinaus können keine verläßlichen prognostischen Urteile abgegeben werden.

Zwangssyndrome aller Art haben in der Regel eine schlechtere Prognose als phobische oder hysterische Syndrome. Das gilt ebenso für psychosomatische Krankheiten, bei denen zwanghafte Persönlichkeitsfaktoren oft stark beteiligt sind.

Störungen des Sexualtriebes haben neben der geringen Indikationsbreite zur Psychotherapie eine schlechte Prognose. Das gleiche gilt für Gewohnheitsbildungen oder gar Suchten, da die Rezidivgefahr besonders groß ist.

Beurteilt man überblickend die einzelnen prognostischen Teilaspekte, wird deutlich, wie problematisch die Aussagen sind. Deshalb hat sich eine mehr pragmatische prognostische Einstellung bewährt. Nach der Formel: Jeder Hilfesuchende soll für befristete Zeit die Chance für eine seelische Krankenbehandlung haben. Was er aus den ihm gebotenen therapeutischen Möglichkeiten macht, hängt nicht unerheblich von ihm selbst ab.

Therapie seelischer Störungen

In dem nun folgenden Teil, der als Einführung in die Probleme der Gesamtdarstellung gedacht ist, kann selbstverständlich nur ein Überblick gegeben werden.

Im Bereich der somatischen Medizin sind diagnostische und therapeutische Maßnahmen meist klar voneinander getrennt. Eine Urinuntersuchung, Leberpunktion oder Augenspiegelung z. B. unterscheidet sich von Behandlungen der Nieren-, Leber- oder Augenkrankheiten. Bei chirurgischen Maßnahmen jedoch können Diagnostik und Therapie ineinander übergehen. So kann schon die erste Punktion der Pleura nicht nur wichtig sein, um die Zusammensetzung des Trans- oder Exsudats genau zu erfassen, sondern auch, um den Thoraxinnenraum zu entlasten. Ebenso läßt sich mancher chirurgische Eingriff, der zunächst nur als Diagnostik gedacht ist, in eine operative Behandlung überleiten.

Im Bereich der Psychiatrie aber und darüber hinaus bei allen Patienten, bei denen seelische Faktoren für die Krankheit bedeutsam sind, ist eine Trennung von Diagnostik und Therapie nicht möglich. Frage und Antwort sind als ein in sich geschlossenes Ganzes stark aufeinander bezogen und entwickeln sich von Stufe zu Stufe. Jede neue Frage des Arztes soll diagnostisch weiter aufhellen. Jede Antwort des Patienten hilft dem Arzt zur Klärung und führt u. U. gleichzeitig auch den Kranken zu einer Selbstklärung. Damit wird der Dialog zur Therapie. So ist bei dieser Situation alles, was im Bereich des gesprochenen Wortes liegt, immer beides: Diagnostik und Therapie. Jede Anamneseerhebung dient dazu, Kenntnisse über den Patienten zu erhalten. Tatsachen auszusprechen und sie damit zwischen sich und seinen Gesprächspartner zu stellen, kann aber auch schon heilsam sein. Die Arzt-Patienten-Beziehung trägt dazu bei, daß die Vorgänge nicht nur im rationalen Bereich bleiben, sondern in den gefühlsmäßigen Tiefenschichten verankert werden.

Bei der Schilderung der „Diagnostik seelischer Störungen" wurde an mehreren Stellen die randständige therapeutische Bedeutung von Untersuchungen erwähnt. So wird die „freie Assoziation" als Therapie schon bei der Exploration mit ungerichteten Fragen und Anregungen intendiert (s. S. 82). Die Verdrängung wird verringert, wenn man den Beginn der Symptomatik erfaßt (s. S. 87). Die Schicksalssituation wird beleuchtet durch die Frage nach dem, was sich kurz vor Ausbruch der Symptomatik ereignet hat (s. S. 87). Ähnliches gilt für alle anderen psychodiagnostischen Maßnahmen, einschließlich der reinen psychologischen Testuntersuchungen. In den nun folgenden Ausführungen sollen im wesentlichen die therapeutischen Gesichtspunkte aufgezeigt werden, wobei die Unterteilungen willkürlich und, im Vergleich zur täglichen Praxis, schärfer herausgearbeitet sind. In der Sprechstunde kann ein diagnostisches Gespräch viele persuasive Elemente enthalten. Ebenso kann ein therapeutisches Verfahren fugenlos in ein anderes übergehen.

Das ärztliche Gespräch

Das ärztliche Gespräch durchzieht jede Sprechstunde und strahlt in viele ärztliche Behandlungen hinein. Es ist ausgespannt zwischen einem normierten Ablauf, wie er im Extrem im Fragebogen zu finden ist, und ganz persönlicher Ausgestaltung, die abhängt von der Eigenart des Arztes. Hier sollen nur einige besonders wichtige Gesichtspunkte herausgehoben werden.

Der Arzt muß sich auf die Ausdrucksweise des Patienten einstellen. Je mehr es ihm gelingt, sich der Begriffswelt des Kranken anzupassen, desto schneller kommt es zu einem guten Kontakt. Sich einfacher auszudrücken, als es der Intelligenz des Patienten entspricht, ist besser als über seinen Kopf hinweg zu reden. Die Gefahr, den Patienten durch Begriffe der eigenen Sekundärsprache zu überfordern, ist größer als man denkt. Gerade von ängstlichen und selbstunsicheren Patienten erfährt man u. U., daß man nicht — oder noch schlimmer — unvollkommen verstanden wurde. Zur Absicherung versuche man, sich zu vergegenwärtigen, wie weit das Verständnis geht.

Noch wichtiger beim ärztlichen Gespräch ist es, auf die Problematik des Rates zu achten. Hierauf weisen Balint u. Mitarb. seit vielen Jahren immer wieder hin, wobei sie folgende entscheidende Tatsachen hervorgehoben haben: In der ärztlichen Sprechstunde werden unendlich viele ungesicherte Ratschläge erteilt. Der Ratende geht meist von seiner eigenen Perspektive aus und fühlt sich zu wenig in die Patienten ein.

Ich möchte meine Erfahrungen, die sich weitgehend mit denen von Balint decken, durch einige Gesichtspunkte ergänzen.

Ein Rat kann im Bereich des aktuellen Konfliktes prinzipiell nicht gegeben werden, weil dabei grundsätzlich mehrere u. U. gleichwertige Lösungen möglich sind.

Fragt ein Patient nach der Diagnose, will er in Wirklichkeit eine Antwort in Richtung auf die Prognose. Diese Diskrepanz ist nach Balint u. Wiesenhütter eine der häufigsten Mißverständnisse zwischen Patient und Arzt. Ähnliches gilt für den Rat, wie ich an Hand jahrelang durchgeführter „Kurzberatungen" erfahren konnte. Die Bitte eines Ratsuchenden ist in Wirklichkeit keine Frage um Rat, sondern eine Bitte um Dialog. Über den Dialog mit dem Arzt kommt der Ratsuchende zum Dialog mit sich selbst. Das ist entscheidend, weil dadurch die Selbstklärung angebahnt wird. Ist man wirklich einmal genötigt, einen Rat zu geben, hat auch das nur Sinn, wenn man die Realisierung des Ratschlags verfolgen kann (SCHULTE).

Verfährt man auf diese Weise, wird man erstaunt sein festzustellen, wie viele Patienten von einer derartigen Begegnung mit dem Arzt das Empfinden haben, beraten worden zu sein, obwohl in Wirklichkeit nur ein Zwiegespräch mit den eigenen Möglichkeiten angeregt wurde.

Damit wird nicht prinzipiell gegen jeden Rat gesprochen. Wichtig ist nur, Indikation und Kontraindikation, Möglichkeiten und Grenzen zu erkennen und sich in jedem Fall die Frage vorzulegen, ob es dem Ratsuchenden tatsächlich um den Rat geht.

In einer Zeit, in der medizinische Diagnosen gestellt werden durch elektronische Datenverarbeitung von Fragen (Computer), wird sich mancher fragen, ob das Gespräch nicht ein Überbleibsel früherer Zeit und — wie einiges an der Tiefenpsychologie — ein Rest romantischer Medizin sei. Das aber wird man verneinen, wenn man die Bedeutung der Sprache für den Menschen berücksichtigt und dabei vor allem an eindrucksvolle Beispiele denkt, von denen zwei drastische kurz angeführt werden sollen.

Das erste Beispiel stammt von dem Hohenstaufer Kaiser Friedrich II. (1194—1250). Auf der Suche nach der Ursprache des Menschen ließ er Säuglinge aus den verschiedensten Rassen aufnehmen. Das Schloß lag irgendwo in Süditalien oder Sizilien, wo Afrikaner, Sarazenen, Asiaten, Italiener und Deutsche lebten. Die Kinder wurden auf das sorgfältigste gepflegt, aber es bestand eine Bedingung bei dem Experiment. Keine Pflegeperson durfte ein Wort mit den Kindern sprechen, deshalb wurden als Pflegerinnen taubstumme Ammen bevorzugt herangezogen. Der Kaiser wollte erfahren, welche ‚Ursprache' die Kinder von sich aus entwickeln würden. Das Ergebnis war, daß alle Kinder starben" (H. CITRON S. 419).

Das zweite sehr bekannt gewordene Beispiel stammt von R. SPITZ, der zwei Gruppen Säuglinge miteinander verglich. „Die eine Gruppe befand sich im Gefängnis, wo die zugehörigen Mütter eine Strafe absaßen. In diesem amerikanischen Frauengefängnis hatten die Mütter fast nichts anderes zu tun, als sich um ihre Babys zu kümmern. Die andere Gruppe befand sich in einem Kinderheim. Diese Säuglinge wurden einer routinemäßigen Pflege unterworfen und zwar kamen acht bis zehn Säuglinge auf eine Pflegerin . . . in unserer experimentellen Reihe ließ sich beobachten, daß die Säuglinge im Gefängnis prächtig gediehen, während die Heimkinder weinerlich wurden und von den hervorragenden Erzeugnissen der Heimküche wenig Gebrauch machten. Sie magerten ab, ihre Mimik wurde starr, die Bereitschaft zu Infektionskrankheiten nahm zu, obwohl das Heimpersonal nach jedem Bazillus Jagd machte; und nach zwei Jahren war ein erschreckend hoher Prozentsatz der Heimkinder gestorben" (Citron, 1964, S. 419).

Aus der phylogenetischen und ontogenetischen Perspektive betrachtet, hat demnach die Sprache und die mit ihr verbundene Zuwendung eine lebensentscheidende Bedeutung für die Entwicklung des Menschen. Ebenso wird jeder, der die Wirkung eines Gespräches an sich selbst erlebt hat, es gerade in einer Zeit der Hilfsbedürftigkeit nicht missen wollen.

Mit fortschreitender Technisierung der Medizin wird die Bedeutung des ärztlichen Gesprächs sogar noch zunehmen, weil es Bereiche erfaßt, die ein noch so fein ausgeklügeltes Fragesystem niemals erreicht. In einer Darstellung, die sich mit der psychologischen Seite der Medizin beschäftigt, darf deshalb eine Schilderung der Grundprinzipien des ärztlichen Gesprächs nicht fehlen. Eine grobe Einteilung ist dabei zweckmäßig.

Zwei große Gruppen lassen sich voneinander abheben: Diagnostische und therapeutische ärztliche Gespräche.

Diagnostische ärztliche Gespräche

Hierunter fallen alle Maßnahmen und Vorschläge, wie sie auf den Seiten 82 bis 91 beschrieben wurden. Jeder Arzt, der sich um eine Psychologisierung seiner Tätigkeit bemüht, sollte diese Art der Eröffnung ärztlicher Gesprächsführung mit ungerichteten Fragen und Anregungen üben. Er wird dabei an sich erleben und erfahren, wie wichtig für die Grundeinstellungen eines ärztlichen Gesprächs vor allem der ständige Wechsel von drängender Aktivität und abwartender Passivität ist.

Soll die Begegnung Arzt-Patient und die in ihr enthaltene Möglichkeit, aus einem Frage-Antwortwechsel ein personhaftes Gespräch entstehen zu lassen, genützt werden, ist neben der freischwebenden Aufmerksamkeit (s. S. 126) noch folgendes erforderlich: Der Untersuchende darf erst gar nicht in das starre, unbarmherzige schablonenhafte Fragebogengespräch (nach Citron) geraten, sondern muß den Dialog wie eine lockere Konversation gestalten. Das Anliegen des Patienten, das durch den Leidensdruck geprägt ist, und der Zeitmangel des Arztes sorgen von sich aus dafür, daß nicht über Belanglosigkeiten gesprochen wird. Dadurch wird ein Verhör vermieden, in dem der Vernommene nur auf das antwortet, wonach er gefragt wird und froh ist, wenn einzelne Bereiche nicht berührt werden. Eine derartige Situation sollte nie entstehen, weil sie im Keim all das erstickt, woraus sich ein Gespräch entwickeln kann. Bei einem Verhör oder einer Exploration (explorare — herausholen) soll etwas aus dem zu Vernehmenden oder zu Untersuchenden herausgeholt, an das Licht des Tages gefördert und ihm damit entlockt werden. Im Gespräch dagegen ist der Patient der Mitteilende, Gebende, der Arzt der Horchende, Aufnehmende. Auf dieser Ebene entsteht der affektive Brückenschlag, die gefühlsmäßige Wechselbeziehung. Dadurch sind Arzt und Patient im Gespräch und „hören voneinander", wie HÖLDERLIN es ausdrückt (zit. nach BOLLNOW S. 167). Die Etymologie des Wortes ‚Exploration' weist auf den engen Zusammenhang mit dem Verhör hin. Während eines Gespräches aber empfindet der Patient, daß er alles sagen kann und der Arzt für ihn da ist und Zeit hat. Dadurch entsteht das Gefühl der Geborgenheit. Auch wenn die objektive Zeit gleich bleibt, hat der Patient subjektiv das Empfinden, viel Zeit geschenkt bekommen zu haben.

Statt eines schablonenhaften Abfragens gelingt ein Gespräch, wenn im Gegenüber der einmalige Mensch gesucht wird. Dabei findet man gleichzeitig den unwiederholbaren Augenblick, der das geplante Zusammentreffen zu einer Begegnung macht. Dieses Herausheben des Augenblicks aus der neutralen Gleichförmigkeit des physikalischen Zeitablaufes ist, wie CITRON hervorhebt, entscheidend für ein Gespräch. Deshalb soll der Arzt immer wieder versuchen, „die von dem Betreuten vorgetragenen Lebensdaten aus ihrer anonymen Starrheit in eine lebendige persönliche Lebensgeschichte" umzuwandeln (CITRON S. 421).

Dazu ergeben sich viele Möglichkeiten. Wenn man weiß, wie wichtig ein Dialog ist, wächst das Persönliche als Tertium comparationis und macht aus der Exploration das Gespräch.

„Als der richtige Weg, in die Tiefe einer Erscheinung einzudringen, erweist sich immer wieder der Weg, sich zunächst einmal in die Vielfalt der Formen zu versenken, in denen sie sich darstellt" (BOLLNOW, 1966, S. 168). FURGER (1966) unterscheidet das empathische, das psychagogische und das analytisch orientierte Gespräch. Da die Empathie, d. i. „die Fähigkeit zu vorübergehender Identifikation und innerem Mitvollzug mit der Erlebniswelt des anderen" (FURGER, 1966, S. 259) die Grundlage, ja, eine Voraussetzung jeden Gespräches ist, soll sie hier nicht als Einteilungskategorie verwendet werden. Dafür eignen sich besser die Grundhaltungen der ärztlich-menschlichen Begegnung: das Diagnostizieren, Aufdecken oder Sichtbarmachen und das Therapieren, Stützen oder Helfen. So lassen sich auch beim ärztlichen Gespräch unterscheiden: diagnostisch aufdeckende Gespräche und stützend therapeutische Gespräche. Sie können jedoch nicht voneinander getrennt werden.

Das erste Gespräch ragt in seiner Bedeutung aus allen anderen heraus und ist dadurch wirklich *einmalig*. Eine lohnende Form eines derartigen ersten Gespräches in Form der „Exploration mit ungerichteten Fragen und Anregungen“ wurde bereits beschrieben (s. S. 83 ff). Es ist diagnostisch affektdynamisch und auch therapeutisch gleich wichtig. Auch die sich daran anschließenden diagnostischen Gesprächsführungen wurden dargestellt.

Das analytisch orientierte Gespräch ist eine Sonderform des diagnostischen Gespräches bei dem — wie im Extrem bei der Psychoanalyse — der Arzt gar nichts, und der Patient alles sagt. Sobald aber Deutungen und Interpretationen gegeben werden, verschiebt sich die Ebene. Das Gespräch wird zur Sonderform eines therapeutischen Gespräches, wie sie bei der Suggestion oder sogar bei der Persuasion vorliegt. SARRO meint, daß es sich bei den verschiedenen Deutungsebenen der Psychoanalyse (Traumdeutung und Übertragungsdeutung, um die denkbar kräftigste Suggestion handelt. Der Arzt, der nur unscharf im peripheren Gesichtsfeld des Liegenden wahrgenommen wird oder unsichtbar bleibt, erhöht schon durch diese äußere Anordnung seine Suggestionswirkung. Sie wird weiter verstärkt, weil die Sparsamkeit der Deutungen und die Interpretationen vor allem bei der Traumanalyse in der Bildebene und bei der Übertragungsanalyse in der Gefühlsschicht bleiben.

Das **kathartische Gespräch** ist eine weitere Sonderform des diagnostischen Gesprächs. Es kann in jeder ärztlichen Sprechstunde vorkommen und soll deshalb gesondert herausgestellt werden. Hier kommt es darauf an, aufgestaute Affekte des Patienten zur Entladung (Abreaktion) zu bringen. Die sachliche Information durch das Gespräch ist dabei gering. Stellt der Arzt fest, daß eine derartige Affektentladung für den Patienten wichtig ist, muß er ihm dazu Gelegenheit geben. Er verhält sich wie bei der Exploration mit ungerichteten Fragen und Anregungen und bleibt bis auf ungerichtete Anregungen passiv. Die Mitteilungen des Patienten müssen nur in Fluß gehalten werden, was am besten dadurch geschieht, daß der Arzt die letzten Worte des Patienten als Frage zurückgibt. Diese Fragetechnik ist auch in anderen ärztlichen Gesprächen wichtig, weshalb sie hier erwähnt werden soll. ROGERS und seine Schüler haben diese Gesprächsform konsequent zur „non directive psychotherapy“ entwickelt. Dabei werden versiegende Mitteilungen dadurch wieder angeregt, daß der Arzt die letzten Worte des Patienten wiederholt. Geschieht das nicht stereotyp wörtlich und monoton — sonst würde eine solche Form des Gesprächs zu einer Technik degenerieren — sondern einmal als wortgetreue Wiederholung, ein anderes Mal als Frage, dann wieder mit dem Affekt der Verwunderung, also ganz abhängig vom Wechsel der Situation, kann auch diese Dialogform sehr ergiebig sein. Sie liefert dem Arzt zahlreiche Informationen und gibt dem Patienten die Möglichkeit zur Aussprache mit einem Maximum an Selbstklärung.

Therapeutische Gespräche

Bei dem kathartischen Gespräch wird auf diese Weise erreicht, daß der Patient sich der aufgestauten Affekte entledigt und danach für eine Auseinandersetzung auf sachlicher Ebene zugänglich wird. Derartige kathartische Gespräche können immer wieder einmal notwendig werden. Der Arzt muß bereit sein, die sich entladenden Affekte aufzufangen, indem er durch stimulierende Fragen weitere Affektreaktionen provoziert, ohne sich zu bemühen, den Patienten zu überzeugen, zu überreden oder mit ihm auf einer sachlichen Ebene zu argumentieren. Die therapeutische Wirkung liegt in der Katharsis. Bei den von vornherein therapeutisch geplanten Gesprächen ist die Ausgangshaltung des Arztes anders. Deshalb ist es wichtig, sie von den diagnostischen Gesprächen abzugrenzen. Zwei Typen therapeutischer ärztlicher Gespräche lassen sich voneinander abgrenzen: das beratende und das überzeugende Gespräch.

Das beratende Gespräch hat viele offene Fragen, die in der Problematik des Ratschlags begründet liegen (s. S. 97). Gerade hier sollte man sich bemühen, dem Fragenden zu einer Selbstklärung zu verhelfen.

Das überzeugende Gespräch setzt eine ganz andere ärztliche Haltung voraus, die etwas überspitzt formuliert in folgendem besteht: Alle diagnostischen und vor allem differentialdiagnostischen Erwägungen müssen im Hintergrund bleiben und als unterstützende Maßnahmen hervorgehoben werden. Der Arzt muß alle ihm einfallenden Argumente dem Fragenden in vielen Variationen anbieten. So entsteht schließlich die Persuasionstherapie.

Die Behandlung ist seit der Jahrhundertwende bekannt. Als sich Ende des vorigen Jahrhunderts zeigte, daß die Hypnose als einzige Form der Psychotherapie nicht das zu leisten vermochte, was enthusiastische Vertreter von ihr erhofften, und die Suggestion als „rationale Wachpsychotherapie“ (Rosenbach) nicht ganz befriedigte, entwickelte P. Dubois ab 1904 die Persuasionsbehandlung. „Das Mittel, das die Menschen immer wieder angewendet haben, um sich gegenseitig zu verständigen, heißt Überzeugung. Man gelangt zu diesem Ziel durch den Beweis . . . durch das Experiment, durch die Demonstration. Man überzeugt seinen Mitmenschen einfach durch die Behauptung, die in keiner Weise als Suggestion zu bezeichnen ist, sobald wir nur selbst ehrlich glauben, was wir sagen“ (Dubois, 1905, zit. nach Schultz, 1952, S. 58). *

---

* Originaltitel: Les psychonévroses et leur traitement moral. Paris 1904.

Die von Dubois beschriebene Persuasionsbehandlung („traitement moral") wird heute noch in der Praxis angewandt, wenn sie auch in der wissenschaftlichen Literatur kaum oder unter anderen Bezeichnungen erscheint.

„Die Persuasion möchte ich als die häufigste — wenn auch unbewußt — angewandte Psychotherapie unter der Geburt annehmen ...", schreibt Prill vom Gesichtspunkt des Frauenarztes aus (Handbuch der Neurosenlehre und Psychotherapie. Bd. 5, S. 267). Das gilt ebenso von anderen Gebieten der Medizin, in denen der Arzt, häufig ohne es zu merken, die Persuasion anwendet.

Die Gründer psychotherapeutischer Spezialbehandlungen wehren sich, das von ihnen beschriebene Verfahren mit Persuasion in Verbindung zu bringen. So meinen Kocourek, Niebauer und Polak zu der von Frankl entwickelten Logotherapie: „Daß sie dabei als ‚Methode eine phänomenologische Verfahrensweise darstellt' (P. Polak), besagt unter anderem, daß Logotherapie nichts zu tun hat mit Persuasion: Sie vermittelt keine fertig vorfabrizierten Lösungen, Rezepte und Antworten auf die ‚Lebensfragen'" (Handbuch der Neurosenlehre und Psychotherapie. Bd. 3, S. 738). Das aber will auch die Persuasion nicht, wenn man sie so anwendet, wie Dubois es meint.

Ebenso enthält die aus dem Behaviorismus und der Lerntheorie hervorgegangene „Behaviortherapy" (Verhaltenstherapie) persuasive Elemente, was von manchen bestritten, von anderen anerkannt wird. Autoren, die sich dagegen sehr mit Hypnose und Suggestion beschäftigt haben, wie z. B. Stokvis, sehen in der Persuasion starke suggestive Elemente. Als Möglichkeit zur Beeinflussung der inneren Haltung beschreibt Stokvis den Trost, die Beruhigung, die Bagatellisierung, das Ignorieren, die Ermutigung, die Überrumpelung und die Überredung, der er dabei den größten Platz einräumt.

Die Schwierigkeit der Einordnung hängt teilweise von der Definition der Begriffe ab. Sieht man in der Suggestion nur ein Unterschieben eigener Gedanken unter die eines anderen (sub-gerere), in der Persuasion nur ein vernünftiges Überreden (per-suadere), werden die beiden Begriffe wertend voneinander getrennt. Beobachtet man aber die emotionellen Komponenten mit ihren Wechselbeziehungen zwischen Suggestor und Suggerendus bei der Suggestion, bzw. die des Arztes und Patienten bei der Persuasion, dann verwischen sich die Unterschiede. Beide Verfahren setzen nämlich die Wir-Bildung voraus, durch die die affektive Resonanzwirkung als tatsächlicher Wirkfaktor zum Tragen kommt. Durch sie wird eine Suggestion (s. S. 105) ebenso angenommen wie ein Argument bei der Persuasion oder eine Deutung bei den analytischen Verfahren.

Die emotionelle Wechselbeziehung Patient—Arzt ist somit die erste wichtige Voraussetzung jeder seelischen Krankenbehandlung. Sie wird im wesentlichen durch die Charakterstruktur des Patienten bestimmt und von daher auch im Verlauf der Behandlung variiert.

Die zweite entscheidende Voraussetzung für ein überzeugendes Gespräch ist die Persönlichkeit des Arztes und seine Haltung in der Sprechstunde. Das wird besonders deutlich im überzeugenden Gespräch und seinen charakteristischen ärztlichen Haltungen. Sie ähneln sich bei der Logotherapie, der Persuasion und einzelnen Formen der Verhaltenstherapie, so daß hier die gemeinsame Basis der Behandlung gesehen werden kann.

Wichtig für ein überzeugendes Gespräch ist eine möglichst klare und weit aufgefächerte Diagnostik, etwa in der Form wie sie hier vorgelegt wird. Aus ihr leitet sich die therapeutische Zielsetzung ab.

Von dieser Basis aus muß sich der Arzt die Zusammenhänge mit seinem Patienten gemeinsam erarbeiten, ihm seine falschen Vorstellungen klarmachen und die richtigen vermitteln. Das gilt von den somatischen Zusammenhängen ebenso wie von den psychologischen Faktoren. Der Arzt soll nicht der Allwissende oder gar Alles-besser-Wissende sein, der von einer überragenden Position aus den Patienten belehrt oder gar maßregelt. Vielmehr sollte er sich wie ein fachkundiger Freund verhalten, mit dem der Patient einen partnerhaften Dialog führt. Unklarheiten muß er Zug um Zug bearbeiten, bis der Patient falsche Zusammenhänge einsieht und die daraus entstehenden ungünstigen Entwicklungen versteht.

Eine Behandlung mit Hilfe überzeugender Gespräche baut auf der Politik der kleinen Schritte auf. Sie bezweckt keine Überrumpelung oder gar Überraschungseffekte, sondern will den Patienten durch Argumente zu neuen Vorstellungen führen, die ihm einleuchten. Das ist mehr ein emotioneller als ein rationaler Vorgang. Das überzeugende Gespräch reicht vom „zurückhaltenden Raten und Ermuntern über den Appell bis hin zum autoritativen Führen“ (FURGER, 1966, S. 260).

Je mehr der Arzt der direkt Führende in der Behandlung ist, desto mehr muß er von einer derartigen stützenden Therapie, die auch auf dem ärztlichen Gespräch aufbauen kann, die Diagnose vor die Therapie stellen. In den diagnostischen Vorgang wird alles eingeschlossen, was den Patienten betrifft, aber ebenso die Situation zwischen Patient und Arzt. Die Selbstkontrolle des Arztes macht solche Gespräche besser dosierbar. Entspringt nämlich eine psychagogische Haltung zu sehr den Bedürfnissen des Arztes, verringert sich die Möglichkeit der reflektierenden Anwendung einer solchen Therapie, die dadurch schablonisiert wird.

Übersieht man nun die einzelnen ärztlichen Gesprächsformen, lassen sich folgende Typen herausheben:

1. Vorwiegend diagnostische Gespräche
   a) Exploration mit ungerichteten Fragen und Anregungen
   b) gezielte diagnostische Gespräche
2. Vorwiegend therapeutische Gespräche
   a) beratende Gespräche
   b) überzeugende Gespräche

Stützende Psychotherapie

Unter diesem übergeordneten Begriff können alle Verfahren zusammengefaßt werden, bei denen stützende Haltungen des Arztes, bzw. eine Ichstützung, ganz im Vordergrund stehen, auch wenn noch unbekannte und nicht klar diagnostizierte Bereiche im Patienten vorhanden sind. In analytischen Kreisen sprach man eine Zeitlang gerne von ‚zudeckenden' im Gegensatz zu ‚aufdeckenden' Behandlungen. Diese Gegenüberstellung verabsolutiert den analytischen Prozeß, als ob das Wesentliche der Therapie im Aufdecken oder Sichtbarmachen läge, und enthält gleichzeitig eine Wertung. Die Bezeichnungen stützende und analytische Therapie aber bleiben deskriptiv und wertneutral.

Unter den stützenden Verfahren, die die Bewußtseinslage nicht verändern, sind vor allem zu nennen die Suggestionstherapie und die Persuasionsbehandlung, abgesehen von der direkten und indirekten Beratung.

Stützende Formen der Psychotherapie, die gleichzeitig die Bewußtseinslage verändern, sind die verschiedenen Formen der Hypnotherapie sowie die aktiv autohypnoiden und passiv autohypnoiden Verfahren, auf die später eingegangen werden soll.

Suggestionstherapie

Die meisten der nun zu beschreibenden Formen einer seelischen Krankenbehandlung wurden schon immer betrieben, allerdings ohne sie als solche zu benennen. So läßt sich bei allen psychotherapeutischen Verfahren ein vorwissenschaftliches von einem wissenschaftlichen Stadium unterscheiden. Bei der Suggestion ist der Wechsel etwa auf das Jahr 1884 zu datieren, als Bernheim sein berühmtes später von Freud übersetztes Buch: „De la suggestion . . ." veröffentlichte. Aber auch seither hat sich der Suggestionsbegriff gewandelt. Bis 1925 sah man die Suggestion im wesentlichen von einer individualpsychologischen Seite aus, wobei unter Suggestion das Unterschieben (= sub-gerere) verstanden wurde. Von 1925 ab bis zur Gegenwart wird die sozialpsychologische Auffassung bevorzugt, bei der die

„Wir-Bildung" (E. STRAUS) bzw. die „psychische oder affektive Resonanz" (STOKVIS), d. h. ein „Verhältnis des Aufeinander-Abgestimmtseins" (STOKVIS u. PFLANZ, 1960, S. 23) besteht. Dadurch wird der Suggestionsbegriff ausgedehnt, weil in der Tat bei der zwischen zwei Menschen stattfindenden Wechselbeziehung sich beide gegenseitig beeinflussen.

Somit kann Suggestion folgendermaßen definiert werden: „Suggestion ist die Beeinflussung des Denkens, Fühlens, Wollens oder Handelns eines anderen Menschen unter Umgehung seiner rationalen Persönlichkeitsanteile auf der Grundlage eines zwischenmenschlichen Grundvollzuges, der zur affektiven Resonanz führt," oder kürzer ausgedrückt: „Suggestion ist die affektive Beeinflussung der körperlich-seelischen Ganzheit auf der Grundlage eines zwischenmenschlichen Grundvollzuges: der affektiven Resonanzwirkung" (STOKVIS u. PFLANZ S. 6).

Hier interessiert nicht so sehr die Bedeutung der Suggestion auf den verschiedenen Ebenen des menschlichen Lebens von der Erziehung bis zur Reklame (dazu siehe vor allem STOKVIS u. PFLANZ), sondern das, was mit der Behandlung zusammenhängt. Dafür ist wichtig zu wissen, welche Suggestionsarten sich unterscheiden lassen:

Es gibt absichtliche und unabsichtliche sowie vorhergesehene und unvorhergesehene Suggestionen. Ferner lassen sich direkte von indirekten Suggestionen abgrenzen. Unabsichtliche Suggestionen sind meist stärker als absichtliche, indirekte stärker als direkte. Negative unabsichtliche indirekte Suggestionen werden im allgemeinen in ärztlichen Situationen in Hülle und Fülle gegeben, während positive Beeinflussungen nicht genügend genutzt werden.

Die Suggestion ist ein Vorgang, der, eingebaut in einen zeitlichen Ablauf, in einzelnen Schritten vor sich geht. Im Arzt-Patienten-Verhältnis beginnt der Suggestionsvorgang bei der Arztwahl und damit weit vor der eigentlichen Suggestion. „In diesem Vorstadium spielt sich auch ein fast unmerkliches Ringen um die Position des Partners ab", wobei „die eindeutige Klärung der Rangordnung wesentlich ist für die Frage, in welcher Richtung der Strom der Suggestion ablaufen" soll (STOKVIS u. PFLANZ S. 29). Das gilt am meisten von den unabsichtlichen, unvorhergesehenen Suggestionen, aber paradoxerweise auch in den Situationen, die von vornherein auf einer Suggestion aufgebaut sind.

Gerade in einer psychologisch orientierten Medizin ist es gut, daß der Arzt dieses unentschiedene Vorstadium kennt. Es wird gefördert durch seine rein diagnostische Haltung, die zu Beginn der Wechselbeziehung besteht. Dabei kann die paradoxe Situation entstehen, als wolle der Patient den Arzt behandeln. Es muß also zunächst die Rangordnung geklärt werden. Das wird vor allem bei schwierigen Patienten deutlich, wobei dann „der Kampf um die Rangposition unentschieden ausgeht" und „eine Suggestion von vornherein zum Scheitern verurteilt" ist (STOKVIS u. PFLANZ S. 29). Besonders ausgeprägt ist das, wenn bei Ärzten oder Psychologen seelische Krankenbehandlungen notwendig werden.

Aus diesem Grunde können auch niemals Angehörige differenzierte ärztliche Behandlungen übernehmen. Suggestionen spielen bei jeder Therapie eine große Rolle, wenn auch oft nur unabsichtlich und unvorhergesehen. Das Vorstadium der eigentlichen Sugession kann bei den Behandlungen von Verwandten nie oder nur sehr schwer zugunsten des Arztes entschieden werden, da wegen der jahrelangen gemeinsamen Erlebnisse das notwendige Ranggefälle nicht hergestellt werden kann.

Da das Vorstadium der Suggestion in jeder Behandlung eine recht entscheidende Rolle spielt, möchte ich vorschlagen, es nach der Einteilung von STOKVIS u. PFLANZ noch genauer zu definieren und als ‚labiles' Vorstadium zu bezeichnen.

Hat sich die Rangordnung geklärt und wird die Verteilung der Rollen angenommen, so entsteht die „Wir-Bildung", das Stadium acceptionis. „Wir verstehen unter diesem Begriff die gegenseitige Annahme und unausgesprochene Anerkennung des Partners in Rolle und Gegenrolle" (STOKVIS u. PFLANZ S. 29). Hier entsteht ein ‚sozialer Grundvollzug'. „Jede soziale Handlung, jede differenzierte Gemeinschaft, jedes Rollenspiel kann aus diesem Grundvollzug werden, der auch die Voraussetzung zu Freundschaft und Liebe, zu therapeutischer Übertragung und schließlich auch zur Suggestion ist. Er ist eine primäre Kommunikationsmöglichkeit" (STOKVIS u. PFLANZ S. 30). Darauf folgt das eigentliche Stadium suggestionis, bei dem dem Suggerendus etwas untergeschoben wird (sub-gerere), ohne daß er es zunächst bemerkt, d. h. unter Umgehung der rationalen Persönlichkeitsanteile. In diesem Stadium ist der Suggestor aktiver, aber auf die Gegenrolle dessen angewiesen, dem etwas suggeriert werden soll (Suggerendus).

Anschließend kommt die Suggestion zustande und wird realisiert (Stadium effectionis). Jetzt spielt der Suggerendus die Hauptrolle, wenn auch nach wie vor beide Partner daran beteiligt sind. „Die Effektivierung des Suggestionsinhaltes geht nicht wie in einem Automaten vor sich oder wie in einem physiologischen Modell, unbeeinflußt von Äußerem, sondern auch sie steht noch unter den Einflüssen der Umwelt, hier besonders denen des Suggestors. Dieses Hin und Her von Wahrnehmung und Äußerung auf der Grundlage eines zwischenmenschlichen Vorganges ist der wahre Motor des Stadium effectionis" (STOKVIS u. PFLANZ S. 33).

Immer also spielt die emotionelle Wechselbeziehung, die „affektive Resonanz", die wesentliche Rolle, weshalb sie bei der Definition der Suggestion auch besonders herausgehoben wurde.

Die suggestiven Arbeitsweisen lassen sich einteilen in individuelle und gruppenweise Anwendung und in unmittelbare und mittelbare Suggestionen, zu denen die meisten ärztlichen Maßnahmen gehören. Im allgemeinen wird zu wenig beachtet, daß *alle* ärztlichen Maßnahmen auch suggestive Momente enthalten. Das ist um so mehr der Fall, je mehr die verordnete Substanz oder Maßnahme von sich aus eine psychische Veränderung bewirkt, was ganz besonders bei den Psychopharmaka und allen ruhigstellenden und schmerzverringernden Medikamenten der Fall ist. Das haben die Placebo-Effekte genügend gezeigt.

Zu den unmittelbaren Suggestionen, die die innere Haltung beeinflussen, gehören: trösten, beruhigen, bagatellisieren, ignorieren, ermutigen, überreden und überraschen. Bei all diesen Maßnahmen wird die Suggestion nicht larviert, sondern absichtlich eingesetzt, ohne die Bewußtseinslage des Patienten zu verändern, wie das bei den hypnotischen Verfahren der Fall ist.

Eine Suggestionstherapie mit Beeinflussung der äußeren Haltung wird dagegen betrieben bei moralischer Abhärtung, Abstinenz und Askese, Milieuwechsel, Isolierung, Ablenkung und Zerstreuung und allen Formen körperlicher Übungen. (Im einzelnen siehe dazu Stokvis 1959).

Die Durchführung einer Suggestionsbehandlung setzt die Suggestibilität des Patienten voraus. Darüber soll bei der Hypnotherapie (s. S. 111) berichtet werden:

Daneben muß man bei der Ausnützung der Suggestion beachten: Positive Vorstellungen müssen mobilisiert werden. Wie bei der Reklame, die ein Musterbeispiel gut ausgenützter Suggestion ist, wird man auch bei der Behandlung alles, was zu sagen ist, mit positiven Begriffen verbinden und dem Patienten anbieten. Schon an diesem Satz läßt sich das hierbei Wesentliche demonstrieren. Er hätte auch lauten können: . . . „bei allem, was zu sagen ist, sind die *negativen* Begriffe zu *vermeiden*" . . . Beim Aufnehmen dieses Satzes haften in der Tiefenschicht ‚negativ' und ‚vermeiden'. Das sind aber Begriffe, die von sich aus ungünstige Akzente setzen. Auch in dem hier angeführten Satz erfolgt die Umwandlung zu etwas Positivem erst durch die rationale Verknüpfung. Soll *eindringlich* etwas mitgeteilt werden, damit es bei dem Leser oder Hörer *haftet* (man beachte die Worte ‚eindringlich' und ‚haften'), wird immer nach dieser psychologischen Gesetzmäßigkeit gehandelt. Beispiele auch aus anderen Bereichen sind: „Abstand halten", statt „Nicht auffahren"; „Nimm" statt „Laß weg" oder „Vermeide". Weitere Beispiele ließen sich um ein vielfaches anführen. Kurze, knappe Sätze erhöhen die Suggestionskraft einer ärztlichen Anregung oder Aussage für den Patienten. Wiederholungen, u. U. in leichter Variation, wirken einprägsam. Das Gesagte sollte möglichst viele einfache Begriffe der Muttersprache enthalten. Die Wortwahl muß auf das geistige Niveau des Patienten abgestimmt sein und eher darunter als darüber liegen. Fremdwörter, vor allem aus der Fachsprache des Arztes, werden in der Regel nicht oder nur selten verstanden. Dadurch bleibt ein furchterzeugender numinoser Schleier, der die gewünschte Suggestion verringert, wenn nicht sogar aufhebt oder umkehrt.

Im letzten Satz ist als weitere Anregung für die Suggestionsbehandlung der Steigerungsfaktor der Aussage demonstriert: „verringert-aufhebt-umkehrt". Eine Steigerung ist besonders wichtig, wenn wiederholte Suggestionen gegeben werden sollen. Die Rhythmisierung und Monotonisierung dagegen spielt in der Wachsuggestivtherapie eine geringe Rolle, ist aber in der Suggestivbehandlung mit unterwachen Bewußtseinszuständen (Hypnotherapie) von sehr großer Bedeutung.

Um die positive Suggestionsmöglichkeit in jedem Falle auszunützen, ist demnach folgendes wichtig:

Herausheben des Wesentlichen

Positive Aussage

Kurze Sätze

Einfache Sprache in Abhängigkeit von der Aufnahmefähigkeit des Patienten

Wiederholung mit leichter Variation

Steigerung in der Aussage.

Indirekte Suggestionen sollten überall, wo es möglich ist, voll und ganz ausgenützt werden. Das ist da der Fall, wo zwei Helfende um einen Patienten bemüht sind, wie z. B. Chefarzt und Assistenzarzt, Arzt und Krankenschwester, Arzt und Sprechstundenhilfe usw. Die Mitteilung des einen an den anderen wirkt auf den Patienten als Suggestion, aber eben indirekt, weil sie nicht an ihn direkt gerichtet ist. Diese Suggestionen sind ganz besonders eindringlich. Deshalb sollte man gerade bei allen derartigen Äußerungen die erwähnten Gesetzmäßigkeiten beachten.

Die Frage der Indikation zur Suggestionsbehandlung ist leicht zu beantworten. Seelische Krankenbehandlungen, bei denen ausschließlich Suggestionen angewandt werden, gibt es ebensowenig wie Therapien, bei denen Suggestionen keine Rolle spielen.

Somit werden die Fragen um die *Suggestionsbehandlung mehr zu Problemen der ärztlichen Haltung.* So wie die diagnostische Haltung des Arztes durch seine Aufnahmebereitschaft gekennzeichnet ist, kommt es bei der suggestiv stützenden Haltung auf die klar bestimmte und Sicherheit vermittelnde Einstellung an. Werden dabei die soeben beschriebenen Gesetzmäßigkeiten der Suggestionsbehandlung beachtet, kann jede ärztliche Anwendung in ihrer Wirkung potenziert werden.

Einigen Ärzten liegt eine derartige Einstellung auf Grund ihrer Charakterstruktur. Sie müssen darauf achten, diese Einstellung nicht stereotyp werden zu lassen, während andere sich erziehen müssen, für eine Suggestionsbehandlung geeignete Haltungen zu entwickeln, zu fördern und zu benützen.

Die Eliminierung der Suggestion aus der ärztlichen Behandlung speziell in der Psychotherapie ist eine irreale Fiktion.

Persuasionsbehandlung

Bei der Persuasionstherapie handelt es sich mehr als bei der Suggestionstherapie um eine spezielle Behandlungsform, die allerdings starke suggestive Elemente enthält. Der Behandelnde wirkt überzeugender, wenn er seine Argumentationen, die den Stellenwert von Suggestionen haben, auf der Basis physiologischer und psychologischer Zusammenhänge aufbaut. Dabei hat er dem Patienten gegenüber den Vorsprung an Erfahrung, der für eine Führung und Betreuung notwendig ist und von dem aus er die Argumente anführen kann. Der Patient dagegen ist „Spezialist" in der Beurteilung der Erlebnisse seiner abnormen seelischen Reaktionen und hat auf dieser Ebene den Vorsprung.

Sucht ein Patient den Arzt auf, zu dem er Vertrauen hat, so begibt er sich dadurch in das Feld „affektiver Resonanz" mit Anerkennung der Fachkennerschaft des anderen. Da er aber gleichzeitig — zumindest bei seelischen Störungen — seine Haltungen und Meinungen verteidigt, besteht zu Beginn der Behandlung häufig das Stadium der Unentschiedenheit, das als wichtiges Vorstadium schon bei der Suggestion beschrieben wurde (s. S. 106 f). Der Arzt muß nun seinen Vorsprung, der durch die Kenntnis der allgemeinen normalen und krankhaften Zusammenhänge bedingt ist, als Basis für seine Behandlung benützen, um sie gegen die auf Eigenerlebnissen beruhenden Spezialkenntnisse des Patienten anzuwenden.

Gerade seelisch gestörte Menschen bringen in die Behandlung oft eine Fülle falscher Vorstellungen mit. Sie müssen in einer Persuasionsbehandlung abgebaut und die Patienten von den auf Grund der Befunde erhobenen richtigen Zusammenhängen überzeugt werden. Durch die oft einander entgegenstehenden Auffassungen bleibt das Stadium der Unentschiedenheit meist viel länger bestehen als bei der Suggestionstherapie. Die Überwindung dieses labilen Vorstadiums ist überdies ein wichtiges Ziel der Persuasionsbehandlung, da erst danach wie bei der Suggestionsbehandlung die „gegenseitige Annahme und unausgesprochene Anerkennung des Partners in Rolle und Gegenrolle" (s. S. 107) erfolgen kann. Erst das Stadium acceptionis ist die Voraussetzung dafür, daß bei der Persuasionsbehandlung die Argumente wie bei der Suggestionsbehandlung die Suggestionen gegeben werden können. Werden sie angenommen, so bewirken sie eine Überzeugung, die der Realisierung bei der Suggestionstherapie (Stadium effectionis) weitgehend entspricht. Durch die Stadien der Suggestions- und Persuasionsbehandlung sind sich beide Therapieformen sehr ähnlich.

Während der Suggestionsbehandlung wird nach einem meist nur kurzen Stadium der Unentschiedenheit der Suggestor akzeptiert, so daß die von ihm gegebenen Suggestionen vom Patienten realisiert werden.

Während der Persuasionsbehandlung wird nach einem meist längeren Stadium der Unentschiedenheit die Auffassung des Arztes schließlich akzeptiert, so daß dann die von ihm mitgeteilten Argumente den Patienten überzeugen.

Bei der Suggestionsbehandlung sind die Schritte demnach: unentschieden — akzeptiert — suggeriert — realisiert, bei der Persuasionsbehandlung: unentschieden — akzeptiert — argumentiert — überzeugt.

Somit ist die Persuasionsbehandlung eine Sonderform der Suggestionstherapie. Beide unterscheiden sich durch die Länge des Stadiums der Unentschiedenheit und die nur geringfügig voneinander abweichenden Ebenen Suggestion-Realisierung und Argumentation-Überzeugung.

Diese Unterschiede geben einen Hinweis auf die *Indikation.* Suggestionsbehandlungen, wenn überhaupt einmal als gesonderte Therapie angewandt, sind bei leichter beeinflußbaren Menschen indiziert. Persuasionsbehandlungen dagegen sind bei skeptischen Menschen angezeigt, die nicht ohne weiteres in der Lage sind, Dinge, die ihnen angeboten werden, anzunehmen. Das sind vor allem Patienten mit Zwangssyndromen oder phobisch-zwanghaften Mischbildern, ferner Patienten mit querulatorischen, paranoiden oder hypochondrischen Zügen.

Gerade die Ärzte sind für eine Persuasionsbehandlung geeignet, die leicht argumentieren können und eine gewisse Eloquenz haben. Das traf für Dubois (1905) und trifft für Frankl (1959) im gleichen Maße zu. Auf die Darstellung der Methode kann hier verzichtet werden, da sie bei dem „überzeugenden Gespräch" erfolgte (s. S. 102).

Hypnotherapie

Die Hypnotherapie ist ebenfalls eine Sonderform der Suggestivbehandlung. Das Besondere liegt in folgendem: Es werden zunächst Suggestionen benützt, um den für die Hypnose charakteristischen unterwachen und eingeengten Bewußtseinszustand zu erzielen. Dann erst werden die speziellen therapeutischen Suggestionen gegeben.

„Hypnose ist ein durch affektive Faktoren hervorgerufener Zustand einer (oftmals geringen) Senkung des zuvor eingeengten Bewußtseins, in dem eine Regression der Grundfunktionen der Persönlichkeit (Denken, Fühlen, Wollen) sowie der körperlichen Funktionen eintritt. Die Einsicht in die reale Situation geht dagegen höchst selten verloren. Die Reaktionsweise bleibt dem Hypnotisierten in der Hypnose fast immer bewußt" (Stokvis u. Langen, 1965, S. 10).

Wesentlich ist also die Senkung und Einengung des Bewußtseins. Eine kurze prägnante Definition stammt von O. Vogt: Hypnose ist partieller Schlaf oder partielles Wachsein.

Oft werden einzelne Hypnosestadien als oberflächliche oder tiefe Hypnosen beschrieben. Das ist problematisch und überflüssig, weil es für die Behandlung bedeutungslos ist und der erreichte hypnotische Zustand mehr von der Charakterstruktur des Patienten als vom Hypnotherapeuten abhängt. Hysterisch strukturierte Menschen erreichen leichter tiefere Hypnosen als zwanghafte. Das sind interessante und noch nicht genügend erforschte Perspektiven, die nicht nur mit psychologischen, sondern auch mit konstitutionellen somatischen Faktoren zusammenhängen.

Da Hypnotisierbarkeit und Suggestibilität eng zusammenhängen, soll zunächst hierüber einiges gesagt werden: Die Suggestibilität hängt ab von mehreren Faktoren. Zunächst spielt die „allgemeine Suggestibilität" eine Rolle. Sie hängt ab von dem spezifischen Anlagefaktor. Er ist von Mensch zu Mensch verschieden.

Ferner ist die Suggestibilität vom Alter abhängig. Kinder sind sehr suggestibel und nur wenig hypnotisierbar. Bei Jugendlichen sinkt die Suggestibilität im allgemeinen. Sie steigt vom 20. Lebensjahr ab wieder an, sinkt in den vierziger Jahren erst langsam, dann mehr und mehr und wird im höheren Alter sehr gering. Alte Menschen sind nur in einzelnen Bereichen überdurchschnittlich suggestibel. Frauen sind etwas suggestibler als Männer.

Klinisch entscheidend aber ist die Abhängigkeit der Suggestibilität von einer Motivation; d. h. Menschen, denen Schmerzhaftes bevorsteht wie Geburt, Operation oder Zahnbehandlung, sind für schmerzverringernde Suggestionen hochsuggestibel und damit leichter bereit, den hypnotischen Zustand zu akzeptieren. Dieselben Menschen sind dagegen für andere Suggestionen, bei denen die Motivation fehlt, viel weniger empfänglich.

Alle diese Zusammenhänge sind wichtig, weil es meist vor einer evtl. geplanten Hypnotherapie gilt, die Beeinflußbarkeit zu testen und zu beurteilen. Die dabei durchgeführten Untersuchungen lassen sich gut zur Einleitung der Hypnose verwenden, da es anfangs im wesentlichen darum geht, die Patienten von ihrer Hypnotisierbarkeit und Beeinflußbarkeit zu überzeugen.

Der Arzt, der eine Hypnosebehandlung plant, hat drei Wege, um die Suggestibilität seines Patienten zu beurteilen. Erstens kann er sich durch ein diagnostisches Gespräch orientieren. Angaben des Patienten über Leichtgläubigkeit, Nachgiebigkeit, Darstellungsfreude, aber auch hoher Leidensdruck, vor allem bei schmerzhaftem Geschehen, sprechen für große Beeinflußbarkeit. Sie ist geringer bei Angaben über Genauigkeit, Gewissenhaftigkeit, Neigung zu Skepsis. Werden gar Zwangsphänomene angegeben, ist die Beeinflußbarkeit ganz erheblich verringert.

Als zweites können Fragen an den Patienten gestellt werden, die direkt seine Suggestibilität testen (s. Stokvis u. Langen, 1965, S. 31.). Die Fragen umfassen das Nachlassen der allgemeinen Orientierungsfähigkeit, Dulden logischer Widersprüche, Übernahme wechselnder Rollen, Sich-abschließen gegenüber störenden Sinneserregungen, Aufgeben der Eigenverantwortlichkeit, Empfänglichkeit für regressive Erlebnisse, positive Gestaltung der Regression, Hingabeerlebnisse und das Grundvertrauen in zwischenmenschliche Beziehungen.

Als drittes schließlich vermitteln einige psychomotorische Tests ein Urteil über Suggestibilität und Hypnotisierbarkeit (s. Stokvis und Langen 1965). Am bekanntesten sind Pendel- und Fallversuch, die seit Jahrzehnten im autogenen Training verwandt werden.

Der Fallversuch läßt sich in leicht modifizierter Form zwanglos in die Untersuchung einbauen: Man stellt sich hinter den Patienten, fordert ihn auf, die Augen zu schließen und sagt „Wenn Sie meine Hände an Ihren Schultern fühlen, werden Sie einen starken Zug nach rückwärts verspüren". Dann legt man ihm beide Hände oder Fingerspitzen an die Schulterblätter und wiederholt ein paarmal den Satz: „Sie fühlen einen starken Zug nach rückwärts."

Läßt sich der Patient deutlich sichtbar nach hinten fallen, ist er stark suggestibel. Er ist aber für die Hypnotherapie ausreichend beeinflußbar, wenn er eine leichte Fallneigung nach rückwärts zeigt.

Ist die Ansprechbarkeit des Patienten erfaßt und die Indikation für eine Hypnotherapie gegeben, so wird die Heterohypnose eingeleitet. Am gebräuchlichsten sind Verfahren, die mit Verbalsuggestion arbeiten und über die Fixationsmethode das Hypnoid erreichen. Ist die Suggestibilität gering oder der Arzt in der Technik noch wenig geübt, eine Heterohypnose aber unbedingt indiziert, so empfiehlt sich die „fraktionierte Hypnose" nach Vogt-Brodmann, die nicht mit der „gestuften Aktivhypnose" (s. S. 121) verwechselt werden darf.

Die fraktionierte Methode empfiehlt sich immer dann, wenn die einzelnen Suggestionen während der Ersthypnose nicht gut oder gar nicht realisiert werden.

Fraktionierte Hypnose. „Zunächst wird der Patient mit irgendeiner Technik in Hypnose versetzt und dann geweckt. Daraufhin wird er aufgefordert, dem Arzt eingehend seine Eindrücke, seine Wahrnehmungen und seine Erlebnisse zu schildern. Dann wird unter Benutzung dieser Anhaltspunkte der Patient erneut in Hypnose versetzt, wobei die Suggestionen nach Bedarf abgeändert werden. Die zweite Hypnose ist tiefer als die vorhergehende. Je nachdem kann man in einer Sitzung den Patienten drei- bis viermal hypnotisieren. Man lasse unter Umständen bis zu einer Viertelstunde zwischen zwei Hypnosen verstreichen. VOGT wandte dieses Verfahren vor allem dann an, wenn die erste hypnotische Beeinflussung nicht glatt vonstatten ging. In solchen Fällen zog er eine erneute suggestive Einleitung vor" (STOKVIS u. LANGEN S. 36).

Bei der Durchführung der Hypnotherapie werden manchmal zunächst ‚Leer-Hypnosen' ohne gezielte therapeutische Suggestion verwandt, weil schon der hypnotische Zustand für sich ein entscheidender therapeutischer Faktor ist. In solchen Fällen lautet die Suggestion etwa:

„In diesem hypnotischen Zustand erholt sich das ganze Nervensystem." Will man den Terminus Hypnose vermeiden, was in manchen ärztlichen Situationen wie Geburtshilfe oder Zahnbehandlung richtig sein kann, sagt man: „In diesem vertieften Ruhezustand erholt sich das ganze Nervensystem."

Von Mal zu Mal können einzelne Hypnosen zeitlich ausgedehnt und dabei gezielte therapeutische Suggestionen gegeben werden. Sie sind aber immer nur zusätzlich wichtig und reichen an die Bedeutung der Leer-Hypnose nicht heran. Deshalb werden spezielle Suggestionen in den meisten Büchern über Hypnose kaum erwähnt.

Therapeutische Suggestionen in Heterohypnose müssen im Gegensatz zur Wachsuggestion monoton wiederholt und möglichst rhythmisiert vorgesprochen werden. Ferner empfehlen sich *Indifferenzsuggestionen* dem befallenen Organteil oder der bestehenden Störung gegenüber. Beim Asthma bronchiale z. B. ist es richtig zu suggerieren: „Atmung in jeder Situation gelöst und gleichgültig" oder bei Schmerzzuständen im Kopf: „Kopf gelöst und frei." Das Wort „Schmerz" sollte vermieden werden. Bei allen Suggestionen muß man sich ohnehin darüber im klaren sein, daß der Patient sie autosuggestiv verarbeitet, weil jede Heterosuggestion über eine Autosuggestion angenommen wird. Deshalb sollen gezielte Suggestionen so formuliert werden, daß sie dem Patienten eine autosuggestive Variation ermöglichen. Sie müssen also etwas unscharf sein.

Weitere Suggestionen sollen zu einer *besseren Grundhaltung* verhelfen und dabei Haltungen ansprechen wie Gelassenheit, Abstand, Mut, Sicherheit, Selbstvertrauen, Selbstgeborgenheit. Darüber hinaus aber können und sollen keine Angaben gemacht werden. Es wäre falsch, jede Störung durch eine gesonderte Suggestion erfassen zu wollen. Die Kunst einer guten ärztlichen Hypnotherapie besteht gerade darin, die für den einzelnen Patienten geeignete Suggestion zu finden. Zum Schluß sei nochmals betont, daß der hypnotische Zustand für sich schon eine therapeutische Wirkung erster Ordnung darstellt.

Indikation zur Hypnotherapie. Immer wieder hört man auch von Ärzten, daß die Heterohypnose überholt sei und keine Indikation mehr habe. Diejenigen, die das behaupten, pflege ich meist zu fragen, ob sie hypnotisieren können. Wird das verneint, wie es in der Regel der Fall ist, so ist mir klar, daß hier überwiegend der Mangel an methodisch-technischen Kenntnissen die ablehnende Einstellung zur Hypnose und die falsche Auffassung bestimmt. Die Heterohypnose hat als wichtige stützende seelische Behandlung nach wie vor ihren festen Platz.

Viele **Schmerzsyndrome** verschiedenster Ätiologie sind für eine Heterohypnose geeignet. Schmerz ist *immer* ein physiologischer und *zugleich* psychologischer Vorgang. Die Betonung liegt auf ‚immer' und ‚zugleich'. Hierzu muß auf die Monographie „Hypnose und Schmerz. Die hypnosuggestive Analgesie" (hsg. von Langen u. Spoerri, 1968, verwiesen werden.

Zum besseren Verständnis ist es notwendig, ganz kurz auf den Schmerz einzugehen: In der Peripherie hat offenbar ein für bestimmte Sinnesqualitäten unspezifisches nocifensorisches System die Aufgabe, Schäden von der Körperoberfläche abzuhalten. Die Erregungen des Systems werden im Vorderseitenstrang zu den thalamischen Strukturen der Schmerzwahrnehmung geleitet, wobei die Formatio reticularis die Erregungsqualität modifiziert. Von dort splittert sich die Schmerzleitung auf in eine zu anderen Thalamuskernen ziehende Bahn, die für das Schmerzgefühl oder den Schmerzaffekt verantwortlich ist, und in eine kortikale Schmerzbahn, die zu den sensiblen Rindenfeldern führt. Ist das subkortikale Schmerzsystem unterbrochen, verringert sich das Schmerzgefühl. Es gibt u. U. kein Schmerzerlebnis mehr, sondern nur noch eine Wahrnehmung von spitz mit einem geringen Wehgefühl. Dies etwa äußern Patienten nach hypnosuggestiver Analgesie. Obwohl bei der Hypnose die topische Zuordnung noch nicht sicher ist, läßt sich der subkortikale thalamische Angriffspunkt doch durch manche Beobachtungen vermuten. Stereotaktische thalamische Schmerzausschaltungen am kleinzelligen kaudalen Ventralkern führen zu einem ähnlichen Syndrom (Hassler) wie hypnosuggestive Analgesie. Zu beobachten ist hierbei: Der pathische Charakter der Schmerzen, die ohne oder nur mit geringem Wehgefühl wahrgenommen werden, läßt nach. Ferner zeigen sich Veränderungen der hirnelektrischen Reizantworten („evoced potentials") während der hypnosuggestiven Analgesie nur bei einer Gruppe therapeutisch motivierter Patienten. Die für eine Analgesie aber nicht motivierten gesunden Personen, für die also die suggerierte Schmerzlosigkeit nur ein Experiment darstellt, zeigen keine elektroenzephalographischen Auffälligkeiten (SOMMER, bestätigt durch BAROLIN), trotz guter hypnotischer Realisierung der Schmerzlosigkeit.

Die psychophysischen Aspekte der hypnosuggestiven Analgesie setzen den Arzt in die Lage, suggerierte Schmerzverringerung klinisch anzuwenden. So ist in der Geburtshilfe der Schmerz durch somatische, vegetative und psychische Faktoren bedingt. Hier ist eine hypnotische Analgesie besonders indiziert, zumal schon Ruhehypnosen bei Entbindungen zu guten Resultaten führen. Kaum ein Mensch ist für analgesierende Suggestionen so empfänglich wie eine Gebärende. Die schmerzverursachende Situation der Geburt ist nur vorübergehend und wird durch ein freudig erwartetes Ereignis beendet. Ferner sind Schwangere vor der Entbindung auch durch somatische Faktoren erhöht suggestibel. Ein weiteres großes Feld suggestiver Schmerzbeeinflussung ist die Anästhesie. Zwar soll das Rad der Geschichte nicht zurückgedreht werden in eine Zeit vor Einführung der Narkose, aber auch hier zeigt sich, wie sehr die Einstellung auf das eine (Narkose) *oder* das andere (Hypnose) falsch, die Kombination beider Einsatzmöglichkeiten aber optimal ist. Deswegen sollte jeder auszubildende Anästhesist in der Suggestionslehre und in den Methoden der Hypnose ebenso gründlich wie in der Pharmakologie ausgebildet werden.

Das dritte große Gebiet der hypnotisch gesetzten Analgesie ist die Zahnheilkunde, weil gerade hier das Schmerzproblem zentral ist. Die Erfahrungen sind dabei in Spanien und Südamerika besonders groß, aber auch im angloamerikanischen Kulturraum vorhanden.

Je mehr Schmerzprobleme in der nervenärztlichen Sprechstunde vorkommen, desto geringer wird die Bedeutung der rein hypnosuggestiven Analgesie, desto mehr aber verlagert sich das Interesse in Richtung auf aktiv-autohypnoide Verfahren, da nun die langfristigere Selbstübung für den Patienten wichtig wird.

Viele vegetative Dysregulationen allgemeiner oder traktusgebundener Art sind für Heterohypnose geeignet, wenn die Symptomatik erst kurze Zeit besteht oder schnell kupiert werden soll. Hierbei ist der leerhypnotische Zustand vor allem mit dem Satz: „In diesem hypnotischen Zustand erholt sich das ganze Nervensystem" wichtig. Gezielte Suggestionen stehen dagegen im Hintergrund. Bei chronischen Fällen wird man auch hier mehr aktiv-autohypnoide Verfahren bevorzugen (s. S. 118).

Bei vielen funktionellen motorischen, sensiblen oder sensorischen Störungen kann ebenfalls bei kurzdauernder Symptomatik eine

Hypnotherapie den Patienten entscheidend stützen, so daß er gut stabilisiert wird. Das gilt vor allem für seelisch bedingte Aphonien, die meist Symptom einer abnormen seelischen Reaktion sind, ferner für seelisch bedingte Hemi- und Paraplegien, Schluckstörungen, Singultus, Störungen im Reflexablauf des Verdauungstraktes, funktionelle Anfälle, verschiedene Krampfzustände wie Blepharospasmus, Ösophagospasmus, Kardiospasmus, Vaginismus sowie Schreibkrampf, Trismus, Tic-Erscheinungen, Tortikollis, choreiforme Zukkungen und Tremor.

Nie aber soll man sich auf die Hypnotherapie alleine beschränken, sondern auch bei günstigem Verlauf die Problematik eruieren. Gerade bei solchen Patienten ist es meist sehr gut, wenn sie zunächst einmal vom Symptom befreit werden. Viele Symptome sind oft nur Ausdruck des Einschleifens falscher motorischer Schaltungen. Sie abzubauen, kann daher schon viel, oft alles bedeuten. Die Bearbeitung seelischer Probleme, zumindest ihre Abklärung, gehört jedoch zur Gesamtbehandlung.

Bei Angstsyndromen und phobischen Syndromen wird in der Regel die Heterohypnose als Dringlichkeitsbehandlung angewandt, ferner wenn aufdeckende Verfahren aus anderen Gründen nicht indiziert sind.

Patienten mit Versagen im Examen kommen häufig so spät, daß sie nicht mehr die psychotherapeutischen Grundübungen für eine gestufte Aktivhypnose lernen können. Dann sollte eine Heterohypnose durchgeführt werden.

Suggestionen von Gelassenheit, Sicherheit, Gleichgültigkeit gegenüber der Examenssituation und vor allem „durchhalten durch Sammlung mit Abstand“ sind hierbei am sinnvollsten.

Schließlich hat die Hypnotherapie nach wie vor Bedeutung bei *chronischem Alkoholabusus.* Das gilt vor allem für Patienten mit Gewohnheitsbildungen gegenüber dem Alkohol, falls sie sich zur Abstinenz entschlossen haben. Ihnen kann durch eine Heterohypnose deshalb gut geholfen werden, weil sie, wie alle an Alkohol Gewöhnten, sehr leicht hypnotisierbar sind. Durch Indifferenzsuggestionen („Alkohol in jeder Situation gleichgültig“) lassen sich Sperrungen erreichen, die dauerhafter sind als durch Aversionsbehandlung gesetzte. Auch hier ist die Hypnotherapie nur ein Teil der Einzel- und Gruppenbehandlung und muß in eine systematische aktiv-autohypnoide Behandlung überführt werden.

Der Einstieg in das autogene Training oder eine gestufte Aktivhypnose stellt schließlich eine weitere wichtige Indikation für die Heterohypnose dar, wenn z. B. aus zeitlichen Gründen der Lernvorgang bei diesen Behandlungen beschleunigt werden soll oder anfangs Schwierigkeiten auftreten.

Demgegenüber spielt die Heterohypnose in Verbindung mit aufdeckenden Verfahren nur eine untergeordnete Rolle. Sie wird als „Hypnokatharsis" oder „Hypnoanalyse" bezeichnet.

Hypnose in der Schule (Hypnopädie) muß als Mißbrauch bezeichnet werden (s. Brockhaus Enzyklopädie, Bd. 8, 1969).

Absolut kontraindiziert sind Heterohypnosen für Patienten mit endogenen oder exogenen Psychosen und für Patientinnen, bei denen ein Vergewaltigungserlebnis durch den hypnotischen Zustand reaktiviert werden könnte. Leidet ein Patient an einer somatischen Krankheit und lehnt aber eine dafür geeignete Therapie ab, ist eine Hypnotherapie ärztlicherseits nicht zu verantworten. Macht ein Patient auf Grund seiner Glaubensrücksichten Einwände, wird man sie respektieren und auf eine Hypnotherapie verzichten.

Relative Kontraindikationen zu einer Heterohypnose liegen vor bei Auftreten unangenehmer Nebenerscheinungen, Abneigung und Widerwillen, starker Erwartungsspannung, bei persönlichen Beziehungen zwischen Hypnotherapeut und Patient (Hausgenosse, Bekannter, Sexualpartner) und bei nicht gelöster Bindung an einen früheren Hypnotherapeuten. Das gleiche gilt für sehr erregte Patienten, geltungssüchtige abnorme Persönlichkeiten und Patienten mit starken Angstzuständen. Bei allen hier genannten Ausnahmen ist der Weg über ein aktiv-autohypnoides Verfahren zweckmäßiger.

Autogenes Training

Als sich 1884, etwa 100 Jahre nach Ablehnen der Fluidumtheorie MESMERS, die Suggestionslehre der Hypnose durch die Arbeiten von BERNHEIM durchsetzte, wurde die „Erste Schule von Nancy" Zentrum der Hypnoseforschung. Ihre Auswirkungen lassen sich überall in der Welt verfolgen. Fast alle bekannten Persönlichkeiten, die sich später in der Hypnose einen Namen gemacht haben, waren in Nancy, unter ihnen auch FREUD, der das Buch von BERNHEIM „De la suggestion dans l'état hypnotique et dans l'état de veille" (1884) ins Deutsche übersetzte. Ende des 19. Jahrhunderts beherrschten beinahe alle Ärzte die Hypnose und wandten sie in der Praxis an.

Dann geschah zu Beginn des 20. Jahrhunderts das Eigenartige: BERNHEIM selbst verhinderte die Weiterentwicklung dadurch, daß er die Bedeutung der Hypnose einschränkte durch seine Feststellung: „Nur die Suggestion ist das Wirksame". Damit hat er, wie sich durch neuere Untersuchungen herausstellte, besonders die Entwicklung in Frankreich gehemmt.

Die „Zweite Schule von Nancy", bestehend aus dem kühlen, kritischen Beobachter BAUDOUIN und dem enthusiastisch-bekehrenden

Apotheker Coué, förderte die Entwicklung insofern, als sie besonders klar erkannte und lehrte: Jede Suggestion wird über eine Autosuggestion angenommen. Beim Suggestionsvorgang ist somit der Suggerierte wichtiger als der Suggestor. In den ersten zweieinhalb Jahrzehnten des 20. Jahrhunderts wurden eine Reihe von Methoden entwickelt, die sich, da sie mit Bewußtseinsveränderungen verbunden sind, als passiv-autohypnoide Verfahren zusammenfassen lassen.

Ab 1928 läßt sich eine neue Reihe von Verfahren nachweisen. Sie beginnen alle mit Übungen, die am motorischen System ansetzen, zu Bewußtseinsveränderungen führen und deshalb als „aktiv-autohypnoide Verfahren" bezeichnet werden. Hierzu sind zu rechnen: „The progressive relaxation" von E. Jacobson, das „autogene Training" von J. H. Schultz, „The natural childbirth" von G. Dick-Read, die „aktive Tonusregulation" von B. Stokvis und die „gestufte Aktivhypnose" von E. Kretschmer. Das im deutschen Sprachraum älteste und bekannteste Verfahren ist das autogene Training, das nach den Worten von Schultz ein „übender Weg zur Autohypnose" ist.

Als *durchschnittliche Leistungen* des autogenen Trainings führt Schultz an: Resonanzdämpfung der Affekte, vertiefte Erholung, Katalepsie, Veränderung von Sinneserlebnissen, vor allem von Schmerzerlebnissen, Gefäßregulierung, Gedächtnisleistung, vor allem Verbesserung der Reproduktionsfähigkeit, formelhafte Vorsatzbildung und Selbstschau.

Zusätzlich ist noch hervorzuheben: Die Gedächtnisleistung bessert sich nicht nur durch Steigerung der Reproduktionsfähigkeit, sondern auch durch Erhöhung der Konzentrationsfähigkeit, also des Lernvermögens selbst. Dreimal täglich übt der Patient, seine Gedanken für einige Minuten auf die vorgeschriebenen Vorstellungen zu fixieren. Damit wird die assoziative Weiterentwicklung der Gedanken verhindert, die gerade bei nervösen und zerstreuten lerngestörten Menschen vermehrt auftritt. Die durchschnittlichen Leistungen des autogenen Trainings machen deutlich, wie sehr es sich dabei nicht nur um ein therapeutisch wirksames Verfahren, sondern darüber hinaus um eine psychohygienische Maßnahme handelt, die prophylaktisch wichtig sein kann. Da noch dazu der Bereich der Kontraindikation sehr gering ist — er umfaßt eigentlich nur die beginnenden endogenen Psychosen aus dem schizophrenen Formenkreis und kardial Dekompensierte — kann es allen empfohlen werden, die das Prinzip der Übung verstehen und bereit sind, regelmäßig zu üben.

Auch die *klinische Anwendung* ist umfangreich. Im Mittelpunkt des Indikationsbereiches stehen alle Störungen und Krankheiten, die mit einer vegetativen Dysregulation zusammenhängen. Dazu kommen alle länger anhaltenden funktionellen Motilitätsstörungen in diversen körperlichen Bereichen. Einzubeziehen sind ferner psychosomatische Krankheiten und schließlich auch die meisten seelischen Störungen.

So gesehen läßt sich der Anwendungsbereich des autogenen Trainings als stützende Psychotherapie folgendermaßen formulieren: Überall da, wo das autogene Training nicht kontraindiziert ist, kann und sollte dieses aktiv-autohypnoide Verfahren, zumindest als begleitende Behandlung angesetzt werden. Es schadet der gleichzeitig angewandten Therapie nicht und steht nicht mit ihr in Konkurrenz, sondern unterstützt sie. Das gilt für somatische Behandlung ebenso wie für die verschiedenen Formen einer Einzel- oder Gruppentherapie sowie für aufdeckende analytische Verfahren.

Eine absolute Kontraindikation besteht, wie erwähnt, bei beginnenden endogenen Psychosen aus dem schizophrenen Formenkreis. Hier könnten die durch die Psychose verursachten hyponoischen Mechanismen aktiviert werden. Manche derartigen Krankheiten beginnen mit Konzentrationsstörungen. Würde man ohne klare Diagnosestellung und womöglich ohne weitere ärztliche Beobachtung den Patienten den unterwachen und eingeengten Bewußtseinszustand des autogenen Trainings regelmäßig erleben lassen, könnte die Psychose ungünstig beeinflußt werden.

Als zweites sind die ausgeprägten endogen gehemmten Depressionen zu nennen. Die Patienten realisieren die Phänomene des autogenen Trainings meist gar nicht und werden dadurch zusätzlich beunruhigt.

Drittens ist das autogene Training bei Patienten mit malignen Zwangssyndromen kontraindiziert (s. S. 61). Sie realisieren wegen der schweren, die ganze Persönlichkeit durchziehenden Zwangshaltungen die Übungen meist nicht und verbohren sich darin.

Bei körperlichen Krankheiten sind Patienten mit dekompensiertem Vitium cordis für das autogene Training ungeeignet. Bei kompensierten Herzklappenfehlern wird man ebenfalls zurückhaltend bis ablehnend sein sowie nach allen Erkrankungen, die mit einer Erhöhung der Kohlensäurespannung im Blut verbunden sind. Die Übung selbst führt zu einer leichten Azidose, so daß die Gefahr der Stoffwechseldekompensation besteht. Eine zurückhaltende Indikation ist auch nach Herzinfarkt zu stellen, da nicht alle Patienten auf das autogene Training positiv ansprechen.

Im übrigen aber gibt es keine absolute Kontraindikation. Relative Gegenanzeigen kann man vereinzelt nennen, muß sie aber mehr als methodische Probleme ansehen. Patienten mit zerebralen Krampfanfällen sollen zunächst medikamentös gut eindosiert sein, bevor man bei ihnen ein autogenes Training erwägt.

Dem Patienten mit einer mäßig ausgeprägten oder larvierten Depression müssen beim Lernen aktive Hilfen und Ermutigungen gegeben werden.

Bei nicht zu schweren Zwangssyndromen soll durch begleitendes Vorsprechen das Lernen der Übung erleichtert werden. Bei hysterisch abnormen Persönlichkeiten dagegen muß auf ein diszipliniertes und nur ganz kurzes Selbstüben geachtet werden.

Eines soll zum Schluß noch hervorgehoben werden, weil langjährige klinische Erfahrungen es vielfach bestätigen: Den Patienten das Übungsheft des autogenen Trainings in die Hand zu drücken, ohne sie gleichzeitig persönlich anzuleiten, ist unzureichend und deshalb nicht vertretbar.

Das gleiche gilt von allen Schallplatten und Tonbändern. Hier habe ich im Laufe der Jahre so viele Schattenseiten und Komplikationen beobachtet, daß ich alle derartigen technischen Hilfsmittel strikt und ausnahmslos ablehne. Auch von mir selbst besprochene Bänder habe ich den Patienten nie mitgegeben, selbst wenn sie durch die gestufte Aktivhypnose an das Vorsprechen gewöhnt waren. Die auf Band fixierte Stimme des Arztes verabsolutiert diesen Teil der Therapie und verhindert die ‚autogene' Entfaltung während der Behandlung. Durch die Möglichkeit, das autogene Training gruppenweise zu erlernen, wird das Argument des zeitlichen Aufwands eliminiert.

Das Überflüssigsein aller technischen Hilfsmittel beweist auch beim autogenen Training: Es heilt nicht die Methode, sondern der Arzt! Er vermittelt hier eine Methode der konzentrativen Selbstentspannung, die, falls sie weitergeübt wird, Dauerwirkung haben kann.

Die Oberstufe des autogenen Trainings ist ein psychotherapeutisches Spezialverfahren, das sich an die Unterstufe anschließt: Die Versuchspersonen führen selbsttätig eine forcierte Konvergenzhaltung der Augen durch. Sie sollen in diesem Zustand vertiefter Versenkung folgende Erlebnisse in sich wahrnehmen: Die Eigenfarbe, Farben des Spektrums, selbstgewählte Farberlebnisse, ‚Schau' konkreter Objekte, ‚Schau' abstrakter Gegenstände, Eigengefühl, ‚Schau' eines bestimmten anderen Menschen, Fragen an das ‚Unbewußte' mit symbolischer Antwort und die Ausarbeitung der Persönlichkeitsformel (Schultz, 1970, S. 228 ff). Schon beim Aufzählen dieser Leistungen wird deutlich, wie sehr die Oberstufe des autogenen Trainings in den Bereich der Meditation hineinreicht und dadurch das Gros der seelisch Behandlungsbedürftigen ausschließt.

Gestufte Aktivhypnose

Hierzu genügen noch kürzere Andeutungen. Näheres kann in meinem Buch „Die gestufte Aktivhypnose, eine Anleitung zur Methodik und Klinik" nachgelesen werden.

Die gestufte Aktivhypnose, von E. Kretschmer erstmalig 1946 beschrieben, ist ein eng an das autogene Training angelehntes aktiv-autohypnoides Verfahren, das, mehr von der klinischen Behandlungssituation ausgehend, aktivierende und abkürzende Modifikationen an das autogene Training heranträgt, ohne aber den auf Selbstübung aufbauenden Charakter des Verfahrens zu ändern.

Gelingt es dem Patienten, durch Konzentration von ‚Ruhe-Schwere-Wärme' ein generalisiertes Schwere- und Wärmegefühl zu erleben, beherrscht er die „psychotherapeutischen Grundübungen". Anschließend folgt im autogenen Training eine Herz-Atem- und Solarplexusübung. Bei der gestuften Aktivhypnose wird auf diese Viszeralübungen — wie ich die an die Muskel- und Gefäßkonzentration anschließenden Übungen gerne nenne — verzichtet und dafür eine forcierte und prolongierte Konvergenzhaltung der Augen durch Fixationsübung eintrainiert. Dadurch erreicht der Patient das Hypnoid direkter und schneller. In den gemeinsamen Übungen mit dem Arzt werden die Hypnosen schrittweise verlängert.

Im Gespräch werden mit dem Patienten „wandspruchartige Leitsätze" entwickelt. Sie sind eine Weiterführung der formelhaften Vorsatzbildungen des autogenen Trainings. Die wandspruchartigen Leitsätze sind systematischer durchgebildet, weshalb sie auch nomenklatorisch herausgehoben werden.

Wandspruchartige Leitsätze bestehen in der Regel aus zwei Abschnitten:

Zunächst sollen störende Faktoren, die sich in Leitsymptomen kundtun, in einen Abstand und dadurch zu einer Indifferenz gebracht werden, so daß die komplexhaften Irritationen wegfallen.

Anschließend versucht man, in einem wandspruchartigen Leitsatz die Charaktereigenschaften anzusprechen, die der Patient aus eigener Kraft nicht mobilisieren kann.

Schließlich kommt es bei der Gestaltung wandspruchartiger Leitsätze noch darauf an, sie auf die Gesetze der hyponoisch-hypobulischen Schichten abzustimmen. In der alten Hypnotherapie sprach man hier von „Redaktion der Suggestionen". Zunächst muß man auf eine angepaßte Stilisierung achten. Sie enthält verschiedene selbsttätige psychologische Teiltendenzen: Herausheben des Wesentlichen, Formvereinfachung und Formwiederholung. Es kommt also bei den Leitsätzen nicht so sehr auf grammatikalische und streng logische Richtigkeit an, sondern auf ein Herausarbeiten des Wesentlichen, um dadurch affektiv stärker zu wirken.

Der Unterschied zwischen gestufter Aktivhypnose und autogenem Training besteht in folgendem:

1. Das begleitende Vorsprechen, das in wörtlichen Formulierungen dem Übungsstand der Versuchsperson angepaßt ist, steht im Gegen-

satz zum autogenen Training, bei dem in der Regel nicht vorgesprochen wird.

2. Nach den psychotherapeutischen Grundübungen wird eine forcierte und prolongierte Konvergenzhaltung der Augen (Fixierübung) durchgeführt. Sie ist ein fester Bestandteil des Verfahrens und wird nicht erst wie im autogenen Training fakultativ beim Übergang von der Unter- zur Oberstufe verwandt.

3. Die Viszeralübungen werden weggelassen.

4. Die wandspruchartigen Leitsätze sind eine systematische Weiterführung der formelhaften Vorsatzbildung.

5. Die gestufte Aktivhypnose wird in der Therapie regelmäßig mit einem analytischen Behandlungsgang verbunden und deshalb als „zweigleisige Methode" bezeichnet (s. S. 156).

Der Indikationsbereich der gestuften Aktivhypnose ist etwas enger als der des autogenen Trainings, weil er nicht so weit in den psychohygienischen Bereich hineinreicht. Klinisch ist die gestufte Aktivhypnose angezeigt bei Abnormitäten des Sexualtriebes, Medikamentabhängigkeit einschließlich Alkohol, vegetativen Dysregulationen und psychosomatischen Krankheiten, Zwangssyndromen, phobischen Syndromen, chronischen Schmerzzuständen, Schlafstörungen, funktionellen Motilitätsstörungen und bei Hypnoserefraktären.

Selbstverständlich hat die Anwendung in den verschiedenen Bereichen unterschiedliche Nuancierungen. So muß die Indifferenzimagination bei Abnormitäten des Sexualtriebes zirkumskript um den Auslöser gelagert sein, während sie bei allen Zwangssyndromen weit gehalten werden muß.

Bei psychosomatischen Krankheiten ist immer zunächst eine Indifferenz gegenüber der gestörten Organfunktion zu üben. Für Schmerzzustände genügen häufig schon die psychotherapeutischen Grundübungen, wobei zusätzlich eine Gelöstheit im gestörten Organgebiet nahegebracht werden kann.

Für die Kontraindikationen gelten die gleichen Gesichtspunkte wie beim autogenen Training. Hinzu kommt: Hysterisch strukturierten Persönlichkeiten wird nur selten vorgesprochen. Die Fixierübung unterbleibt oder wird, falls mehrere Ärzte zur Verfügung stehen, von einem anderen Arzt durchgeführt. Die Ideoplasie ist bei diesen Patienten so ausgeprägt, daß die Selbstübung mehr hervorgehoben werden kann als bei zwanghaft Strukturierten. Bei ihnen muß häufiger vorgesprochen werden, um das Hypnoid zu erreichen. Es kann durch eine begleitende neuroleptische Medikation noch gefördert werden.

Aufdeckende oder analytische Verfahren

Jede Form von Psychotherapie läßt sich auf einen gemeinsamen Nenner bringen, weil die Ausgangssituation immer die gleiche ist: Ein Leidender kommt zu einem Fachkundigen, um sich von ihm helfen zu lassen. Am Beginn steht also ein Bericht des Patienten über sein Leiden. Er wird aufgenommen von dem fachkundigen Helfer, der seine Schlüsse zieht und danach seine Hilfe ausrichtet, die er an den Patienten in Form eines Rates, einer Verordnung oder einer anderen mehr aktiv-manuell-chirurgischen Handlung zurückgibt. Der Patient muß bereit sein, das ihm Verordnete, Angeratene oder aufgrund von Erfahrung Zurückgegebene anzunehmen. Erst dann kann die helfende Maßnahme wirksam werden. Das wurde bei den vier Stadien der Suggestions- und Persuasionsbehandlung besonders deutlich.

Will man die psychologischen Bedingungen ärztlichen Tuns verstehen, muß man wohl von dieser Basis ausgehen, da sie sich in gewissen Variationen wiederholt. Sie besteht aus fünf Schritten: Bericht des Patienten, Aufnahme durch den Helfenden, Verarbeitung durch den Helfenden aufgrund seiner Sachkenntnis, Rückgabe des Verarbeiteten an den Patienten und Annahme des Mitgeteilten aus innerer Bereitschaft. Auf dieser zwischenmenschlichen Wechselbeziehung beruht jede ärztliche Behandlung und damit auch die Psychotherapie. All das wurde bei den verschiedenen Formen der stützenden Verfahren sichtbar.

Auch bei den analytischen oder aufdeckenden Methoden der Psychotherapie läßt sich eine vorwissenschaftliche von einer wissenschaftlichen Periode abheben. Vorwissenschaftlichen Formen begegnet man z. B. bei den kathartischen Behandlungen innerhalb der theurgischen griechischen Medizin in den Asklepiaden.

Der Wendepunkt zur wissenschaftlichen analytischen Psychotherapie beginnt mit Freud, als er etwa 1893 die „freie Assoziation" und ihre Bedeutung für die seelische Krankenbehandlung entdeckte, nachdem er bei Charcot in Paris und anschließend bei Bernheim in Nancy gewesen war. Er wandte für seine Behandlungen die Hypnose sehr häufig an. Gerade damals kümmerte man sich um die psychologischen Bedingungen der Krankheitszustände relativ wenig, sondern hypnotisierte aus einem Gefühl der Omnipotenz heraus ohne intensive Beschäftigung mit der Vorgeschichte des Kranken. Als Freud von den Resultaten einer Patientin Breuers, dem Fall Anna O., nicht befriedigt war, änderte er sein Vorgehen und ließ sich berichten, was der Patientin in den Sinn kam. So entdeckte er die freie Assoziation.

Bald merkte man, daß diese Assoziationen gar nicht so frei waren, wie Freud anfangs vermutete, sondern von den Beteiligten unbemerkt gesteuert wurden. Freud hatte als enthusiastischer Entdecker eines Neulands durch sein wissenschaftliches Interesse an bestimmten Lebensperioden die Gedanken seiner Patienten ungewollt beeinflußt. Aus der Couchlage seiner Patienten wird verständlich, daß leicht Erinnerungen aus der frühen Kindheit mobilisiert werden. Deshalb interessierten sich die ersten Psychoanalytiker für die frühe Kindheit der Patienten und ließen sich zunehmend von der Vergangenheit faszinieren. In dem Maße wie dies geschah, verschwand die aktuelle Situation des Patienten hinter der Kulisse früherer Lebensperioden.

Für die Behandlung wesentlich ist, daß durch die freie Assoziation das analysierende Aufdecken, das den ersten Teil der Grundbeziehung Patient-Arzt darstellt, methodisch immer weiter ausgebaut wurde. So entstand aus einem ursprünglich als Untersuchung gedachten Vorgang mehr und mehr die Behandlung selbst. Man erkannte, wie ergiebig eine passive ärztliche Haltung sein kann und wie Zuhören schon Therapie bedeutet.

Die entspannte Ruhelage und die Möglichkeit, durch freie Assoziation alles sagen zu können, was in den Sinn kommt, wirkt sich auch auf die Gefühlsbindung zwischen Patient und Arzt aus. Es war die zweite entscheidende Leistung von Freud, daß er diese affektiven Faktoren besonders beachtete. Zwar waren die gefühlsmäßigen Zusammenhänge auch in der Hypnotherapie schon immer gesehen und als ‚Rapport' oder ‚Sich-in-Rapport-setzen' bezeichnet worden, eine Analyse dieser Vorgänge aber führte erst Freud durch. Dabei kam er zu interessanten Feststellungen: Die gefühlsmäßigen Bindungen dem Arzt gegenüber beruhen auf einem Übertragungsvorgang. Die Empfindungen, die der Patient seiner Mutter oder seinem Vater gegenüber hatte, überträgt er auf den Arzt.

Freud baute somit den in jeder Wechselbeziehung zwischen Patient und Arzt enthaltenen aufdeckenden Teil durch die freien Assoziationen maximal aus. Ferner beobachtete er analysierend die zwischen Patient und Arzt ablaufende Affektdynamik und nahm sie damit bewußter in den therapeutischen Vorgang hinein. Die Couchlage, die die freien Assoziationen und die affektiven Vorgänge des Patienten beeinflußte, war deshalb für das theoretische Gebäude der Psychoanalyse bedeutsam.

Mit diesen beiden Entdeckungen von Freud beginnt die wissenschaftliche Periode der aufdeckenden Psychotherapie, von der sich andere psychologische Schulen abspalteten, deren Arbeit zusammengefaßt als „Tiefenpsychotherapie" bezeichnet werden kann. „Sie wendet sich nicht nur an die bewußte Mitarbeit des Kranken wie die Wachtherapie, und führt den Kranken nicht, wie dies meist in Hypnose der Fall ist, sondern sie sucht ausdrücklich Reaktionen und Umstellungen in den unkontrollierten („unbewußten") Tiefen der

Persönlichkeit des Kranken zu beobachten, zu begleiten, und mit ihm zu verarbeiten" (Schultz, 1963, S, 140).

Auch hier sollen nur die wichtigsten analytischen Verfahren in bezug auf die Therapie beschrieben werden. Die theoretischen Hintergründe aber werden nur da gestreift, wo sie zum Verständnis des praktischen Vorgehens nötig sind.

Psychoanalytische Psychotherapie

Sie ist ein analytisches Verfahren, das an folgende Voraussetzung gekoppelt ist: Die Behandlungsdauer wird von vornherein zeitlich nicht begrenzt. Sie findet im Liegen, mindestens dreimal, wenn möglich fünfmal wöchentlich statt.

In entspannter Rückenlage erhält der Patient die „Verpflichtung" zum freien Einfall, von Freud „analytische Grundregel" genannt. Der Patient „soll uns nicht nur mitteilen, was er absichtlich und gerne sagt, was ihm wie in einer Beichte Erleichterung bringt, sondern auch alles andere, was ihm seine Selbstbeobachtung liefert, alles was ihm in den Sinn kommt, auch wenn es ihm *unangenehm* zu sagen ist, auch wenn es ihm *unwichtig* oder sogar *unsinnig* erscheint" (Freud zit. nach Bally, 1959, S. 146).

Vom Arzt, der hinter dem Kopf des Patienten sitzt — „Freud war das dauernde Anstarren eines beobachtenden anderen Gegenübersitzenden lästig" (Zit. nach Schultz, Psychotherapie, 1952, S. 88) — wird „eine Haltung gefordert, die mit der üblichen ärztlichen Haltung, welche auf eine Diagnose zielt und alles nicht in dieser Richtung Liegende abzublenden versucht, in schroffem Widerspruch steht" (Bally S. 146). Freud nannte die Haltung „freischwebende Aufmerksamkeit".

„Es erheben sich nun zwei Fragen:

1. Was kann und soll mit dem ‚Material' geschehen, das auf diese Weise zur Sprache kommt?
2. Was soll unternommen werden, wenn der Patient den Vorsatz bzw. die Aufforderung, rückhaltlos alles zu sagen, was ihm einfällt, nicht befolgt bzw. nicht befolgen kann?

Die beiden Probleme, die in diesen Fragen zum Ausdruck kommen, sind erstens das Problem der Deutung und zweitens das Problem der Widerstandsanalyse" (Bally S. 147).

Die Deutung ist in der psychoanalytischen Therapie die eigentlich ärztliche Handlung und wird von Freud als „Deutungskunst" bezeichnet. Dabei führt die Traumdeutung als via regia zu den tieferen seelischen Bereichen. Am Patienten liegt es, die ihm angebotenen

Deutungen anzunehmen oder abzulehnen. Die Parallelität zwischen Deutung und Suggestion liegt auf der Hand, wobei sich auch hier die einzelnen Stadien des Suggestionsvorganges (s. S. 106) nachweisen lassen und insbesondere die affektive Resonanz durch Ausnützung der Übertragung besonders intensiv wirkt. Da sich bei der Traumbesprechung die Deutungen ausschließlich in einer Bilderschicht abspielen, sind sie meist ganz besonders intensiv. Die jahrelangen kontinuierlichen Deutungen führen über eine lebensgeschichtliche Erhellung zur Heilung der seelischen Störung. Sie ist aber von der Lebens- und Weltanschauung des anderen durchzogen. Vitale und dynamische Menschen streifen sie wieder ab, wie FREUD ursprünglich annahm. Asthenische Persönlichkeiten aber tragen das ihnen Fremde oft lange mit sich herum, was sich bis in die Wortwahl hinein kundtut.

Deutlich wird an dieser Stelle, wie sehr analytische Behandlungen nur angezeigt sind bei Patienten mit Neurosen im engeren Sinne (s. S. 16). Die aktiven Persönlichkeitsanteile, die bei diesen Menschen im Ausgangsstadium immer nachweisbar sind, sorgen dafür, daß sich eine zwar veränderte, aber doch eigene Lebensansicht durchsetzt. Deutungen, die vom Patienten nicht angenommen werden können, erzeugen in ihm einen Widerstand, der zunächst als Hindernis, dann als wichtiger Motor der Behandlung erkannt wurde. „Es ergab sich bald als die nächste Aufgabe des Arztes, dem Patienten zur Kenntnis und später zur Überwindung der *Widerstände* zu verhelfen, die während der Behandlung bei ihm auftreten und die ihm anfänglich selbst nicht bewußt sind. Auch erkannte man gleichzeitig, daß das wesentliche Stück der Heilungsarbeit in der Überwindung dieser Widerstände besteht und daß ohne diese Leistung eine dauerhafte seelische Veränderung des Patienten nicht erzielt werden kann" (FREUD zit. nach BALLY, 1959, S. 148).

So entstand die *Widerstandsanalyse* als einer der wichtigsten Träger der psychoanalytischen Behandlung, die durch Verbesserung der Einsicht ein Stück Erziehungsarbeit leisten sollte.

In der Alltagssprache heißt das: Wird eine Deutung nicht angenommen, so trägt der Arzt nicht neue Variationen an den Patienten heran, sondern ergründet die Motive der Ablehnung. Hält man diese Einstellung konsequent durch, kann man auf dem Wege einer solchen Aufhellung der Negationen – sprich ‚Widerstandsanalyse' – so lange Deutungen anbieten, bis auch das Abgelehnte akzeptiert wird.

Die in der psychoanalytischen Behandlung ablaufende Affektdynamik – bei der Suggestionsbehandlung sprachen wir von ‚affektiver Resonanz' – wird auch in der Übertragung sichtbar. „Sie ist ein allgemein menschliches Phänomen, entscheidet über den Erfolg bei jeder ärztlichen Beeinflussung, ja sie beherrscht überhaupt die Beziehungen einer Person zu ihrer menschlichen Umwelt" (FREUD, zit. nach BALLY S. 149). In der psychoanalytischen Behandlung bekommt diese allgemein menschliche Neigung eine besondere Bedeutung. Dadurch, daß der Patient sich dem Behandelnden ganz eröffnet, entwickelt sich eine Verbundenheit mit all ihren u. U. auch gegensätzlichen Empfindungen. Diese gefühlsmäßigen Bindungen werden nun im Gegensatz zu allen anderen Behandlungsweisen dem Patienten in ihrem Aufbau klargemacht. Dabei sollen vor allem die in der Übertragung enthaltenen unausgereiften und kindlichen Verhaltungsweisen deutlich werden, da in ihnen viele seelische Störungen verwurzelt sind.

Da auf den Analytiker alle unausgereiften Gefühle mit ihren gegensätzlichen Empfindungen übertragen werden, entwickelt sich an ihm ein seelischer Spannungszustand, den FREUD „Übertragungsneurose" nannte. Der Patient weigert sich, gesund zu sein, weil er mit der Gesundung gleichzeitig das Erlebnis des Verlusts der Beziehung zum Arzt haben muß, die seine zweite und bessere Heimat darstellt (BALLY S. 150). „Die Übertragung schafft ein Zwischenreich zwischen der Krankheit und dem Leben. Der neue Zustand hat alle Charaktere der Krankheit übernommen, aber er stellt eine artifizielle Krankheit dar, die überall unseren Eingriffen zugänglich ist" (FREUD, zit. nach BALLY S. 150 f).

„Es ist also ein unschätzbarer Dienst, den die Übertragungsphänomene erweisen: nämlich, die verborgenen und vergessenen Liebesregungen der Kranken aktuell und manifest zu machen" (FREUD, zit. nach BALLY, 1959, S, 151).

Da der Psychoanalytiker gerade Übertragungswünsche des Patienten auflösen muß, wird die Behandlung in der Versagung geführt. Das bedeutet: Der Arzt muß sich erziehen, seinerseits alle emotionellen Reaktionen zurückzuhalten und deshalb seine ‚Gegenübertragung' kennen. „Die Rechtfertigung dieser vom Analytiker zu fordernden Gefühlskälte liegt darin, daß sie für beide Teile die vorteilhaftesten Bedingungen schafft, für den Arzt die wünschenswerte Schonung seines eigenen Affektlebens, für den Kranken das größte Ausmaß von Hilfeleistung, das uns heute möglich ist. Ein alter Chirurg hatte zu seinem Wahlspruch die Worte genommen: ‚Je le pansai Dieu le guérit.' Mit etwas Ähnlichem sollte sich der Analytiker zufrieden geben" (FREUD, zit. nach BALLY S. 152).

Im Verlauf einer derartigen jahrelangen Behandlung kristallisiert sich die ursprüngliche seelische Störung am Psychoanalytiker aus. Sie soll an der emotionellen Beziehung zu ihm ausheilen. Deswegen zentriert sich schließlich die psychoanalytische Kur auf die Durcharbeitung der ‚Übertragungsneurose'. Sie wird ihrerseits erst durch die Behandlung erzeugt. Eine derartige langwierige Behandlung läuft folgendermaßen ab: Eine seelische Störung führt den Patienten zum

Arzt. Die affektive Resonanz, die von Beginn an besteht, wird durch die häufige Liegehaltung und die wiederholten Berichte auch über ganz verborgene seelische Regungen ständig intensiviert bis zu einem künstlich erzeugten Leidenszustand. Er wird durchgearbeitet, bis der Patient an den wiederholten Versagungen nachgereift ist und damit seine ursprüngliche seelische Störung ebenfalls überwunden hat. Dadurch wird ganz folgerichtig auf der emotionellen Ebene ausgeheilt, was sich im emotionellen Bereich entwickelt hatte.

Individualpsychologische Psychotherapie

Alfred Adler, ein Schüler von Freud, entwickelte zu Beginn dieses Jahrhunderts, die ‚Individualpsychotherapie'. Im Gegensatz zu manchen anderen tiefenpsychologischen Schulen sind die individualpsychologisch orientierten Ärzte nur wenig organisiert. Trotzdem findet man viele individualpsychologische Elemente in anderen tiefenpsychologischen Behandlungsprinzipien.

Schon die äußere Haltung bei der Behandlung ist anders als in der Psychoanalyse. Patient und Arzt sitzen sich gegenüber. Das Vorgehen selbst kann in drei Schritte eingeteilt werden:

Der erste Schritt gilt „dem Bemühen, die Schwierigkeiten des Patienten psychologisch zu verstehen. Das bedeutet, daß der Therapeut die Einflüsse feststellen muß, die den Zustand seines Patienten in erster Linie verursachen" (Adler, 1959, S. 255).

Der zweite Schritt „hat den Zweck, dem Patienten den Mechanismus seines Mißlingens zu erklären und ihn die Gesetze erkennen und verstehen zu lehren, die sein Verhalten beherrschen. Es gilt ferner, dem Kranken begreiflich zu machen, daß sein Ziel, insoweit es sich um sein Abweichen vom Normalen handelt, auf der ‚nutzlosen Seite des Lebens' liegt; daß es bei ihm an sozialem Interesse mangelt, was so häufig auf Furcht und auf Minderwertigkeitsgefühlen beruht, und daß seine Symptome innerhalb des von der Einheit seiner Persönlichkeit gebildeten Rahmens Zweck und Sinn haben ...

Der dritte Schritt besteht dann darin, daß das Streben des Patienten, neue Wege der Anpassung zu beschreiten und weiterzuverfolgen, gelenkt und überwacht wird" (Adler, 1959, S. 255).

In der individualpsychologischen Psychotherapie werden bevorzugt bearbeitet: Themen der Selbstwerthaltung, der Einstellung zu Arbeit, Beruf und Mitmenschen und der Lebensplanung bis in Gegenwart und Zukunft hinein und damit Triebbereiche des Sichdurchsetzens (Aggressivität) und der sozialen Anpassung (Opferbereitschaft, Fähigkeit, sich unterzuordnen oder sich zu beherrschen). Sie werden in einem Dialog entwickelt, bei dem sich der Arzt selbstverständlich nicht dirigierend und prägend verhält, sondern die Eigenentfaltung des Patienten fördert. Freie Assoziationen sollen ebenfalls angeregt werden. Sie verlaufen nur von vornherein anders, weil einem Sitzenden andere Bereiche in den Sinn kommen als einem Menschen, der in völliger Entspannung liegend vor sich hindöst.

Auch Träume werden in der Therapie besprochen. Sie haben aber keine so zentrale Stellung wie in der psychoanalytischen Behandlung, und ihre Deutungen — ein wichtiges Instrument der psychoanalytischen Therapie — stehen nicht im Mittelpunkt. Das gleiche gilt von der Widerstandsanalyse und der Übertragung.

So gesehen ist in der individualpsychologischen Therapie vieles wieder in den Bereich der kompromißbereiten Realität gerückt, was von FREUD aus Liebe zur wissenschaftlich diagnostischen Klarheit rein herausgearbeitet worden war. Dafür rücken andere Themen in den Interessenskreis der Gespräche wie Probleme der aktuellen und zukunftbezogenen Lebenssituation. Der individualpsychologisch orientierte Arzt bemüht sich, den Patienten „zu unabhängigem Denken zu ermutigen und ihn dazu zu bringen, niemandem, nicht einmal dem Therapeuten, bedingungslos zu gehorchen. Diese Einstellung unterscheidet sich von der anderer Schulen, insbesondere von der gewisser psychoanalytischer Gruppen, die zumindest während des größeren Teils der Behandlung eine starke Abhängigkeit des Patienten vom Therapeuten herbeizuführen wünschen. In der individualpsychologischen Therapie wird danach gestrebt, daß sich der Patient zum Therapeuten nicht anders einstellt als zu einem verständnisvollen, wohlmeinenden, in der Lösung menschlicher Konflikte geschulten Freund" (ADLER S. 256).

In der Regel werden zwei bis höchstens drei Behandlungen in der Woche angesetzt und die Gesamtbehandlung nicht von vornherein beschränkt. Ist ein der Realität und ihren verschiedenen Bereichen gegenüber adäquates Verhalten erreicht, soll die Behandlung allmählich auslaufen.

Analytische Psychotherapie

Die analytische Psychotherapie baut auf der „komplexen Psychologie" von C. G. JUNG auf. Über die theoretischen Vorstellungen orientiert u. a. HEYER. Dieser Beitrag enthält keine praktischen Hinweise. Sie finden sich aber in dem Buch von G. ADLER (1952).

Die Behandlung erfolgt auch hier im Sitzen. Zunächst wird mit einer „anamnestischen Analyse" begonnen, die als vertiefte Anamnese bezeichnet werden kann, aber auch gleichzeitig eine Probebehandlung darstellt. Obwohl die Kindheit für die Entwicklung des Menschen wesentlich ist, wird sie doch nicht überschätzt. „Von der analytischen Psychologie wird jedoch die gegenwärtige Situation als entscheidend angesehen, sowohl wegen ihrer unmittelbaren Bedeutung, die nicht auf irgend etwas anderem beruht, als auch wegen ihrer Bedeutung für die Zukunft" (G. ADLER S. 52). Die Bezeichnung „aktueller Konflikt" geht auf C. G. JUNG zurück. Entsprechend sind viele Gespräche auf die aktuelle Situation zentriert als Teil des Geschehens, das von der Vergangenheit kommt und in die Zukunft weist. Alle Vorkommnisse werden auf ihre ‚unbewußten' Teilfaktoren hin untersucht. In der analytischen Psychotherapie geht es um das Erkennen des Unbewußten, das nach Auffassung von C. G. JUNG viel umfassender ist — neben dem persönlichen wird noch ein kollektives Unbewußtes angenommen — als es sich die Psychoanalytiker vorstellen. Der wesentliche Zugang zum Unbewußten führt auch hier über die Analyse der Träume. Während aber FREUD den Traum für ein pathologisches Produkt ansieht, hat er für JUNG eine völlig normale Funktion mit einer kompensatorischen Aufgabe für das seelische Verhalten (s. a. ADLER S. 45). Die Träume werden entweder auf der Subjektstufe — dann sind sie Abbilder „innerer psychischer Faktoren und der inneren psychischen Situation des Träumers" (JUNG, zit. nach ADLER S. 48) — oder auf der Objektstufe gedeutet — dann sind sie ‚Reminiszenzkomplexe', auf objektive konkrete Situationen aus dem Leben des Patienten bezogen. Die Traumdeutung stellt demnach auch in der analytischen Psychotherapie einen wichtigen Teil der Behandlung dar. Da aber die Auffassung von der Entstehung der Träume stark von der Psychoanalyse abweicht, ist auch die Praxis der Traumdeutung und damit die Methode, das sog. Unbewußte zu erforschen, verschieden.

Ebenso wie bei der Psychoanalyse ist die Deutung das Mittel der Wahl. „Es gibt prinzipiell zwei Richtungen der Deutung: die analytische (oder kausal-reduktive) — ‚analytisch' hier im engeren Sinne des Wortes — und die synthetische oder konstruktive" (ADLER S. 46). Bei dem analytischen Vorgehen wird die Aufmerksamkeit des Kranken auf die psychologische Geschichte seiner Krankheit gelenkt und versucht, die psychologische Konstellation zu erkennen, die der Krankheit voranging. Dadurch werden seelische Energien frei für künftige konstruktive Verarbeitungen. Damit verschiebt sich das Interesse von der Kindheit auf die gegenwärtige innere Haltung. „Letzten Endes liegt der entscheidende Faktor bei einem neurotischen Konflikt nicht in der Vergangenheit, sondern in der Gegenwart. Mit anderen Worten: Das Problem ist immer, welcher wesentlichen Aufgabe in seinem Leben der Patient auszuweichen sucht . . ., d. h. man kann die kausalen Faktoren zu entdecken suchen und dabei mancherlei wichtige Aufschlüsse gewinnen, z. B. daß der Patient als Kind gewisse aufregende Erlebnisse hatte, die er in der Gegenwart wiedererlebt. Was man aber nicht entdecken wird, ist, warum, wir sollten geradezu sagen: *wozu* diese möglichen Traumata gerade jetzt wieder durchbrechen. Hierauf erhält man nur dann eine Antwort, wenn man die gegenwärtige Situation des Patienten in Betracht zieht und von daher die Bedeutung seiner Symptome für seine künftige Entwicklung zu verstehen sucht" (ADLER S. 47/48).

Die Symptome seelischer Störungen werden oft überwiegend biographisch gesehen, wobei der in die Zukunft weisende Aspekt nicht klar genug erfaßt wird. Diese ‚prospektive Tendenz' ist aber in sehr vielen derartigen Symptomen enthalten. (Die beiden Begriffe ‚aktueller Konflikt' und ‚prospektive Tendenz' sind für die heutige Beurteilung der neurotischen seelischen Entwicklung [s. S. 16] noch gültig. Sie stammen aus der komplexen Psychologie von C. G. JUNG).

Die Deutungsarbeit unterscheidet sich von der Psychoanalyse durch folgendes: In der Psychoanalyse werden freie Assoziationen endlos aneinandergereiht. In der analytischen Psychologie wird mit ‚kontrollierten' oder ‚gerichteten' Assoziationen gearbeitet, die sich sozusagen kreisförmig um einzelne Einfälle oder Teile eines Traumas bewegen; denn jede Assoziation wird nicht nur durch die vorangegangenen Assoziationen, sondern auch durch die Beziehung zum Zentrum bestimmt.

Im Verlauf der Behandlung verschiebt sich der Schwerpunkt von den analytischen, den sog. kausal-reduktiven, zu den synthetischen, den prospektiven zukunftsgerichteten Aspekten. Dadurch ist die analytische Psychotherapie besonders für ältere Menschen geeignet.

Psychoanalytische Behandlung und analytische Psychotherapie unterscheiden sich u. a. in folgenden Punkten:

Psychoanalytische Psychotherapie: Liegehaltung des Patienten; zeitlich unbefristet, geradlinige freie Assoziationen; Deutungen von Erlebnissen früherer Lebensperioden, vor allem der frühen Kindheit; Widerstands- und Übertragungsanalyse; Überführung der seelischen Störung in eine sog. ‚Übertragungsneurose' und deren Behandlung.

Analytische Psychotherapie: Sitzhaltung des Patienten; weitgehende zeitliche Begrenzung mit sich vergrößernden Zeitabständen und Entlassung auf Bewährung; kontrollierte, d. h. kreisförmige Assoziationen; zunächst biographisch orientierte sog. kausal-reduktive Analyse, dann Analyse der aktuellen Situation und der prospektiven Aspekte; Traumdeutung auf Subjekt- und Objektstufe.

Aktiv-psychoanalytische Therapie

Dieses Verfahren geht auf W. STEKEL zurück. Seine aus der Praxis entstandenen Modifizierungen beruhten weniger auf theoretischen Vorstellungen wie bei ADLER und JUNG. STEKEL ging es vielmehr darum, das schwerfällige psychoanalytische Vorgehen zu verbessern. Er nannte es „aktive analytische Technik". „Sie untersucht 1. die Vergangenheit — die ‚infantile Matrix', 2. die Gegenwart — den ‚aktuellen Konflikt', 3. die Zukunft — den ‚neurotischen Lebensplan'" (GUTHEIL, 1959, S. 163).

In der Behandlung tritt die Deutung etwas in den Hintergrund. Der Arzt „verläßt sich nicht so sehr darauf, was er dem Patienten sagt, als darauf, wann er es auf Grund des analytisch gewonnenen Verständnisses dem Patienten vermittelt. Er vermeidet es, den Patienten zu einem analytischen Sachverständigen auszubilden, der jedoch ungeheilt bleibt — ein typisches Resultat von langen und erfolglosen Analysen" (GUTHEIL S. 165).

Auch die freien Assoziationen spielen keine so zentrale Rolle, zumal sie in Wirklichkeit nie richtig frei sind. Schon die affektive Beziehung zum Arzt beeinflußt die Assoziation, oft unbemerkt von Arzt und Patient. Sie wird nicht uferlos ausgedehnt, sondern immer wieder durch Einwände des Arztes unterbrochen und damit auf ihren Realitätsgehalt geprüft. In der aktiv-analytischen Psychotherapie geht man nicht wie in der Psychoanalyse automatisch auf die früheste Kindheit zurück, sondern auch hier bleibt das aktuelle Geschehen im Blickfeld, wobei es darauf ankommt, „dem Patienten zu helfen, sich der Wirklichkeit anzupassen und sich auf erreichbare Ziele umzustellen" (GUTHEIL S. 163).

Träume liefern das Material zum Verständnis des „Lebensklischees" des Patienten, stehen aber nicht so im Mittelpunkt der Behandlung. Ein aktiver Psychoanalytiker muß psychiatrisch und analytisch ausgebildet sein, muß extravertierte Charaktereigenschaften haben und intuitiv einfühlend sein, damit seine „seelischen Skotome". (STEKEL) nicht die Behandlung stören.

Neopsychoanalytische Therapie

Diese von H. SCHULTZ-HENCKE begründete tiefenpsychologische Schule versucht eine Amalgamierung der Psychoanalyse, der Individualpsychologie und der komplexen Psychologie, wobei als neuer Aspekt die Gehemmtheit der Antriebe in das Blickfeld rückt. Gerade diese Schule ist im Gegensatz zu vielen anderen an einer Diagnose interessiert wegen der Prognose und Indikation. So wird zunächst nach ‚positiven Kriterien für die neurotische oder psychogene Entstehung' der Symptome Ausschau gehalten und dafür eine von SCHULTZ-HENCKE entwickelte ‚diagnostische gezielte tiefenpsychologische' Anamnese entwickelt, die in vielem dem hier beschriebenen Vorgehen entspricht (s. S. 137). „Ziel dieser Anamnese ist zunächst die genaue Aufklärung der auslösenden Schicksals- und Konfliktsituation. Insbesondere kommt es darauf an, so genau wie möglich die Art der gestörten Erlebnisverarbeitung (Erlebnislücken, Gehemmtheiten und ihre Folgeerscheinungen) und die Korrelationen, die zu Körperfunktionsstörungen bestehen, festzustellen. Der zweite Fragenkomplex zentriert sich darum, aus welchen Gründen dieser Mensch gerade mit dieser vorliegenden Lebens- oder Schicksalssituation nicht fertig wurde, warum er mit gestörtem Erleben reagierte. Es gilt also, die Persönlichkeitsstruktur, die typischen Erlebnis- und Verhaltensweisen zu erfassen, die bereits vor dem Auftreten der Krankheitssymptome bestanden. Lassen sich nun eindeutige Zusammenhänge zwischen der Symptomatik, der auslösenden Situation, der gestörten Erlebnisverarbeitung und der ‚spezifischen' Persönlichkeitsstruktur finden ..., so ist die Psychogenese, aber noch nicht die ‚neurotische' Psychogenese, nachgewiesen" (SCHWIDDER, 1959, S. 211).

Unterschieden wird zwischen einfacher und neurotischer Psychogenese, wobei eine „Entstehungsgeschichte der Persönlichkeitsstruktur" (SCHWIDDER S. 211) erfaßt wird. Daraus erkennt man, wie stark sich die Schule von SCHULTZ-HENCKE an die Psychoanalyse anlehnt, die — übertrieben formuliert — von der Auffassung ausgeht, daß jeder Mensch bei der Geburt gleich ist und Unterschiede durch Umwelteinflüsse entstehen. So verschiebt sich hier die Bedeutung des Begriffes ‚neurotisch' in Richtung auf ‚Persönlichkeitsstruktur', also auf das, was sonst in der Psychiatrie als anlageverursachte bzw. ererbte Persönlichkeitsmerkmale bezeichnet wird. Unterschieden werden depressive, hysterische, zwanghafte und paranoide Persönlichkeiten, die jeweils durch Hemmung verschiedener Antriebsqualitäten in einzelnen frühkindlichen Lebensperioden entstanden sind. Man bemüht sich, in der Diagnostik Klarheit zu bekommen über Symptomatik, Persönlichkeitsstruktur, soziale und somatisch-biologische Gegebenheiten und den Einfluß bisheriger Behandlungen. Dem Bereich spezieller endogener Persönlichkeitsfaktoren wird ein kleiner anlageverursachter Rest zuerkannt. Die neopsychoanalytische Psychotherapie ähnelt äußerlich der psychoanalytischen Kur durch die Liegehaltung des Patienten während der Behandlung, die analytische Grundregel, d. h. die Verpflichtung, alles mitzuteilen, was einfällt, die freien Assoziationen und das Mitteilen von Träumen.

In der Behandlung hat der Analytiker die Aufgabe, „möglichst alle Nuancen des neurotisch abartigen Erlebens zu erfassen und sie dem Patienten zu gegebener Zeit zu zeigen und verständlich zu machen. Die Einschränkung ‚zu gegebener Zeit' weist darauf hin, daß es eine Frage der ‚Dosierung' ist, zu welchem Zeitpunkt der Patient ohne verstärkte Proteste, Rechthaberei, Angst- und Schuldgefühle zur Annahme der Interpretation fähig ist. Der Begriff ‚Deutung' (eine zentrale psychotherapeutische Aufgabe des Psychoanalytikers s. S. 126, Anmerk. d. Verf.) trifft für das hier vorgeschlagene Verfahren nicht zu" (SCHWIDDER S. 216). Es geht dem Neopsychoanalytiker vielmehr darum, die tiefenpsychologischen Zusammenhänge, die er früher durch eine Eigenanalyse an sich selbst erlebt hat, beim Patienten mitzuerleben, das Erlebte in Worte zu fassen und dadurch zwischen sich und den Patienten zu stellen. Für dieses Vorgehen wird der Terminus ‚Interpretation' gebraucht. Interpretationen können in verschiedenen Dosierungen an den Patienten herangetragen werden von vager Vermutung und Reizdeutung über Vermutung bis zur fertigen Interpretation. Interpretiert werden: das aktuelle Erleben außerhalb und innerhalb der Analyse (Übertragung), die Erlebnisse der Vergangenheit und der Zukunftsentwurf. Die aktuelle Situation steht mehr im Mittelpunkt der analytischen Arbeit als bei der psychoanalytischen Kur.

Ferner hat in der neopsychoanalytischen Behandlung der Arzt für eine „tolerante und antriebsfreundliche Atmosphäre" (SCHWIDDER S. 217) zu sorgen und auf seine gefühlsmäßigen Reaktionen dem Patienten gegenüber zu achten (Gegenübertragung).

Der Analytiker strebt eine zeitliche Begrenzung der Behandlung an. Da aber Strukturänderungen das Ziel der Therapie sind, ist die Gesamtbehandlung recht ausgedehnt.

Logotherapie

Logotherapie ist eine auf der Existenzanalyse aufgebaute psychotherapeutische Methode. Sie wird von V. E. FRANKL und seinen Mitarbeitern vertreten und erfaßt mehr als andere tiefenpsychologische Schulen „den Raum geistiger personaler Existenz" (FRANKL).

Die fünf Aspekte der Existenzanalyse und Logotherapie sind:

„1. Existenzanalyse als Explikation personaler Existenz
2. Existenzanalyse als Therapie kollektiver Neurosen
3. Existenzanalyse als ärztliche Seelsorge
4. Logotherapie als spezifische Therapie noogener Neurosen
5. Logotherapie als unspezifische Therapie"
(FRANKL, 1959, S. 664).

Ziel der Behandlung ist es, dem einzelnen Menschen zu helfen, seinen ihm eigenen und unwiederholbaren Daseinsbereich zu finden. Die Logotherapie wird vor allem bei den seelischen Störungen angewandt, die durch geistige Probleme mitbedingt sind (‚noogene Neurosen' nach FRANKL). Die Logotherapie hat zwei wichtige wirksame Methoden entwickelt: Paradoxe Intentionen und Dereflexionen.

Paradoxe Intentionen. Sie ermutigen den Patienten, das zu intendieren, was er fürchtet und wovor er Angst hat, d. h. das für ihn Paradoxe.

Ein an einem erythrophobischen Syndrom Leidender wird dazu angehalten, vor den Mitmenschen rot werden zu wollen. Ebenso soll ein Patient mit einem tremorphobischen Syndrom intendieren, den anderen etwas vorzuzittern. Schon die Vorstellung, gerade das zu tun, wovor man sich am meisten fürchtet, ist für viele Patienten so paradox, daß die Bezeichnung „paradoxe Intention" das Richtige trifft.

Sie ist vor allem bei vielen phobischen Syndromen indiziert, sollte aber auch da nur angewandt werden, wo paradoxe Intentionen zumutbar sind.

Dereflexionen. Viele Patienten mit Zwangssyndromen leiden u. a. an einer verstärkten Selbstbeobachtung (‚Hyperreflexion' nach FRANKL) und dem Wunsch zu Perfektionismus. Bei der Dereflexion werden die Patienten angeregt, den Mitmenschen mehr zu erleben als sich selbst und das Unvollkommene zu akzeptieren. Dadurch gelingt es, die Aufmerksamkeit von der abnormen Störung abzuziehen und auf Bereiche zu lenken, die durch die Symptomatik verkümmert sind.

Indiziert ist die Methode der Dereflexion vor allem bei milden Zwangssyndromen, psychasthenischen Zwangssyndromen und anankastisch-abnormen Persönlichkeiten. Bei Zwangsneurosen im engeren Sinne (s. S. 58) aber sind analytische Verfahren angebrachter.

Logotherapeutisches Vorgehen ist im Zuge einer seelischen Krankenbehandlung gelegentlich indiziert. Macht man sie zu einer systematisch durchgeformten Methode, wird man im Einzelfall den möglichen analytischen Zugangswegen zu wenig gerecht. Für Menschen jenseits der Lebensmitte aber ist der existenzanalytische Hintergrund eine große Bereicherung.

Die Logotherapie hat viele Verbindungen zu der Persuasionsbehandlung (s.S.110) und der Verhaltenstherapie (behavior therapy s.S.141). Falsche Vorstellungen müssen über die Evidenz als solche erlebt und in neue richtige Vorstellungen umgelebt werden. Falsch Erlerntes muß umgelernt und neugelernt werden. Das aber ist das Prinzip jeder Psychotherapie.

Gezielte Analyse oder steuernde Analyse

Bei der psychoanalytischen Therapie wurde hervorgehoben, daß sie sich auf das Durcharbeiten der Übertragungsneurose zentriert, die erst durch die Behandlung erzeugt wurde (s. S. 128). Dadurch verlängert sich die Behandlungsdauer erheblich. Seit Beginn der Psychoanalyse bemüht man sich, analytische Behandlungen zu aktivieren und damit abzukürzen. Verschiedene zu gleichen Zielen führende Wege haben u. a. benützt: FERENCZI, STEKEL, MAEDER, KRETSCHMER, WENDT, ferner RADO, WOLBERG, ALEXANDER in USA und neuerdings auch MALAN in England. Viele bemühen sich dabei, die Übertragungsdynamik selbst in die Hand zu bekommen, um Übertragungsneurosen zu verhindern.

Die von mir seit 1948 (nach dem Bekanntwerden des Buches von C. F. WENDT „Psychotherapie im abgekürzten Verfahren") geübte und 1956 erstmals veröffentlichte ‚gezielte Analyse' ist aus der immer gebundenen klinischen Therapie erwachsen. Seit einigen Jahren bevorzuge ich die Bezeichnung ‚steuernde Analyse', da die vom Arzt erfolgenden Steuerungen psychodynamisch wesentlicher sind als die Focussierung des Gesprächs auf einzelne Sektoren der Problematik.

Die Behandlung findet im Sitzen statt, nur ausnahmsweise im Liegen. Freie Assoziationen spielen bei der gezielten Analyse wie bei der psychoanalytischen Therapie eine große Rolle. Durch die Gestaltung der ersten Begegnung (s. Exploration mit ungerichteten Fragen und Anregungen S. 83) werden die Patienten von Anfang an zu freien Assoziationen angeregt. F. ALEXANDER bestätigt meine Erfahrungen, wenn er schreibt: „Wenn Sie mit einem Patienten sprechen, ihm zuhören und ihn spontan seine Geschichte erzählen lassen, dann sind auch das freie Assoziationen" (Übersetzt aus WOLBERG, 1967, S. 86). Es ist wichtig, daß aktive und passive Einstellungen des Arztes ständig wechseln. Einem ungerichteten Anstoß folgt das passiv abwartende Hören, auch wenn der Patient schweigt, bis die emotionelle Spannung ihren Höhepunkt überschritten hat. Dabei kommen Arzt und Patient sofort zu einem starken persönlichen Erlebnis, und — anders als bei dem sog. klassischen Vorgehen — zu einer emotionellen Wechselbeziehung. Die Bereitschaft, sich darauf einzulassen, zeichnet sich bald als etwas Einmaliges ab.

Hat der Patient auf diese Weise schon in der ersten Begegnung gelernt, sich frei assoziativ zu äußern, folgen die weiteren diagnostischen Schritte mit dem Einstellen auf den Beginn der Symptomatik und die Erhellung der Schicksalssituation (psychologische Konstellation vor Ausbruch der Symptomatik, s. S. 87). Das führt zu der Diagnostik des aktuellen Konfliktes, auf dessen Bedeutung schon bei der analytischen Psychotherapie hingewiesen wurde (s. S. 130).

Nach der Diagnostik wird, wenn eine aufdeckende Behandlung indiziert ist, das analytische Gespräch um den aktuellen Konflikt zentriert und alles bearbeitet, was mit ihm psychoreaktiv, charakterogen und konstitutionell in Beziehung steht. Dabei interessiert nicht nur das Vergangene, sondern ebenso das in die Zukunft Weisende.

Das erste Charakteristikum der steuernden Analyse liegt also in der thematischen Beschränkung der analytisch orientierten Gesprächsführung. Auswahl und Begrenzung werden aber nicht von vornherein festgelegt, sondern bestimmt durch den Patienten, durch Symptommanifestation und das zuerst sichtbar werdende Übertragungsziel.

Das zweite Charakteristikum der steuernden Analyse betrifft die emotionelle Ebene. Sie spielte schon immer in der Psychotherapie eine Rolle und wurde teilweise auch in der Hypnosetherapie besonders beachtet. Hier sprach und spricht man noch heute gerne von ‚Rapport'. Bei der modernen Definition der Suggestion geht man von der ‚affektiven Resonanzwirkung' aus als Basis eines zwischenmenschlichen Grundvollzuges (B. Stokvis u. M. Pflanz, 1966). Zur Wertung der emotionellen Faktoren in der seelischen Krankenbehandlung trug Freud entscheidend bei, als er ganz zu Beginn der Psychoanalyse zunächst befremdet die gefühlsmäßigen Reaktionen seiner Patienten erlebte. Bald aber erkannte er, daß sie mit der Behandlung in Verbindung stehen und beschrieb sie als ‚Übertragung'. Die Mutter- oder Vaterübertragungen seiner Patienten, die Freud regelmäßig beobachtete, dürften, abgesehen von dem wissenschaftlichen Interesse des Untersuchers an der frühen Kindheit, damals erheblich durch die Couchlage der Patienten bedingt gewesen sein. Diese äußere Haltung infantilisiert die Patienten so sehr, daß sich kindliche emotionelle Verhaltensweisen leichter mobilisieren als im Sitzen. Das Abweichen von der Couchlage und die Anregung zu freien Assoziationen im Sitzen dagegen verändern die Übertragungsdynamik in dem Sinne, daß sie sich nicht sofort auf Menschen aus der frühen Kindheit bezieht. Vielmehr zeigen sich hier Vorstufen, die ich 1956 als „Primärübertragung" bezeichnete. Dabei werden auf den Arzt Gefühle übertragen, die der Patient in früheren Lebensperioden anderen Menschen gegenüber hatte. Regt man ihn z. B. in der ersten Begegnung durch die Exploration mit ungerichteten Fragen und Anregungen zu freien Assoziationen an, kommt es meist erstaunlich schnell zu einem affektiven Brückenschlag, dem regelmäßig ein Übertragungsvorgang zugrunde liegt. Er läuft nicht ohne innere Gesetzmäßigkeiten ab. Die Primärübertragung fällt meist in eine labile Lebensperiode der menschlichen Entwicklung, wie in Beginn, Mitte oder Ende der Pubertät. Andere Primärübertragungen entstehen, wenn von konfliktbesetzten Lebensabschnitten nach wie vor eine starke Gefühlstönung ausgeht. Bei etwa 10 % der Patienten reicht die Primärübertragung bis in die frühe Kindheit, was vor allem bei abnormen Persönlichkeitsentwicklungen (s. S. 25), den Kernneurosen im Sinne vom Schultz, der Fall ist.

Die Primärübertragung wird für eine gezielte oder steuernde Analyse ausgenützt. Sobald in der Behandlung emotionelle Reaktionen des Patienten auftreten, sollen sie diagnostiziert werden, um das dahinterliegende Übertragungsziel zu erfassen. Das geschieht am besten durch eine Identifikationsfrage („An wen erinnere ich Sie?") oder durch Fragen nach der Empfindung in der jetzigen Begegnung und einer ähnlichen emotionellen Tönung in früheren Situationen. Ferner gibt der Patient oft spontane Hinweise. Bleiben sie aus oder sind sie nur indirekt zu erfahren, z. B. Fehlleistungen oder Träume, sollte man den soeben aufgezeigten Weg einschlagen. Das Wesentliche aber ist in diesem Abschnitt der Behandlung das bewußt herbeigeführte Sichtbarmachen des Übertragungszieles, das dadurch fixiert werden kann.

Bei den passiv-analytischen Methoden wird das Übertragungsziel nicht beachtet, bis die Figuren der frühen Kindheit auf der emotionellen Bildfläche erscheinen. Bei der hier geschilderten Form einer aktiv-analytischen Arbeit wird durch das Festhalten des Übertragungsziels die emotionelle Dynamik der Therapie gesteuert. Übertragungsneurosen werden dadurch weitgehend vermindert, wenn nicht gar vermieden. Daraus resultiert die Abkürzung der Behandlung als ganz wesentliches, aber letztlich indirektes Ergebnis.

Die einzelnen Schritte der steuernden Analyse sind folgende: Als erstes wird der aktuelle Konflikt genau diagnostiziert mit all seinen erlebnisreaktiven und charakterogenen Verzahnungen, seiner lebensgeschichtlichen Einordnung und der Abschätzung seiner Gewichtigkeit in Relation zu den Anlagefaktoren. Damit erfaßt man die „Schicksalssituation" und den Beginn der Symptommanifestation der abnormen seelischen Entwicklung.

Als zweites wird dem Patienten in steuernder analytischer Führung Einblick in die seelische Bedingung seiner Symptomatologie gegeben. Selbstverständlich ist es für viele Patienten nicht sinnvoll, sie dazu zu führen, die seelische Bedingung ihres Zustandes zu akzeptieren. Dann fällt aber konsequenterweise eine aufdeckende und einblickgebende Psychotherapie fort. Will man sie durchführen, ist das Akzeptieren des seelischen Faktors, d. h. hier der Einblick in die seelische Bedingung, eine conditio sine qua non.

Als drittes wird dem Patienten der Aufbau des aktuellen Konfliktes nahegebracht. Anstrengend ist es, den Patienten immer wieder steuernd im Gespräch an den aktuellen Konflikt heranzubringen, von dem er regelmäßig abdrängt.

Als vierter Schritt der steuernden Analyse, die in englischer Übersetzung als ‚focussed-' oder ‚conflict-centered analysis' bezeichnet wird, werden die sich ergebenden Möglichkeiten, aus der Konfliktsituation herauszukommen, mit dem Patienten entwickelt, wobei die aktiv-analytische Haltung des Arztes jetzt darin besteht, daß er sich mit jeder einzelnen Lösung vorübergehend vollständig identifiziert. So wird Schritt für Schritt die optimale Hilfe und Lösung für die Gesamtsituation des Patienten erarbeitet.

Als fünftes verlagert sich die Behandlung zunehmend auf eine Haltungs- oder Charakteranalyse mit dem Ziel, schwach entwickelte positive, bzw. nützliche Eigenschaften stärker zu entfalten.

Das Ende der Behandlung, ob klinisch oder ambulant, wird nach Möglichkeit nicht abrupt, sondern allmählich durchgeführt. Die Zeitabstände zwischen den Besprechungen werden ständig vergrößert, um den während der Therapie aufgebauten affektiven Bezügen Gelegenheit zu langsamer Umstrukturierung, bzw. zum Abbau zu geben. Die emotionellen Komponenten zwischen Arzt und Patient werden vom ersten Augenblick der Therapie an sorgfältig beachtet und die tieferen Schichten des Patienten durch Steuerung der Übertragungsdynamik so angeschnitten, wie es dem Verhältnis von möglichem Zeitaufwand und tragbarer analytischer Erschütterung optimal entspricht.

Die steuernde Analyse wird regelmäßig als zweigleisige Psychotherapie geführt (s. S. 156).

Weitere Formen einer aufdeckenden Psychotherapie sind: Anthropologische Psychotherapie (V. E. v. Gebsattel), Charakterkunde (F. Künkel), Daseinsanalyse (L. Binswanger), Kontaktpsychologie (E. Speer), Personale Psychotherapie (E. Carp), Psychokatharsis (J. Breuer u. L. Frank) und Schicksalsanalyse (L. Szondi), um nur einige der wichtigsten zu nennen.

Verhaltenstherapeutische Verfahren

Es ist nicht leicht, sich einen Überblick über die Verhaltenstherapie zu verschaffen, da es sich nicht um eine Einzeltechnik handelt, sondern um verschiedene z. T. stark voneinander abweichende Methoden, mit denen unangepaßte Verhaltensweisen umgewandelt werden sollen.

Die gemeinsame Basis der Verhaltenstherapie bildet die naturwissenschaftlich-experimentell orientierte Lernpsychologie. Danach ist Lernen ein Konditionierungsvorgang. Seit etwa 1948 versucht man, die Erkenntnisse der Lerntheorie systematisch auf die praktische Psychotherapie anzuwenden. Dabei negieren einige Autoren bewußt jeden tiefenpsychologischen Aspekt und sehen in den verschiedenen Formen des „Umkonditionierens" lediglich eine symptomorientierte Therapie (Dunlap, Eysenck, Rachman, Wolpe), andere wieder bemühen sich, eine Verbindung zwichen Tiefenpsychologie und Lerntheorie herzustellen (Dollard und Miller, Görres, Mowrer, Salter, Sanders).

Die Verhaltenstherapie entwickelte sich im Anschluß an Pawlows Arbeiten über „erlernte Reaktionen". Diese Bezeichnung trifft meiner Auffassung das, was gemeint ist, besser als „bedingte Reflexe", die sich leider im Sprachgebrauch eingebürgert haben, weil alle Autoren nicht auf Pawlows Originalarbeiten, sondern auf deutsche oder englische Übersetzungen zurückgegriffen haben. Da es sich bei sog. „bedingten Reflexen" nicht um einfach gebaute Reflexe handelt (wie z. B. der Patellarsehnenreflex), sondern um komplizierte Abläufe, spricht man besser von „Reaktionen".

Auch die Bezeichnungen „bedingt" und „unbedingt" sind sprachlich so unscharf, daß sie besser durch „angeboren" und „erlernt" ersetzt werden sollten, was meines Wissens gemeint ist. Neue Verhaltensweisen, die durch neue Zuordnungen von Reizen und Reaktionen entstanden sind, sollte man deshalb als „erlernte Reaktionen" bezeichnen.

Die Übernahme englischer Wörter, wie man sie gerade im Umkreis der Verhaltenstherapie findet, ist oft nicht besonders treffend. Da aber die internationale Verständigung immer notwendiger wird, muß man Kompromisse anstreben.

Das gilt einerseits für die Bezeichnung „Verhaltenstherapie" selbst, andererseits für „Konditionierung", womit gemeint ist: eine neue Bedingung setzen — und im weiteren Sinne: Lernen.

In der angloamerikanischen Literatur über Verhaltenstherapie wird meist global von „Neurosen" gesprochen. Gemeint sind damit nach unserer Einteilung: einfache abnorme seelische Entwicklungen, abnorme seelische Entwicklungen mit Komplexverselbständigung = neurotische Entwicklungen und neurotische Persönlichkeitsentwicklungen.

Die Verhaltenstherapie kann nach *verschiedenen Gesichtspunkten gegliedert* werden: in chronologischer Folge, nach methodischen Ansätzen, nach klinischen Symptomen oder, wie BERGOLD und SELG vorschlagen, nach Lerntechniken. Sie wählen eine erste Unterteilung in Aneignungstechniken, die neue Verhaltensweisen vermitteln, und in Beseitigungstechniken, die unerwünschtes Verhalten löschen. „Aneignungs- und Beseitigungstechniken müssen sich in fast jedem konkreten Fall durchdringen oder wechselseitig ablösen" (BERGOLD und SELG).

Wir haben uns dazu entschlossen, einige Formen verhaltenstherapeutischer Methoden nach chronologischen Gesichtspunkten darzustellen.

Die Anfänge der Verhaltenstherapie (PAWLOW und WATSON)

PAWLOW bemerkte um die Jahrhundertwende bei tierexperimentellen Untersuchungen, daß seine Versuchstiere (meist Hunde) auf akustische Reize hin Reaktionen zeigten (Speichel- und Magensekretion), die ihnen nicht angeboren waren.

Auf WATSON (USA) dagegen geht die „Wissenschaft vom Verhalten" zurück (Behaviorismus, ab 1913), aus der die Verhaltenstherapie (behavior therapy) entstand. WATSON verwarf alle herkömmlichen psychologischen Begriffe der Selbstbeobachtung (Empfinden, Denken, Wille), der Beschreibung von Bewußtseinsinhalten und der Übertragung der eigenen Erfahrung auf andere Menschen wegen der vielen Fehlerquellen. Er beschränkte sich auf die Grundkategorien Reiz und Reaktion und erforschte ihre gegenseitige Abhängigkeit. Verhalten entsteht nach Auffassung der Behavioristen aus der Erfahrung, ist also erlernt. „WATSON und seine Schüler können als die ersten Experimentatoren bezeichnet werden, die, weitgehend auf die Versuche und das Begriffsschema PAWLOWS gestützt, jene Methoden zur Beeinflussung von menschlichen Angstreaktionen anwendeten, die heute als Verhaltenstherapie im engeren Sinne bekannt sind" (BLÖSCHL, S. 20).

Um die festgestellten Ängste aufzuheben, verwendeten WATSON und Mitarbeiter zwischen 1920—1924 folgende Methoden: Vermeiden der angstauslösenden Reize, verbale Beeinflussung, negative Adaptation (gehäufte Darbietung des angstauslösenden Reizes), soziale Nachahmung (sozial induzierte Furcht durch positive soziale Suggestion aufzuheben) und direkte Konditionierung (angstauslösenden Reiz zu assoziieren mit einem Reiz, der positive emotionale Reaktionen auslöst). Nur die letzten beiden Methoden waren erfolgreich.

Therapie durch negative Übung (negative practice)

Sie wurde von DUNLAP ab 1928 entwickelt. Er geht von dem Gedanken aus, daß eine Reaktion durch Wiederholung dann verschwinden kann, wenn man sich beibringt, wie etwas *nicht* gemacht werden soll. „Unter diesen Umständen liegt es nahe, unangepaßte Verhaltensweisen, die als gelernte ‚schlechte Gewohnheiten' aufgefaßt werden, durch willkürliche Wiederholung eben dieser Verhaltensweisen verlernen zu lassen" (BLÖSCHL, 1969, S. 30).

Vereinfachend ausgedrückt beruht der therapeutische Effekt negativer Übung auf der Annahme, daß Störungen durch Ermüdungs- bzw. Sättigungserscheinungen aufhören. Ein Patient mit funktioneller Sprachstörung, z. B., soll sein Symptom absichtlich imitieren und gerade das tun, wovor er Angst hat, nämlich sprechen. Dieses Verfahren erinnert in der Anwendung an die paradoxen Intentionen nach FRANKL (s. S. 135).

Indiziert sind negative Übungen bei Sprachstörungen, Bewegungsstereotypien (Tics) und Impotenzsyndromen. Die Therapie kann nur dort angewendet werden, wo sie zumutbar ist.

Als eine Art negativer Übung kann man auch das *emotionelle Überfluten* (emotional flooding) auffassen. Die Patienten werden gehäuft dem Objekt ihrer Furcht ausgesetzt, ohne ausweichen zu können. (Tiere werden dabei in ihrer Bewegungsfreiheit gehindert.) Im Gegensatz zu Tierversuchen konnten bei Menschen mit dem Überfluten, um Furcht auszulöschen, keine positiven Ergebnisse erreicht werden. Gelegentlich verschlimmerten sich sogar die Symptome.

Selbstbehauptungstraining (assertive training)

Salter (ab 1949) ging aus von den Vorstellungen Pawlows, daß Erregung und Hemmung im Mittelpunkt der höheren Nerventätigkeit stehen, wobei Erregungen im Zentralnervensystem zu Reaktionen führen und Hemmungen sie abschwächen. Salter fand, daß das subtile Gleichgewicht zwischen Erregung und Hemmung beim ‚Neurotiker' dadurch gestört sei, daß „die Hemmungsprozesse in extremer Weise dominieren" (Blöschl, 1969, S. 37).

Im Gegensatz zu dem Vorgehen vieler anderer Verhaltenstherapeuten ist Salters Methode nicht symptomzentriert, sondern er versucht, die grundlegenden Merkmale der Persönlichkeit durch neue Lernprozesse zu ändern.

Seiner Ansicht nach werden durch Umwelteinflüsse die natürlichen Impulse (Fühlen und Handeln) schon in der frühkindlichen Erziehung unterdrückt. Um diese Hemmungen aufzuheben und die natürlichen Erregungsprozesse ablaufen zu lassen, entwickelte Salter Verhaltensregeln, die seine Patienten im täglichen Leben üben sollen:

Alle Emotionen werden spontan verbalisiert und auch im Mienenspiel ausgedrückt. In Auseinandersetzung mit der Umwelt soll keine Übereinstimmung simuliert, sondern ein Gegensatz entwickelt und das Wort „ich" möglichst vorsätzlich gebraucht werden. Lob und Selbstlob sollen sich ergänzen, die Bedeutung spontanen Handelns akzentuiert werden.

Indiziert ist das Selbstbehauptungstraining vor allem bei gehemmten Menschen, gleichgültig, wodurch die Hemmungen im einzelnen entstanden sind, d. h. ob sie mehr Ausdruck des Charakters oder durch Erlebnisse bedingt sind.

Lernpsychologische analytisch-orientierte Therapie

Schon relativ früh wurden tiefenpsychologische Konzepte mit der experimentellen Lernpsychologie verbunden. Das geschah am eindrücklichsten durch Dollard und Miller (1950). Obwohl sie annehmen, daß die Symptome nach lerntheoretischen Gesetzen entstanden sind, ist ihre Psychotherapie wie bei Salter nicht symptomzentriert.

Die beiden Autoren gehen aus von der Hullschen Lerntheorie, die besagt, daß bestimmte Verhaltensweisen des Individuums auf Reize beibehalten und wiederholt, also gelernt werden, wenn durch die Reaktion eine Triebspannung im Organismus vermindert werden kann. Die Herabsetzung wirkt entspannend und „verstärkt die Verbindung zwischen dem betreffenden Reiz und der Reaktion, die zum Erfolg geführt hat" (Blöschl, 1969, S. 44).

Außer diesem Gesetz der „primären Verstärkung" wurden zwei Annahmen zugrundegelegt, die für lernpsychologische Erklärungsversuche von Verhaltensstörungen bedeutsam sind: Das Prinzip der „sekundären Verstärkung" (neutrale Reize können sich mit Triebreizen zu „gelernten Triebreizen" verbinden) und das Prinzip der „sekundären Motivation" (neutrale Reize können, mit primären Verstärkungen gekoppelt, zu „gelernten Verstärkungen" werden). Von Thorndike übernahmen Dollard und Miller, daß der Lerneffekt auch ohne Wissen des Individuums eintritt.

Ihrer Theorie entsprechend, unterscheiden Dollard und Miller zwei Stadien, die eine seelische Störung bedingen:

Entstehen einer Basisproblematik und
Erlernen der Symptome.

Eine Basisproblematik kann in der frühen Kindheit entstehen während der vier wichtigsten Lernsituationen:

Nahrungsaufnahme, Sauberkeitsstraining, Sexualerziehung und Zorn-Angst-Konflikte bei Versuchen, selbständig zu handeln.

Während der Nahrungsaufnahme z. B. bildet sich im Kind die soziale Zuwendung aus, weil es die Befriedigung seines Hungers assoziiert mit der Anwesenheit anderer Menschen. Wird aber stets ein langer unlustbetonter Hungerzustand mit Alleinsein gekoppelt, empfindet das Kind durch die erhöhte Triebspannung auch das Alleinsein unlustbetont und es versucht, selbst ohne Hunger unter Menschen zu sein. Wird dieses Verlangen bestraft, entsteht ein Konflikt zwischen Angst vor Strafe und Angst vor dem Alleinsein.

Da das Kind diese Grundhaltungen in einer Zeit lernt, in der es noch nicht sprechen kann, bleiben seine Erfahrungen in einem präverbalen Bereich. Weil zwischen verbaler Formulierung und Bewußtwerden enge Beziehungen bestehen — bewußt ist nach Miller, was ausgesprochen werden kann — bleiben also die meisten Basiserfahrungen unbewußt. Wird dort, wo verbale Formulierungen schon ansatzweise möglich sind, durch Bestrafen Angst erzeugt — die Angst gehört zu den wichtigsten „erlernten Trieben" — greift sie auf das innere Sprechen (= Denken) über. Die ‚Verdrängung', auf diese Weise gelernt, hindert später den Erwachsenen daran, Konflikte durch seine intellektuellen Fähigkeiten rational zu lösen.

Auch nach Auffassung von Dollard und Miller durchlaufen abnorme seelische Entwicklungen mehrere Stadien (s. S. 19).

In der Behandlung nehmen die Autoren eine Mittelstellung zwischen psychoanalytischen und verhaltenstherapeutischen Auffassungen ein. Stark angstbesetzte Gedanken sollen ausgesprochen werden. Der

Patient erfährt, daß die gefürchtete Bestrafung ausbleibt und die Angst allmählich ausgelöscht wird.

Dadurch läßt nicht nur der Leidensdruck nach, sondern die zuvor geschilderten unterdrückten Denkvorgänge werden aufgehoben, so daß der Patient „verbale Bezeichnungen für Emotionen lernt, die bis dahin unverbalisiert und daher einer rationalen Handhabung nicht zugänglich waren" (Blöschl, 1969, S. 51). Seine kognitiven Fähigkeiten werden ferner geschärft, indem er lernt, seine Unterscheidungsfähigkeit zu verbessern und auf verschiedene Reize mit verschiedenen Reaktionen zu antworten.

Zu den wichtigsten Therapiesituationen gehören nach Dollard und Miller die Differenzierung zwischen vergangener und gegenwärtiger Lebenssituation (Hilflosigkeit und Ungebundenheit des Kindes gegenüber angstfreiem Verantwortungsbewußtsein des Erwachsenen) und zwischen Denken und Handeln.

Für eine derartige Behandlung reicht nur intellektuelles Lernen nicht aus. Dem Patienten werden wie in der traditionellen Psychotherapie emotionelle Erfahrungen vermittelt, die der Wir-Bildung bei der Suggestion, der Übertragung in der Psychoanalyse oder der Projektion in der analytischen Therapie weitgehend entsprechen.

Nach Auffassung von Dollard und Miller werden in der Behandlungssituation vor allem Konflikte zwischen einer Annäherungs- und einer Vermeidungstendenz (approach-avoidance-conflict) aktuell (z. B. Auflehnung gegen eine Autoritätsperson und Angst vor Strafe) und unbemerkt auf den Therapeuten übertragen. Gestützt auf tierexperimentelle Untersuchungen nimmt man an, daß die Annäherungstendenz in der Nähe des Zieles schwächer, die Vermeidungstendenz dagegen stärker wird. Deshalb muß zunächst die Angsthaltung abgebaut werden, um die Annäherungstendenz zu steigern. Die Gefühle werden wie oben beschrieben gemeinsam verbalisiert und die Unterschiede zwischen früherer und jetziger Lebenssituation herausgearbeitet.

Therapie durch reziproke Hemmung (reciprocal inhibition)

In entschiedenem Gegensatz zur Psychoanalyse stellte der südafrikanische Psychiater Wolpe, gestützt auf Pawlow und Hull, falsch gelerntes Verhalten in den Mittelpunkt jeder seelischen Störung. Er entwickelte daraus die Methode der „reziproken Hemmung" als Kern jeder Psychotherapie (ab 1950).

Gelernt wird dadurch, daß die Leitungsfähigkeit in bestimmten neuronalen Ketten erhöht wird. Umgekehrt erreicht eine Erniedrigung der Leitungsfähigkeit durch Hemmungsmechanismen ein *Ver*lernen.

Wendet man diese Tatsache systematisch an, entsteht daraus eine „Verlerntherapie", in der eine unerwünscht auftretende Reaktion durch einen unangenehmen Reiz so oft gehemmt wird, bis die unerwünschte Reaktion, d. i. das Symptom, verschwunden ist.

Eine phobische Verhaltensweise, z. B., wird gekoppelt mit einem durch Strom erzeugten Schmerzreiz. Die motorische Reaktion, mit der der Patient darauf antwortet, wirkt der Angstreaktion entgegen (= reziproke Hemmung).

Wolpe beschreibt spezielle Konditionierungstechniken, die aus tierexperimentellen Lernversuchen entwickelt wurden:

Konditionierung von „Angst-Unterbrechungsreaktionen"

Der Patient kann einen elektrischen Schmerzreiz sofort unterbrechen, wenn er laut das Wort „ruhig" ausspricht, sobald das mit dem Reiz verbundene Unlustgefühl zu stark wird. Nach mehreren Sitzungen genügt das Wort „ruhig", Angstgefühle herabzusetzen.

Vermeidungstraining bei Zwangssymptomen

Nicht Angst, sondern eine starke Annäherungsreaktion (Zwang) soll durch reziproke Hemmung eliminiert werden. Während sich der Patient eine Zwangsreaktion vorstellt, wird ihm ein elektrisch erzeugter Schmerzreiz zugefügt. Während einer Behandlung werden 5—20 derartige Auslöschreize gesetzt.

Aversionstherapie

Nicht eine Furchtreaktion, sondern ein Lustgewinn soll durch unangenehm wirkende Reize blockiert werden, um störende Verhaltensweisen zu vermeiden.

Die klassische Methode der Aversionstherapie mit übelkeiterregenden Drogen z. B. gegen Alkoholismus wird heute nur noch selten angewendet. Bessere Ergebnisse erreicht man mit Stromimpulsen als negative Reize oder mit akustischen Signalen.

Auch Furcht vor drohendem Verlust positiver Bekräftigung, wie sie in der Therapie nach Skinner (operant conditioning) angewendet wird, kann als Aversionstherapie aufgefaßt werden.

Negativ bei den üblichen Aversionsverfahren wirkt sich aus, daß die störenden oder schmerzhaften Reize leicht zu verstärkter Furcht und damit zu Aggressionshaltungen führen können.

Eine neue Richtung in der Aversionstherapie schlägt Cautela (1967) ein, der aversive Reize nur in der Vorstellung aufkommen läßt (coverant control). Ein Patient, der sich z. B. das Rauchen abgewöhnen möchte, soll sich die nachteiligen Wirkungen des Rauchens und anschließend die positiven Konsequenzen des Nichtrauchens vorstellen und sich zuletzt selbst belohnen.

Desensitivierungsverfahren

Eines der wichtigsten Verfahren innerhalb der Therapie durch reziproke Hemmung ist die Desensitivierung — manchmal auch als Desensibilisierung bezeichnet — um eine unerwünschte Reaktion (z. B. Furcht) durch eine entgegenwirkende Reaktion zu hemmen. WOLPE, LAZARUS und RACHMAN sind die Hauptvertreter.

Alle Desensitivierungsverfahren werden im Zustand einer Tiefenentspannung durchgeführt, wofür im angloamerikanischen Raum die „progressive relaxation" nach JACOBSON verwendet wird. (Es handelt sich um ein aktiv-autohypnoides Verfahren, das im Vergleich zum autogenen Training mehr Nachteile als Vorteile hat.) Da von einem unterwachen Bewußtseinszustand ausgegangen wird, ist das suggestive bzw. das heterohypnotische Element bei der Behandlung bedeutsam. Diese Tatsache wird leider häufig nicht scharf genug gesehen oder sogar ausgeklammert, um ausschließlich die spezifisch verhaltenstherapeutischen Elemente zu betonen.

Bei allen Desensitivierungsverfahren wird zuerst eine „subjektive Angstskala" erarbeitet, wobei das höchste Maß der vom Patienten erlebten oder vorgestellten Angst den Wert 100 bekommt. Am unteren Ende der Skala wird Entspannung und Angstfreiheit mit 0 bezeichnet. Die Stärke der Angst soll vom Patienten in dieser Skala in „sud" (*s*ubjective *u*nit of *d*isturbance) ausgedrückt werden.

Varianten der Desensitivierungstechnik sind nach WOLPE und LAZARUS:

In-vivo-Desensitivierung: Die Patienten werden real statt nur gedanklich mit ihren angstauslösenden Reizen konfrontiert (z. B. mit einer Katze in verschiedenen Abständen, je nach Angstskala).

Gruppen-Desensitivierung: Haben mehrere Patienten eine furchthafte Einstellung vor demselben Objekt, wird in der Gruppe eine systematische Desensitivierung durchgeführt, wobei auf der Angstskala erst weitergegangen wird, wenn sich alle Patienten die erarbeitete Stufe angstfrei vorstellen können.

Vorstellungs-Desensitivierung (emotive images): Diese Methode hat sich vor allem bei phobischen Kindern bewährt. Das Kind wird aufgefordert, mit geschlossenen Augen einer Geschichte zuzuhören, in der anfangs rein positive Wunschbilder ausgemalt und mit dem Gefühl des Heldenhaften, der Bewährung oder der Geborgenheit verbunden werden (z. B. Junge mit Hundephobie will Flieger werden). Sind die entsprechenden positiven Emotionen geweckt, wird vorsichtig das furchterregende Objekt mit steigender Intensität je nach Angstskala in die Geschichte eingeflochten. Die Methode kann auch bei Erwachsenen im Entspannungszustand angewendet werden.

Desensitivierung mit Hilfe von galvanischen Schmerzreizen: Dem Patienten werden in Verbindung mit hierarchisch geordneten Angstvorstellungen Schmerzen durch galvanische Reize appliziert, um die Angsthaltungen zu vermindern, wobei sowohl die Reize pro Minute als auch die Stromstärke variiert werden kann. Man führt die Angstabnahme auf „äußere Hemmung" i. S. PAWLOWS, d. h. auf Ablenkungsphänomene zurück.

Desensitivierung mit Hilfe von Medikamenten: Zur Zeit wird die Möglichkeit untersucht, eine Desensitivierung mit Hilfe von Medikamenten (Injektion) statt durch Entspannungsübungen einzuleiten. Das Verfahren wurde 1966 von FRIEDMANN angeregt. Es soll die Dauer der Sitzungen verkürzen und für Patienten geeignet sein, die sich schlecht oder gar nicht entspannen können.

Therapie durch Handlung (operant conditioning)

Eine weitere Gruppe verhaltenstherapeutischer Ansätze kristallisiert sich um den Lerntheoretiker SKINNER, der sich wie WATSON nur auf beobachtbare Daten stützt. Er vertritt ähnliche Grundprinzipien wie HULL, obwohl sein System von dem üblichen Reiz-Reaktions-Modell abweicht (1950).

Beim Lernen durch Handlung (operant conditioning) sollen Fehlhaltungen durch Erwerben und Beibehalten komplexer Reaktionen umgeformt werden.

SKINNER unterscheidet Lernvorgänge, die durch bekannte Reize hervorgerufen werden (= erlernte Reaktionen i. S. PAWLOWS) und Lernvorgänge, bei denen der auslösende Reiz nicht eindeutig erkennbar ist. Während beim klassischen Experiment der Lernprozeß passiv abläuft (Speichelsekretion auf Klingelzeichen), ist der Patient beim „Lernen durch Handlung" aktiv beteiligt. Gelernt wird, indem eine Anpassungsreaktion durch Verstärkung (Belohnung oder Strafe) gefestigt wird (Tier in der Skinner-Box muß Hebel drücken, damit Futter fällt). Dabei ist es wichtig, daß die Verstärkung nicht mehr mit dem Reiz, sondern nur mit der Reaktion verbunden ist. „Was sich durch Belohnung und Bestrafungen verändert, ist die Häufigkeit, d. h. die Wahrscheinlichkeit einer bestimmten Verhaltensweise ... Die Definition eines Verstärkers ist dabei rein verhaltenszentriert: Ereignisse, auf die eine Veränderung von Verhaltenshäufigkeiten folgt, haben verstärkende Wirkung" (BLÖSCHL, 1969, S. 102 f.).

Nach SKINNERS System wurden verschiedene „Verstärkungspläne" (schedules of reinforcement) entwickelt, die die gewünschte Reaktion in verschiedenen Zeitabständen belohnen, z. B.: kontinuierliche Verstärkung, konstante Intervallverstärkung, variable Intervallverstärkung, konstante Häufigkeitsverstärkung (Quotenverstärkung nach Blöschl) und variable Häufigkeitsverstärkung.

Skinner beschrieb folgende lernpsychologische Aspekte in der Psychotherapie: Der Arzt muß dem Patienten eine gute Quelle der Verstärkung werden. Zunächst beruht die ärztliche Verstärkungsmöglichkeit in dem Prestige der Arztrolle (freie Arztwahl des Patienten). Findet ein positiver Übertragungsvorgang statt, nimmt die Verstärkerfunktion zu, so daß der Patient immer leichter dazu gebracht werden kann, gewisse Handlungen durchzuführen und andere zu unterlassen. Dadurch, daß der Arzt keine bestrafende Instanz ist, können Angst- und Schuldgefühle des Patienten abgebaut werden.

Die tiefenpsychologische Interpretation seelischer Störungen sieht Skinner als überflüssig an. Verändert werden muß ausschließlich das Verhalten. Ebenso wie bei Eysenck, Rachman und Wolpe werden also Neurose und Symptom im wesentlichen gleichgesetzt.

Eysencks Beitrag zur Verhaltenstherapie

Obwohl Eysenck keine neuen verhaltenstherapeutischen Methoden entwickelte, hat er durch seine Publikations- und Herausgebertätigkeit die Verhaltenstherapie sehr gefördert (ab 1959).

Nach Eysenck, Lazarus und Rachman entsprechen den zwei Hauptklassen seelischer Störungen, nämlich den zu stark gelernten Verhaltensweisen (surplus conditioned reactions) und den zu schwach gelernten Verhaltensweisen (deficient conditioned reactions), zwei verhaltenstherapeutische Behandlungsformen: die Abschwächung bzw. Elimination von Reaktionen und die Festigung bzw. das Erwerben von Reaktionen.

Zwei wesentliche Unterschiede gegenüber vielen tiefenpsychologischen Schulen, vor allem der Psychoanalyse, bestimmen die Gedankengänge Eysencks:

1. Es gibt keine Neurose ohne Symptom, sondern nur das Symptom selbst. Hat man den Patienten vom Symptom befreit, so hat man die Neurose ausgeschaltet.

2. Seelische Störungen, d. h. also Verhaltensstörungen, entstehen im Laufe des ganzen Lebens, und nicht nur in der frühen Kindheit, durch eine Summation falscher Lernvorgänge.

Eysencks Dreistadientheorie trägt viel zum Verständnis einfacher seelischer Entwicklungen bei (Eysenck spricht von ‚phase', was wir korrekterweise mit ‚Stadien' übersetzen, s. S. 13).

Im ersten Stadium führen subtraumatische Ereignisse zu starken vegetativen Reaktionen.

Im zweiten Stadium entsteht der substantielle Lernprozeß, indem ein neutraler Reiz durch Assoziation mit dem traumatischen Ereignis die angstauslösende Reaktion erzeugt.

(Pawlow und Eysenck glauben im Gegensatz zu den Beobachtungen anderer Autoren, daß nach gewisser Zeit eine spontane Remission = Selbstheilung einsetzt, wenn der auslösende Reiz wegfällt.) Kommt es zum dritten Stadium, so wird die zweite falsche Verhaltensweise erlernt, nämlich das gefürchtete Objekt zu vermeiden, wodurch das Auslöschen verhindert wird.

Zu den zu stark gelernten falschen Verhaltensweisen gehören nach unserer Einteilung: diffuse Angstsyndrome, phobische Neurosen im engeren Sinne, Zwangsneurosen im engeren Sinne und die meisten hysterischen Syndrome. Hier muß durch geeignete Konditionierung die gestörte Verhaltensweise umgelernt werden, z. B. durch eine der oben beschriebenen Desensitivierungsmethoden oder ein ähnliches Verfahren.

Faßt man die verschiedenen *verhaltenstherapeutischen Gesichtspunkte* zusammen, so ergeben sich einzelne charakteristische Schritte, die jeweils etwas variieren:

1. Im Anfangsstadium des Lernvorgangs werden gemeinsam mit dem Therapeuten die Gründe des unerwünschten Verhaltens, die zur seelischen Störung geführt haben, erforscht. Schon in diesem Stadium werden die emotionellen Beziehungen zwischen Arzt und Patient aufgebaut. (Sie werden von einigen verhaltenstherapeutischen Richtungen nicht beachtet, teilweise sogar abgelehnt.)

2. Die neuen Verhaltensweisen werden eingeübt, wobei der Arzt Information und Verstärkung liefert. Wahrnehmungslernen und Handlungslernen führen zur „Einsicht", wobei Zuwendung und Anerkennung die wichtigsten Quellen der Belohnung sind.

3. Die in der Behandlungssituation erworbenen geänderten Verhaltensweisen werden auf die wirkliche Lebenssituation übertragen und angewendet. Gruppentherapie (z. B. soziale Nachahmung oder Gruppen-Desensitivierung) beschleunigt den Vorgang.

Die Verhaltenstherapie dringt mit großer Vehemenz und manchmal mit dem Anspruch, etwas bisher Nie-Dagewesenes zu vermitteln, in den Bereich seelischer Krankenbehandlung ein. Bei kritischer Würdigung muß man feststellen, daß sie oft methodisch bewußt alte therapeutische Grundvorstellungen, wie z. B. den pädagogischen

Aspekt im ärztlichen Handeln, verwirklichen möchte. Es wäre eine reizvolle Aufgabe, diese Aussage im einzelnen zu beweisen, sprengt aber den Rahmen dieser Einführung.

Gruppenpsychotherapie

Bei den bisher beschriebenen stützenden und aufdeckenden Methoden wurde im wesentlichen von einer Einzelbehandlung ausgegangen. Gruppenbehandlungen lassen sich in der Geschichte der Medizin immer wieder nachweisen: im Papyros Ebers, im Tempelschlaf in Epidauros, bei GALEN, in den klösterlichen Gruppen des Mittelalters usw.

Die wissenschaftliche Periode der Gruppenpsychotherapie beginnt mit LE BON (Psychologie des foules, 1885). Das Hineinstrahlen gruppenpsychologischer Aspekte in die Medizin aber beginnt erst um 1930. (Vereinzelt lassen sich Veröffentlichungen nachweisen, die sich schon früher mit Gruppenbehandlungen befassen, wie CAMUS und PRAGNITZ (1904) und die Klassentherapie von PRATT.) Zu Beginn des 20. Jahrhunderts tauchen unabhängig voneinander einzelne Arbeiten auf, die sich mit dem Thema Gruppentherapie beschäftigen. Der gemeinsame Impuls aber dürfte darin zu suchen sein, daß die technische Revolution es notwendig machte, den Menschen nicht nur als Einzelwesen, sondern gleichzeitig als Teil eines sozialen Gebildes zu sehen. So wie die Technik die Oberfläche der Erde verändert, strukturiert sie auch den Menschen um und mobilisiert Instinktgruppen, die früher nicht so stark angesprochen wurden. Das betrifft vor allem die sozialen Instinkte und die mit ihnen zusammenhängenden Haltungen.

Deshalb ist der Mensch selbst die gemeinsame Quelle der Gruppentherapie zu Beginn einer neuen Entwicklung, die durch die ersten technischen Erfindungen eingeleitet wurde. Das erklärt auch, warum ein chronologisches Aufzählen von Arbeiten zum Thema Gruppentherapie ein falsches Bild ergibt. Ebenso meint SLAVSON: „Vielmehr enthüllt sich in eindrucksvoller Klarheit, daß es an Stelle einer einzigen Quelle in Wirklichkeit vier oder fünf voneinander völlig unabhängige Anfänge und Entwicklungsrichtungen gibt. Daß dies so ist, geht u. a. daraus hervor, daß viele dieser Richtungen dynamisch und theoretisch nicht miteinander verbunden sind und ihre Methoden wenig Gemeinsames haben. Ferner läßt sich erkennen, daß einige dieser Theorien und Anwendungsmethoden nicht einmal von Vorläufern der Gruppenpsychotherapie stammen, sondern sich vielmehr aus Schulrichtungen und -auffassungen der Individualpsychologie, Psychiatrie, Psychotherapie und sogar von der Soziologie und Philosophie ableiten lassen" (SLAVSON in PREUSS, 1966, S. 3). Das also heißt: Am Beginn der wissenschaftlichen Gruppentherapie steht die Umorientierung der Ärzte in ihren verschiedenen Wirkungsbereichen auf das soziologische Phänomen Mensch. „Der Mensch in der Gruppe", wie BATTEGAY bezeichnenderweise seine zweibändige Monographie nennt, ergänzt somit den Patienten als Einzelerscheinung.

Anfang der 30er Jahre änderten sich die Bezeichnungen für das, was da und dort neu geschah. Nun tauchen die Bezeichnungen „Gruppentherapie" und Gruppenpsychotherapie" auf und werden erstmalig von MORENO und SLAVSON benutzt. Bis heute sind beide Begriffe nicht klar voneinander abgegrenzt und werden unterschiedlich gebraucht. Folgende Definition entstand durch die Praxis:

Von ‚Gruppenpsychotherapie' sollte immer dann gesprochen werden, wenn mit oder durch Gruppen die seelische Krankenbehandlung im Vordergrund steht wie bei der analytisch-orientierten Gruppenpsychotherapie, den verschiedenen Formen des Psychodramas, der Soziometrie und der gemeinsamen Durchführung des autogenen Trainings. Diese Typen einer Gruppenpsychotherapie habe ich früher bei synonymer Bezeichnung von Gruppenpsychotherapie und Gruppentherapie als ‚direkte Gruppentherapie' bezeichnet.

Spielt dagegen die seelische Krankenbehandlung innerhalb gruppentherapeutischer Bemühungen keine dominierende Rolle, spricht man besser von ‚Gruppentherapie'.

Das Bild, das die Gruppentherapie der letzten Jahre bietet, ist so bunt wie kaum ein anderer Bereich der Psychotherapie. Das zeigt, wie sehr der Mensch selbst als soziales Wesen bestimmend auf die Gruppentherapie wirkt. Trotz der Unterschiede lassen sich aber Gemeinsamkeiten finden, die durch gruppenpsychologische Grundsätze bestimmt sind:

1. Die Patienten konstituieren kollektiv gerade die Norm, von der sie individuell abweichen.
2. Die Affektivität des einzelnen ist gesteigert.
3. Es besteht innerhalb der Gruppe die Möglichkeit zu zahlreichen Affektprojektionen analog dem realen Leben. Die Übertragungen zum Führer der Gruppe werden verstärkt, wodurch sich der suggestive Einfluß erhöht. Negative Haltungen einzelner werden beim Überwiegen positiver Übertragungen der Mehrheit durch die Aufnahme in die Gruppen gewissermaßen umgeschmolzen.
4. Zwischen den einzelnen Gruppenmitgliedern entsteht im Laufe der Zeit „eine Verbindung in der Distanz" (LANGEN).
5. Einmal aufgenommen, haben die Patienten ein starkes Bedürfnis, in der Gruppenverbindung zu bleiben.

6. Krankhafte Symptome einzelner werden durch Mitverstehen der Gruppe leichter ertragen, so daß sich die Selbstheilungstendenzen der Persönlichkeit besser entfalten können. Dadurch unterstützt die Gruppe sogar eine individuelle Entfaltung.
7. Bei entsprechender Leitung helfen sich die Patienten gegenseitig und fördern damit die Therapie.
8. Die Patienten können in der geschaffenen Atmosphäre der gegenseitigen Achtung, des Wohlwollens und der Hilfsbereitschaft in gewissen Grenzen über ihre ganz persönlichen Dinge sprechen.

Nimmt man die *Größe der Gruppe* als bestimmendes Element für die Unterscheidung, läßt sich die Gruppentherapie von einer Kollektiv-, Massen- und Klassentherapie abgrenzen. Die erste sog. Gruppentherapie von PRATT wäre eine solche Klassentherapie.

Eine Gruppe ist ein „hochorganisiertes soziales Gebilde", das aus einer meist kleinen Zahl wechselseitig in Beziehung stehender Individuen zusammengesetzt ist. „Die *Gruppe* besteht aus einem *Füreinander* von gefühls- und verstandesgemäß verbundenen Mitgliedern, von denen jedes eine bestimmte Funktion im Kollektiv ausübt" (BATTEGAY, Bd. 1, S. 11).

In der Masse besteht ein Miteinander affektiv und triebdynamisch gleichgeschalteter Mitglieder. In der Menge stehen die einzelnen nebeneinander, ohne gefühlsmäßig oder intellektuell verbunden zu sein. SLAVSON stellte vier grundlegende Merkmale der Gruppenpsychotherapie heraus:

Der erste charakteristische Grundzug ist die Größe. Eine Gruppe von 8—10 Mitgliedern hat die größtmögliche Wirkung.

Das zweite Merkmal ist die Funktion des Gruppenleiters, der sich als Primus inter pares außerhalb der emotionellen Brennpunkte befindet und lediglich fachmännisch registrierend allgemein aktivierend wirkt.

Das dritte Charakteristikum ist die Strukturiertheit der Gruppe, d. h., daß die Mitglieder nach diagnostischen Kriterien ausgewählt werden.

Das vierte Kennzeichen ist die Freiheit und Spontaneität der Aussprache (s. SLAVSON in PREUSS, 1966, S. 5/6).

Durch diese vier Charakteristika ist die therapeutische Gruppe von allen anderen Gruppen unterschieden und gekennzeichnet.

Abgesehen von der Größe der Gruppe lassen sich gruppenpsychotherapeutische Möglichkeiten noch einteilen in *verbale* und *averbale* Gruppenpsychotherapie:

Beschäftigungs-, Arbeits- und Musiktherapie (im anglo-amerikanischen Sprachgebrauch als „activity-groups", von BATTEGAY als „Aktivitätsgruppenpsychotherapie" bezeichnet) ist averbale Gruppentherapie. Dazu gehört auch die Spieltherapie mit Kindern. Mit ihr hatte SLAVSON 1934 begonnen und dabei erstmalig festgestellt, daß „die Gruppe per se das therapeutische Potential enthält" (in PREUSS S. 4). Um es zur Wirkung zu bringen, müssen aber die Wechselbeziehungen überschaubar, d. h. die gruppenpsychologischen Gesichtspunkte gewahrt bleiben.

Bei den verbalen Formen der Gruppentherapie sind die therapeutischen Aussprachegruppen die wichtigsten, sie ergaben die meisten gruppenpsychologischen Befunde.

Eine dritte grundsätzliche Einteilung der Gruppenpsychotherapie ist schließlich wie in der Einzelbehandlung durch die Gegenüberstellung analytisch und stützend gegeben. Die analytisch-orientierten Gruppendiskussionen sind das Kernstück der Gruppenpsychotherapie. Sie variieren stark in der Methode. Im allgemeinen ist eine passivere ärztliche Haltung gut möglich, da von den Gruppenmitgliedern genügend Aktivität ausgeht.

Methodisch wichtig sind folgende Einstellungen des Gruppenleiters: Zunächst einmal muß er bestrebt sein, aus der auf ihn zentrierten emotionellen Einstellung der Patienten herauszukommen. Als zweites muß er danach trachten, daß die Gespräche der Patienten an das Persönliche herangeführt werden und nicht im Theoretischen verflachen. Als drittes wird er gelegentlich der Gruppe die psychodynamischen Vorgänge erklären. Viertens muß er gelegentlich überdurchschnittlich aktive Patienten zurückhalten und zu stille etwas aktivieren. Alles übrige erarbeitet sich die Gruppe selbst.

Der analytischen Gruppentherapie gegenüber steht die gemeinsame Durchführung stützender psychotherapeutischer Verfahren, wie z. B. das autogene Training oder ähnliche gemeinsam praktizierbare Behandlungen. Der große Vorteil ist, daß die Patienten die Übungen schneller realisieren, weil sie von ihren Mitpatienten hören, wie sie die Übungen erleben.

Wichtig ist die Zusammensetzung der Gruppe. Hier läßt sich eine abfallende Rangordnung der homogenisierenden Faktoren angeben: Lebensalter, Intelligenz, Geschlecht, gleiche Symptome, gleicher Konflikt. Je mehr es gelingt, Altersgleichheit der Gruppenmitglieder zu erzielen, desto besser ist das gegenseitige Verstehen. Die Frage der Kombination von stützenden und analytischen Verfahren in derselben Gruppe kann ebenso bejaht werden wie in der Einzeltherapie (s. zweigleisige Psychotherapie S. 156).

Zwei Wege bieten sich an:

1. Den Gruppenmitgliedern wird das autogene Training beigebracht. Die ersten Gruppendiskussionen lagern sich zwangsläufig um das

autogene Training. Wesentlich ist nur, daß man auch dabei in der Lage ist, eine analytische Haltung einzunehmen und im Prinzip weiß oder erfahren hat, wie analytisch orientierte Gruppendiskussionen zu steuern sind. Anschließend muß man vorübergehend aktiv werden, um die Gruppe zur Diskussion persönlicher Probleme hinzuführen. Schwebt dieses Ziel als Aufgabe vor, gelingt es erfahrungsgemäß ohne direktes dirigierendes Eingreifen. Jeder Schritt weg von dem Bericht über die Erlebnisse beim autogenen Training sollte genutzt werden, jede Andeutung über andere Fragen ein Fingerzeig für den richtigen Zeitpunkt sein, um mit der Gruppe auch andere Fragen zu besprechen.

2. Ist von vornherein eine analytisch-orientierte Gruppentherapie geplant, sollte, nachdem die Behandlung einige Zeit in der gewünschten Form gelaufen ist, gegen Ende der einzelnen Gruppendiskussionen das autogene Training einen gewissen Bereich einnehmen. Der Arzt muß möglichst alle Erlebnisse im autogenen Training im Feld aufdeckender Bearbeitung halten und darf sich nicht zu Unterweisungen verleiten lassen. Ob am Anfang jeder Gruppenbehandlung oder am Ende über die Eigenerfahrung bei der Selbstversenkung gesprochen werden soll, kann ebenso wie in der Einzelbehandlung von Gruppe zu Gruppe verschieden sein. Methodisch wichtig ist, die Gespräche nach Möglichkeit nur zeitlich befristet um das autogene Training kreisen zu lassen, damit der Schwerpunkt der analytisch-orientierten Gesprächsführung freischwebend gehalten werden kann und nicht von vornherein in eine Richtung gelenkt wird.

Viele Ärzte haben heute noch Hemmungen vor den verschiedenen Formen der Gruppentherapie, wobei unterschiedliche Argumente angegeben werden. Sie sind aber meist nicht so stichhaltig wie die persönlichen Hemmungen des Arztes, der durch seinen Werdegang nicht an eine größere Zahl von Patienten gewöhnt ist. Die moderne Entwicklung geht aber zunehmend in Richtung einer vielseitigen Gruppentherapie.

Kombinierte psychotherapeutische Verfahren

Bisher wurden im wesentlichen Möglichkeiten besprochen, die jeweils ohne Kombination mit anderen Verfahren durchgeführt werden können. Wird ein neues therapeutisches Verfahren entwickelt, möchte jeder vor allem zu Beginn wissen, was es leistet. Das gilt von chirurgischen Maßnahmen, ferner, wenn neue Medikamente ausprobiert werden und auch von psychologischen Behandlungswegen. Besonders klar läßt sich das bei der Psychoanalyse nachweisen, die ursprünglich ein Untersuchungsverfahren war. Mit dem Instrument der freien

Assoziation wollte Freud wissen, was im Inneren seiner Patienten vorging. Erst allmählich entwickelte sich aus der Untersuchungsmethode die Psychoanalyse als Therapie. Von Freud stammt der bekannte Satz: „Wir werden auch sehr wahrscheinlich genötigt sein, in der Massenanwendung unserer Therapie das reine Gold der Analyse reichlich mit dem Kupfer der direkten Suggestion zu legieren".

Viele Analytiker aller Schulen haben einen Widerwillen gegen die Kombination verschiedener Verfahren und argumentieren folgendermaßen:

Man wolle sehen, was das einzelne aufdeckende Verfahren leiste. – Das aber ist gar nicht möglich, weil wir zu wenig wissen, was bei seelischen Krankenbehandlungen vorgeht und was das therapeutisch wirksame Element ist.

Die Patienten würden ohnehin nicht in der Lage sein, die von ihnen geforderten Selbstübungen des autogenen Trainings zu erlernen. – Mit welchen Themen eine Widerstandsanalyse (s. S. 130) sich jedoch beschäftigt, ist im Prinzip gleichgültig. Sie kann deshalb ebenso die Übungen des autogenen Trainings und die dabei sich zeigenden Fehlhaltungen zum Inhalt haben.

Durch die Verbindung mit einer medikamentösen Therapie würde dem Patienten der Zugang zur Psychotherapie erschwert und der Widerstand flösse in die Somatotherapie. – Klinische Erfahrungen aber zeigen das Gegenteil.

Mit Nachdruck sollte man sich 80 Jahre nach Begründung der Suggestionstheorie der Hypnose, 70 Jahre nach Entdeckung der Psychoanalyse, 40 Jahre nach Beginn einer systematischen Gruppenpsychotherapie und 20 Jahre nach dem Anfang der Psychopharmakotherapie für eine Kombination von Behandlungen in Abstimmung auf den Einzelfall einsetzen. Deswegen sollen die Möglichkeiten einer derartigen Kombination auch in dieser Einführung beschrieben werden.

Zweigleisige Psychotherapie

Schon zu Beginn der Hypnotherapie wurden Verbindungen mit den aufdeckenden Verfahren angewandt. Daraus entwickelte sich die Hypnokatharsis und die Hypnoanalyse (s. Stokvis u. Langen S. 63 bis 68). Sie wird bis heute in den USA, dem Land des Eklektizismus, vor allem von Wolberg praktiziert.

Auch bei dem autogenen Training als der weitverbreitetsten Form der aktiv-autohypnoiden Methoden, werden vereinzelt Kombinationen mit aufdeckenden Behandlungen durchgeführt.

Dagegen wurde die gestufte Aktivhypnose (s. S. 121), die in der zeitlichen Gebundenheit der klinischen Psychotherapie ihren Ursprung hat, von vornherein mit analytischen Verfahren verbunden. Da dieses Vorgehen von Anfang an auf zwei Gleisen verläuft, die zuerst getrennt sind und dann zusammengeführt werden, wurde es von E. Kretschmer „zweigleisige Standardmethode" genannt.

Nach der ursprünglichen Konzeption Kretschmers wurde die gestufte Aktivhypnose mehr betont, während der analytische Teil zurücktrat. Seit 1948 habe ich mich um eine analytische Psychotherapie bemüht (s. S. 137). Sie entspricht in manchen Zügen der „focussed analysis", die im angloamerikanischen Raum durch Alexander und Mitarbeiter seit 1944 entwickelt wurde. (Malan hat zwar die angloamerikanischen Bemühungen um Abkürzung einer analytischen Psychotherapie in chronologischer Reihenfolge vollständig aufgezählt, die deutschen Veröffentlichungen aber nur in Auswahl erwähnt.)

Die steuernde Analyse unterscheidet sich von den meisten anderen analytisch orientierten Verfahren gerade dadurch, daß von vornherein eine Integration eines stützenden Verfahrens in den analytischen Arbeitsgang eingeplant ist.

Das Prinzip der zweigleisigen Psychotherapie besteht in folgendem:
In ein analytisch aufdeckendes Vorgehen, heute meist als tiefenpsychologisch fundierte Psychotherapie bezeichnet, wird von Anfang an ein stützendes Verfahren, hier ein aktiv-autohypnoides Verfahren integriert.

Das Prinzip der zweigleisigen Psychotherapie besteht in folgendem:
Ein analytisch aufdeckendes Vorgehen wird vom Beginn der Therapie an mit einem stützenden, hier dem aktiv-autohypnoiden Vorgehen, gekoppelt. Bei allen Schritten der analytisch-orientierten Therapie, in der ich die „steuernde Analyse" (s. S. 137) bevorzuge, wird ein Teil der Einzelbehandlung auf die Einführung und Unterweisung des autogenen Trainings (bis zu $^{1}/_{5}$ der Zeit) verwandt. Nachdem das generalisierte Schwere- und Wärmeerlebnis erreicht ist, wird der Versenkungszustand als gestufte Aktivhypnose (s. S. 121) weitergeführt. In dieser Zeit ist in der Regel der aufdeckende Teil der Behandlung so weit fortgeschritten, daß beide Gleise — gestufte Aktivhypnose und Analyse — zusammengeführt werden können. Die für den Patienten geeigneten wandspruchartigen Leitsätze (s. S. 122) werden nun entwickelt und im autohypnoiden Zustand vertieft. Die Behandlung läuft in größer werdenden Zeitabständen aus, so daß die in ihr entstandenen emotionellen Bindungen des Patienten an den Arzt abgebaut werden können.

Innerhalb der einzelnen Fälle bestehen zahlreiche Variationsmöglichkeiten der zweigleisigen Psychotherapie.

Bei den Neurosen im engeren Sinne, d. h. den abnormen seelischen Entwicklungen mit Komplexverselbständigung (s. S. 16), wird das analytische Gleis breit angelegt. Die gestufte Aktivhypnose spielt anfangs eine relativ nebensächliche Rolle, gewinnt jedoch gegen Ende der Behandlung an Bedeutung. Das gilt ganz besonders für die hysterische Symptomatologie oder die hysterischen Persönlichkeitsstrukturen. Bei den zwanghaften Persönlichkeiten dagegen muß, auch wenn es sich um eine Zwangsneurose im engeren Sinne handelt, von vornherein dem aktiv-autohypnoiden Gleis ein größerer Bereich eingeräumt werden. Das ist z. B. bei den psychosomatischen Erkrankungen wichtig, weil es sich meist um zwanghafte Persönlichkeitsstrukturen als Anlagefaktoren handelt.

Bei den meisten anderen seelischen Störungen dagegen nimmt die gestufte Aktivhypnose von Anfang an einen viel größeren Raum in der Gesamtbehandlung ein. Das gilt für Zwangssyndrome – bis auf die soeben erwähnte Zwangsneurose im engeren Sinne – und ebenso für phobische Syndrome, die in vielem eine gewisse innere Beziehung zueinander haben.

Ferner verschiebt sich im Verlauf der Behandlung die Bedeutung der beiden Gleise. Zunächst spielt der aufdeckende Teil eine größere Rolle, während die psychotherapeutischen Grundübungen nebenher erlernt werden. Gegen Ende der Therapie kehrt sich das Verhältnis um.

Meist wird in der jeweiligen Sprechstunde zunächst das aufdeckende Gleis bevorzugt und gegen Ende der Fortgang der Übung besprochen und kontrolliert. Tauchen hierbei jedoch Schwierigkeiten auf, kann das autogene Training selbst zum Gegenstand der analytischen Gespräche gemacht und eine Widerstandsanalyse an dem Stand der Übungen entwickelt werden. Die analytisch orientierte Gesprächsführung ist oft mehr eine Frage der ärztlichen Haltung und Einstellung als eine Methode. Es ist die Haltung eines unwissend Fragenden, der die Einstellungen, Motivationen und Verhaltensweisen seines Patienten kennenlernen will, ohne gleich und in jedem Fall Stellung zu nehmen.

Die zweigleisige Methode der Psychotherapie ist für eine tiefenpsychologisch fundierte Psychotherapie im Rahmen der gesetzlichen Krankenversicherung (RVO-Kassen und Ersatzkassen) die ideale Behandlungsform. Sie beschränkt sich bei der steuernden Analyse darauf, den Zustand zu erreichen, der vor der Symptommanifestation bestand. Damit bearbeitet sie analytisch die Störungen von aktuellem Krankheitswert und intendiert keine Strukturänderung. Ferner stützt sie von vornherein den Patienten, ohne ihn in falsche Kompensationen hineinkommen zu lassen.

So gesehen ist die zweigleisige Psychotherapie, die derzeit methodisch am besten durchgebildete seelische Krankenbehandlung, die die beiden grundsätzlichen Zugangswege zum Patienten benützt. Sie ist die optimale Form einer Integration eines stützenden Verfahrens in eine aufdeckende Einzelbehandlung.

Seelische Krankenbehandlung in der gesetzlichen Krankenversicherung. Im September 1967 wurden ‚Richtlinien' „über tiefenpsychologisch fundierte und analytische Psychotherapie in der kassenärztlichen Versorgung" erlassen und 1971 für die Ersatzkassen ergänzt. Sie besagen im wesentlichen: „Die tiefenpsychologisch fundierte und analytische Psychotherapie ist dann eine Leistung der gesetzlichen Krankenversicherung und gehört zur kassenärztlichen Versorgung, wenn mit dieser Art der ärztlichen Behandlung allein oder neben anderer ärztlicher Behandlung Krankheiten im Sinne der RVO geheilt oder gebessert werden können. Dabei gelten die Grundsätze der Notwendigkeit, Zweckmäßigkeit und Wirtschaftlichkeit der Behandlung auch hinsichtlich ihres Umfanges" (Allgemeines 1.).

Nachdem bestimmt wird, wann die RVO-Kassen für tiefenpsychologisch fundierte und analytische Psychotherapie keinen Ersatz leisten, werden die Störungen aufgeführt, bei denen sie finanziert wird. Es sind im wesentlichen seelische Störungen von aktuellem Krankheitswert, Störungen, bei denen Konversionserscheinungen eine Rolle spielen, und vegetative Regulationsstörungen, bei denen seelische Faktoren eine gesicherte Rolle spielen (Nr. 3 a—c).

Der folgende Passus: „Findet tiefenpsychologisch fundierte und analytische Psychotherapie Anwendung, so sind andere psychotherapeutische Maßnahmen während dieser Zeit nicht angezeigt", kann nur im Sinne der Abrechnung verstanden werden, da die ärztliche Behandlungsweise nicht vorgeschrieben werden kann. Gerade für psychosomatische Funktionsstörungen, so weit es sich um seelische Störungen von aktuellem Krankheitswert handelt, ist eine derartige Maßnahme nachteilig, da nach § 368 der RVO der Versicherte Anspruch hat „auf die ärztliche Versorgung, die zur Heilung oder Linderung nach den Regeln der ärztlichen Kunst zweckmäßig und ausreichend ist. Leistungen, die für die Erzielung des Heilerfolges nicht notwendig oder unwirtschaftlich sind, kann der Versicherte nicht beanspruchen, der Kassenarzt und der beteiligte Arzt dürfen sie nicht bewirken oder verordnen; die Kasse darf sie nachträglich nicht bewilligen (s. LANGEN).

Anschließend an die Bestimmung „Maßnahmen, die auf eine Umstrukturierung der Persönlichkeit des Patienten — auch nach Beseitigung der aktuellen Störung — hinzielen, gehören nicht zur tiefenpsychologisch fundierten und analytischen Psychotherapie als Leistung der gesetzlichen Krankenversicherung", wird aufgezählt, bei welchen Zustandsbildern eine derartige seelische Krankenbehandlung ausgeschlossen wird. Es sind die überwiegend anlageverursachten Störungen, wie sie bei abnormen Persönlichkeiten, sowohl den psychopathischen Dauerzuständen als auch den psychopathischen Persönlichkeitsentwicklungen und den neurotischen Persönlichkeitsentwicklungen — Kernneurosen i. S. von SCHULTZ — vorkommen,

Tabelle 4 **Typen seelischer Störungen und therapeutische Möglichkeiten**

Diagnose	Form der Psychotherapie
I. Abnorme seelische Reaktionen	Psychiatrisch psychotherapeutische Aussprachen Heterohypnose
II. Abnorme seelische Entwicklungen:	
1. Durchsichtige abnorme seelische Entwicklungen	Psychiatrisch psychotherapeutische Aussprachen, autogenes Training bzw. gestufte Aktivhypnose
2. Neurotische Entwicklungen (abnorme seelische Entwicklungen mit Komplexverselbständigung, Neurosen im engeren Sinne)	Tiefenpsychologisch fundierte und analytische Psychotherapie (mehr Einzeltherapie als Gruppentherapie randständig nach den „Richtlinien"), verbunden mit gestufter Aktivhypnose
III. Persönlichkeitsstörungen:	
1. Persönlichkeitsstörungen als Dauerzustand	Psychagogik, analytisch orientierte Gruppentherapie, autogenes Training in Gruppen
2. Neurotische Persönlichkeitsentwicklungen	Tiefenpsychologisch fundierte und analytische Psychotherapie, teilweise in Gruppen, häufiger als Einzeltherapie (nach den „Richtlinien nur Überwindung der aktuellen Dekompensation)
IV. Sexuelle Verhaltensabweichungen	Nur beschränkte Indikation zur Psychotherapie, vom speziellen Typ der Störung abhängig, tiefenpsychologisch fundierte Psychotherapie und Heterohypnose, dann gestufte Aktivhypnose
V. 1. Gewohnheitstrinker	Heterohypnose, dann tiefenpsychologisch fundierte und analytische Psychotherapie und gestufte Aktivhypnose
2. Alkoholsuchtkranke	Beschränkte Indikation, klinische Psychotherapie, Charakteranalyse, gestufte Aktivhypnose und Psychagogik
VI. Medikamentabhängigkeit	
1. Psychische Abhängigkeiten (Gewohnheitsbildung):	Beschränkte Indikation, Charakteranalyse, zu Beginn Heterohypnose, dann gestufte Aktivhypnose

Diagnose	Form der Psychotherapie
2. Physische Abhängigkeiten (Sucht)	Beschränkte Indikation, klinische Psychotherapie, Charakteranalyse, gestufte Aktivhypnose und Psychagogik
VII. 1. Psychosomatische Funktionsstörungen	Autogenes Training in ggf. tiefenpsychologisch fundierter und analytischer Psychotherapie integriert
2. Psychosomatische Krankheiten im engeren Sinne	Gestufte Aktivhypnose und autogenes Training ggf. in tiefenpsychologisch fundierter und analytischer Psychotherapie integriert; Somatotherapie

ferner die chronifizierten seelischen Störungen, „die als Ergebnis einer längeren, die Struktur der Persönlichkeit verändernden Entwicklung aufzufassen sind", des weiteren die Störungen, die einen persönlichen Krankheitsgewinn bringen – früher sprach man gerne von ‚Rentenneurosen' – und die seelischen Störungen, die „einen Behandlungserfolg nicht erwarten lassen, weil dafür die subjektiven Voraussetzungen beim Patienten hinsichtlich der Differenzierung seiner Persönlichkeit oder seiner Intelligenzleistung oder durch mangelnden Leidensdruck nicht gegeben sind oder weil die neurotische Persönlichkeitsstruktur oder Fehleinstellung des Patienten dem Behandlungserfolg entgegenstehen" (§ 4 d. der Richtlinien). Schließlich werden hirnorganisch verursachte Dauerzustände (4 e.) und endogene und exogene Psychosen (4 f.) angeführt.

In Tabelle 4 ist aufgeführt, bei welchen Typen seelischer Störungen die einzelnen Grundformen seelischer Krankenbehandlungen indiziert sind, was natürlich nur als Richtschnur aufgefaßt werden kann:

Kombination von Einzel- und Gruppentherapie

Sie spielt in der ambulanten Psychotherapie eine nur untergeordnete Rolle, da man sich in der Regel für die eine oder andere Behandlungsform entscheidet. Bei der klinischen bzw. stationären Psychotherapie aber, die schon durch den Klinikaufenthalt eine Sonderform der seelischen Krankenbehandlung darstellt, wäre eine Trennung oder ausschließliche Anwendung einer der beiden Behandlungsarten ein Kunstprodukt.

Die Kombination beider Verfahren variiert selbstverständlich die Methodik. Der Gruppenleiter kann nicht immer die passive Rolle einnehmen, die sonst bei der analytisch-orientierten Gruppentherapie sinnvoll ist. Er wird vielmehr das Gespräch steuernd auf die Probleme verlagern, die für die Gruppe als Ganzes und für einzelne Patienten wichtig ist.

Auch die Themenwahl unterscheidet sich bei der kombinierten Einzel- und Gruppentherapie. In der Gruppe werden bevorzugt berufliche, soziologische, allgemeine familiäre und entwicklungspsychologische Fragen in bezug auf Verselbständigung, Ablösung und das Generationsproblem besprochen. Schließlich sind die Fragen des Zusammenlebens auf der Station ein wichtiger gruppentherapeutischer Gesprächsstoff.

Probleme der Intimsphäre werden in der Einzelbehandlung bearbeitet, es sei denn, daß die Gruppe für ein solches Problem homogen und aufgeschlossen ist.

Kombination von Somatotherapie und Psychotherapie

Die hiermit zusammenhängenden Fragen sind für den in der Praxis tätigen Arzt und auch für den Spezialisten wichtig. Psychotherapie und Somatotherapie muten manchmal wie Freunde an, manchmal wie Gegner. Dabei ist die Wechselwirkung beider wichtiger als die Opposition. Das gilt erst recht seit der Entwicklung der modernen Psychopharmakotherapie mit Ataraktika, Neuroleptika und Thymoleptika. Seit ihrer Anwendung werden die Möglichkeiten der Kombination psychischer und physischer Behandlungsansätze zunehmend besser erkannt.

Kontraindiziert ist eine Kombination von Somatotherapie und Psychotherapie in jeder Form bei Patienten mit seelisch bedingten körperlichen Störungen, die fest auf die „körperliche Genese" fixiert sind. Eine Kombination würde die falschen Vorstellungen nur noch weiter festigen. In diesen Fällen bedeutet jede Ausnahme eine Kapitulation und ist mehr ein diplomatischer Schachzug als echte psychotherapeutische Strategie.

Sonst aber kann ein „Einstieg in die Psychotherapie über eine körperliche Behandlung" (Schulte) gerade bei schweren seelischen Störungen sinnvoll sein, allerdings auch hier wieder mit der für den Einzelfall geeigneten psychotherapeutischen Haltung. Im ersten Jahrzehnt der wissenschaftlich aufdeckenden Psychotherapie vertrat man kategorisch die Haltung des Entweder — Oder. Sie ist heute überholt und zeigt sich nur noch bei schulisch stark gebundenen oder nichtärztlichen Psychotherapeuten. Aus begreiflichen Gründen vertreten sie unerbittlich diese Einstellung, weil Medikamente die Verdrängung fördern, eine Symptomverschiebung bedingen oder gar zu einer Chronifizierung der abnormen seelischen Entwicklung beitragen. Allen diesen Gesichtspunkten können wir nicht beipflichten. Die ablehnende, überhebliche Einstellung dem Medikament gegenüber ist nicht nur in der Psychotherapie zu finden. Sie ist ein charakteristisches Element vieler in Opposition zur Schulmedizin entstandener und entstehender therapeutischer Methoden, angefangen bei der Homöopathie über die verschiedenen Naturheilverfahren bis zu den ausgeprägten psychologischen Behandlungsmethoden.

Deshalb läßt sich sagen: Eine auf den Einzelfall abgestimmte Kombination von somatischer Behandlung und Psychotherapie und damit ein Sowohl-als-auch ist einer Entweder-Oder-Haltung vorzuziehen. In bezug auf Psychopharmaka kann folgendes ergänzt werden: Ataraktika sollten wegen der typischen Euphorisierung nur vorübergehend verordnet werden, weil die Gefahr der Medikamentabhängigkeit mit Gewohnheitsbildungen besonders groß ist. Deshalb sollte man sich in jedem Fall einprägen: keine Dauermedikation mit Ataraktika.

Besondere Vorsicht ist mit Kombinationspräparaten geboten, da viele ein Ataraktikum enthalten, wobei die medikamentöse Euphorisierung die Wirkung der Grundsubstanz verschleiert statt potenziert. Außerdem sind Ataraktika keine Schlafmittel, so daß sie sich nicht zur Behandlung der bei seelischen Störungen häufig auftretenden Schlafstörung eignen.

Neuroleptika dagegen haben bei kombinierter Behandlung eine relativ breite Indikation. Sie haben im Vergleich zu den Ataraktika einen peripheren Wirkungsansatz und führen primär zur Entspannung und erst dadurch u. U. zur Euphorie. Die Gefahr der Medikamentabhängigkeit ist deshalb äußerst gering.

Manche Neuroleptika haben noch einen antidepressiven Effekt, so daß sie auch von daher gesehen indiziert sind, besonders aber für alle funktionellen motorischen Spannungs- oder Koordinationsstörungen. Thymoleptika sind zurückhaltend zu verwenden und nur da indiziert, wo es sich um echte endogen-depressive Phasen handelt. Diese sind oft so verborgen, daß manche „seelische Störung" in Wirklichkeit eine larvierte depressive Phase ist. Das enge kreisförmige Zurückführen der Gedanken bei Explorationen mit ungerichteten Fragen und Anregungen, Tagesschwankungen, Schlafstörungen und u. U. deutliche Motivschwäche sprechen für eine larvierte Depression. In solchen Fällen sind Thymoleptika zunächst in kleiner und langsam ansteigender Dosierung bis zur maximalen Wirkung indiziert.

Auch hier sind Kombinationspräparate — Thymoleptika und Ataraktika — abzulehnen. Bei depressiven Erlebnisreaktionen zeigen Thymoleptika in der Regel keine aufhellende Wirkung, sondern eine Dysphorie. Sie wird aber durch die Kombination mit einem Ataraktikum, das euphorisierend wirkt, wieder verwischt.

Mit den hier gegebenen Einschränkungen läßt sich sagen: Psychopharmaka erweitern den psychotherapeutischen Aktionsradius.

Während sich früher kritische Psychotherapeuten bei schweren Störungen zurückhaltend oder gar ablehnend verhielten, schafft jetzt eine geeignete Psychopharmakotherapie erst die Voraussetzung für eine seelische Krankenbehandlung. Aber nicht nur qualitative Unterschiede zeichnen sich ab, sondern es werden heutzutage Krankheitsbilder in größerem Rahmen psychotherapeutisch zugänglich, bei denen früher an eine Psychotherapie nicht zu denken war: ängstlich gespannte und agitierte Depressionen, schizophrene Randpsychosen und teilweise auch schon ausgeprägte und psychotherapeutisch resistente Zwangssyndrome, die z. Z. noch die große Klippe jeder psychiatrischen Therapie darstellen. Die medikamentös erreichte Distanzierung der Patienten ihren Problemen gegenüber macht anschließend eine systematische Psychotherapie und die Anwendung eines aktiv-autohypnoiden Verfahrens oft erst möglich. Ebenso blassen bei vielen anderen psychoreaktiven Störungen die Symptome durch eine Psychopharmakotherapie ab. Man darf aber nicht glauben, die Psychotherapie ganz entbehren zu können. Dadurch würde man den Patienten und ihren Störungen nicht gerecht werden und die optimale Kombination nicht ausnützen.

Schließlich ändert sich durch die Kombination von Psychopharmako- und Psychotherapie die seelische Krankenbehandlung selbst:

Erlebnisanalysen müssen durch aktivierende ärztliche Haltungen aktuell gehalten werden, um nicht an Dynamik zu verlieren. Die aktiv-autohypnoiden Behandlungen dagegen werden durch eine medikamentöse Kombination oft erst möglich, was gerade für Patienten mit Zwangssyndromen sehr wichtig ist.

Literatur

ADLER, A.: Individualpsychologie (ALFRED ADLER). In: Handbuch der Neurosenlehre und Psychotherapie, Bd. 3. Urban & Schwarzenberg, München 1959

ADLER, G.: Zur analytischen Psychologie. Rascher, Zürich 1952

ALEXANDER, F.: Psychosomatische Medizin. de Gruyter, Berlin 1950

ALEXANDER, S.: Psychoanalytic contribution to short-term psychotherapy. In: WOLBERG, L. R. (Hsg.): Short-term psychotherapy. Grune & Stratton, New York 1967

BAEYER, W. VON: Zur Genealogie psychopathischer Schwindler und Lügner. Thieme, Leipzig 1935

BALINT, M.: Der Arzt, sein Patient und die Krankheit. Klett, Stuttgart 1957

BALLY, S.: Die Psychoanalyse SIGMUND FREUD's. In: Handbuch der Neurosenlehre und Psychotherapie, Bd. 3. Urban & Schwarzenberg, München 1959

BAROLIN, G. S.: Hypnotisch veränderte Wahrnehmungsqualitäten und ihre hirnelektrische Objektivierbarkeit. In: D. LANGEN, TH. SPOERRI (Hsg.) Hypnose und Schmerz. Karger, Basel 1968, S. 43 bis 49

BATTEGAY, R.: Der Mensch in der Gruppe, Bd. 1. 2. Huber, Bern 1967

BERGOLD, J., H. SELG: Verhaltenstherapie. In: Klinische Psychologie. Hsg. v. W. J. SCHRAML. Huber, Bern 1970, S. 270–309

BINDER, H.: Die psychopathischen Dauerzustände und die abnormen seelischen Reaktionen und Entwicklungen. In: Psychiatrie der Gegenwart, Bd. 2. Springer, Berlin 1960

BLEULER, M.: Krankheitsverlauf, Persönlichkeit und Verwandtschaft Schizophrener und ihre gegenseitigen Beziehungen. Thieme, Leipzig 1941

BLÖSCHL, LILIAN: Grundlagen und Methoden der Verhaltenstherapie. Huber, Bern 1969 (dort weitere Literatur)

BOLLNOW, O.: Formen des Gesprächs. Prax. Psychother. 11 (1966) 167–181

BONHOEFFER, K.: Die akuten Geisteskrankheiten der Gewohnheitstrinker. Fischer, Jena 1901

BRÄUTIGAM, W.: Psychotherapie in anthropologischer Sicht. Enke, Stuttgart 1961

BRÄUTIGAM, W.: Formen der Homosexualität. Enke, Stuttgart 1967

BRÄUTIGAM, W.: Reaktionen, Neurosen, Psychopathien. Thieme, Stuttgart 1968

BRUGGER, W. (Hsg.): Philosophisches Wörterbuch. 11. Aufl. Herder, Freiburg 1964

CARP, E. A. D. E.: Maligne dwangneuroses. Ned. T. Geneesk. 95 (1951) 1218 bis 1223

CHERTOK, L., D. LANGEN: Psychosomatik der Geburtshilfe. Hippokrates, Stuttgart 1968

CITRON, H.: Über das Gespräch. In: Wege zum Menschen. 16 (1966) 417–427

CLAUSER, G.: Psychotherapiefibel, 3. Aufl. Thieme, Stuttgart 1967

CREMERIUS, J.: Die Bedeutung des Behandlungserfolges in der Psychotherapie. Springer, Berlin 1962

CREMERIUS, J.: Die Prognose funktioneller Syndrome. Enke, Stuttgart 1968

DELAY, J., P. PICHOT: Medizinische Psychologie. 2. Aufl. Thieme, Stuttgart 1969

DELIUS, L.: Psychovegetative Syndrome. Thieme, Stuttgart 1966

Diagnosenschlüssel und Glossar psychosomatischer Krankheiten. 2. Aufl. Springer, Berlin 1972

DUBOIS, P.: Die Psychoneurosen und ihre seelische Behandlung. Franke, Bern 1905

DÜHRSSEN, A.: Psychotherapie bei Kindern und Jugendlichen, 2. Aufl. Verl. f. medizinische Psychologie, Göttingen 1963

DUNBAR, F.: Synopsis of psychosomatic diagnosis and treatment. Kinopton, London 1949

ENKE, H.: Der Verlauf in der klinischen Psychotherapie. Springer, Berlin 1965

ERNST, K.: Die Prognose der Neurosen. Springer, Berlin 1959

ERNST, K., H. KIND, M. ROTACH-FUCHS: Ergebnisse der Verlaufsforschung bei Neurosen. Springer, Berlin 1968

EY, H.: Études psychiatriques. 1. de Brouwer, Paris 1948

EYSENCK, H. J. (Hsg.): Behaviour therapy and the neuroses. Pergamon Press, London 1960

EYSENCK, H. J. (Hsg.): Handbook of abnormal psychology. Basic Books, New York 1961

FABER, W.: Kommentierende Hinweise zu den Richtlinien des Bundesausschusses der Ärzte und Krankenkassen. Vortrag vor der Gutachtersitzung des Bundesausschusses Februar 1971. Berlin (unveröffentlichtes Manuskript)

FOREL, A.: Der Hypnotismus oder die Suggestion und die Psychotherapie. 12. Aufl. Enke, Stuttgart 1923

FRANKL, V. E.: Grundriß der Existenzanalyse und Logotherapie. In: Handbuch der Neurosenlehre und Psychotherapie. Bd. 3. Urban & Schwarzenberg, München 1959

FRANKL, V. E., E. FREIHERR V. GEBSATTEL, J. H. SCHULTZ (Hsg.): Handbuch der Neurosenlehre und Psychotherapie. Bd. 1–5. Urban & Schwarzenberg, München 1959-61.

FREUD, S.: Ges. Werke. Bd. 12. S. 193, London 1942

FURGER, R.: Das analytisch orientierte Psychotherapiegespräch. Prax. Psychother. 11 (1966) 258–266

GEBSATTEL, V. E. VON: Die anankastischen Fehlhaltungen. In: Handbuch der Neurosenlehre und Psychotherapie. Bd. 2. Urban & Schwarzenberg, München 1959

GIESE, H. (Hsg.): Die Sexualität des Menschen. Enke, Stuttgart 1955

GIESE, H.: Der homosexuelle Mann in der Welt. Enke, Stuttgart 1958

GUTHEIL, E. A.: Aktive Psychoanalyse (STEKEL) In: Handbuch der Neurosenlehre und Psychotherapie, Bd. 3. Urban & Schwarzenberg, München 1959

HASSLER, R.: Das Schmerzerlebnis in Abhängigkeit von neuronalen Systemen. In: D. LANGEN, TH. SPOERRI (Hsg.) Hypnose und Schmerz. Karger, Basel 1968, S. 1 bis 20

HEINZE, H.: Psychopathische Persönlichkeiten. In: Handbuch der Erbkrankheiten. Hsg.: A. Gütt. Bd. 4. Thieme, Leipzig 1942

HEYER, G. R.: Komplexe Psychologie [C. G. JUNG]. In: Handbuch der Neurosenlehre und Psychotherapie. Bd. 3. Urban & Schwarzenberg, München 1959

HOCHE, O.: Über die leichteren Formen des periodischen Irreseins. Marholdt, Halle 1897

HOMBURGER, A.: Vorlesung über die Psychopathologie des Kindesalters. Springer, Berlin 1926

Internationale Klassifikation der Krankheiten (ICD) 1968; 8. Revision; Band I. Systematisches Verzeichnis. Kohlhammer, Mainz 1968

JAEGER, A.: Die Pubertätskrise aus dem Blickwinkel ihrer Weiterentwicklung. Med. Diss. Tübingen 1964

JASPERS, K.: Allgemeine Psychopathologie, 9. Aufl. Springer, Berlin 1965

JELLINEK, E. N.: zit. in: Habernoll (Hsg.): Das Problem des Alkoholismus. Thieme, Stuttgart 1956

JORES, A., M. v. KOREKJARTO: Der Asthmatiker. Huber, Bern 1967

KAHN, E.: Die psychopathischen Persönlichkeiten. In: Handbuch der Geisteskrankheiten. Hsg. von O. Bumke, Bd. 5. Springer, Berlin 1928

KANT, O.: Über die Psychologie der Depression. Z. Neurol. 113 (1928) 255–285

KIELHOLZ, P., D. LADEWIG: Über Drogenabhängigkeit bei Jugendlichen mit besonderer Berücksichtigung des Haschischrauchens. Dtsch. med. Wschr. 95 (1970) S. 101–105

KIELHOLZ, P., D. LADEWIG: Die Drogenabhängigkeit des modernen Menschen. Lehmann, München 1972

KLAGES, L.: Der Geist als Widersacher der Seele. 4. Aufl. Bouvier, Bonn 1960

KOCOUREK, K., EVA NIEBAUER, P. POLLAK: Ergebnisse der klinischen Anwendung der Logotherapie. In: Handbuch der Neurosenlehre und Psychotherapie. Bd. 3. Urban & Schwarzenberg, München 1959

KRANZ, H.: Die Entwicklung des Hysteriebegriffes. Fortschr. Neurol. Psychiat. 21 (1953) 223–238

KRANZ, H. Die Psychopathologie heute. Thieme, Stuttgart 1962

KRETSCHMER, E.: Psychotherapeutische Studien. Thieme, Stuttgart 1949

KRETSCHMER, E.: Gestufte Aktivhypnose. Zweigleisige Standardmethode. In: Handbuch der Neurosenlehre und Psychotherapie, Bd. 4. Urban & Schwarzenberg, München 1959

KRETSCHMER, E.: Körperbau und Charakter, 23./24. Aufl. Springer, Berlin 1961

KRETSCHMER, E. Medizinische Psychologie, 13. Aufl. Thieme, Stuttgart 1970

KRETSCHMER, E. Sensitiver Beziehungswahn, 5. Aufl. Springer, Berlin 1967

KRETSCHMER, W.: Neurose als Reifungsproblem. Thieme Stuttgart 1952

KROLL, M.: Die neuropathologischen Syndrome, zugleich Differentialdiagnostik der Nervenkrankheiten. Springer, Berlin 1929

KUSCHINSKY, G.: Taschenbuch der modernen Arzneibehandlung, 5. Aufl. Thieme, Stuttgart 1970

LANGEN, D.: Der erste Eindruck und seine medizinisch-diagnostische Verwertbarkeit. Arch. Psych. Nervenkr. 192, (1954) 67–100

LANGEN, D.: Methodische Probleme der klinischen Psychotherapie. Thieme, Stuttgart 1956

LANGEN, D.: Gestufte Aktivhypnose, 4. Aufl. Thieme, Stuttgart 1972

LANGEN, D.: Tiefenpsychologisch fundierte und analytische Psychotherapie in der kassenärztlichen Sprechstunde. Hippokrates-Verlag, Stuttgart 1970

LANGEN, D. (Hsg.): Der Weg des autogenen Trainings. Wiss. Buchges. Darmstadt 1968

LANGEN, D., A. JAEGER: Die Pubertätskrisen und ihre Weiterentwicklung. Arch. Psychiat. z. Neurol. 205 (1964) S. 19–36

LANGEN, D., H. VEIT: Katamnesen nach stationärer Psychotherapie. Z. Psychother. med. Psychol. 4 (1954) 281–296

LANGEN, D., R. WENKE: Behandelte und Unbehandelte in der Psychotherapie aus der Sicht der Nachuntersuchung. Z. Psychother. med. Psychol. 17 (1967) 132–137

LANGEN, D., TH. SPOERRI (Hsg.): Hypnose und Schmerz. Karger, Basel 1968

LANGEN, D., H. STOLZE (Hsg.): Pubertät als kritisches Stadium. Lehmann, München 1966

LANGFELDT, G.: The prognosis in schizophrenia and the factors influencing the course of the disease. Acta psychiat. scand. Suppl. 13 (1937)

LLAVERO, F.: Symptom und Kausalität. Thieme, Stuttgart 1953

LINDEMANN, E.: Die Bedeutung emotionaler Zustände für das Verständnis mancher innerer Krankheiten und ihrer Behandlung. Medizinische (1953) 515–520, 603–606

LUXENBURGER, H.: Vererbung psychischer Störungen. In: Handbuch der Geisteskrankheiten. Hsg. von O. Bumke. Erg. Bd. Springer, Berlin 1939

MAEDER, A.: Selbsterhaltung und Selbstheilung. Rascher, Zürich 1949

MAEDER, A.: Studium zur Kurztherapie. Klett, Stuttgart 1963

MALAN, D. H.: Psychoanalytische Kurztherapie. Huber, Bern 1965

MÜLLER-SUUR, H.: Das psychisch Abnorme. Springer, Berlin 1950

NIEBAUER, E.: s. KOCOUREK, K.

PETRILOWITSCH, N.: Abnorme Persönlichkeiten, 2. Aufl. Karger, Basel 1960

PICHOT, P.: s. DELAY, J.

PLAUT, P.: Der Sexualverbrecher und seine Persönlichkeit. Enke, Stuttgart 1960

PLOEGER, A.: Soziometrie und klinische Gruppenpsychotherapie. In: WIESENHÜTTER, E. (Hsg.): Einführung in die Neurosenlehre. Hippokrates-Verlag, Stuttgart 1969

POLAK, P.: s. KOCOUREK, K.

PREUSS, H. G.: Analytische Gruppenpsychotherapie. Urban & Schwarzenberg, München 1966

RADO, S.: Relationship of short-term psychotherapy to developmental stages of maturation and stages of treatment behavior. In: WOLBERG, L. R.: Short-term psychotherapy. Grune & Stratton, New York 1965

ROGERS, C. R.: Counceling and psychotherapy. Miffin, Boston 1942

ROSENBACH, O.: Nervöse Zustände und ihre psychische Behandlung. 2. Aufl. Kornfeld, Berlin 1903

RÜMKE, H. C.: Eine blühende Psychiatrie in Gefahr. Springer, Berlin 1967

SARRO, R.: Persönliche Mitteilung

SCHÄFER, M.: Der Neurosebegriff; ein Beitrag zu seiner historischen Entwicklung. Goldmann, München 1972

SCHNEIDER, K.: Klinische Psychopathologie, 8. Aufl. Thieme, Stuttgart 1967

SCHNEIDER, K.: Die psychopathischen Persönlichkeiten, 9. Aufl. Deutike, Wien 1950

SCHNEIDER, K.: Der Psychopath in heutiger Sicht. Fortschr. Neurol. Psychiat. 26 (1958) 1–6

SCHULTE, W.: Psychotherapeutisch-psychiatrisches Seminar. Thieme, Stuttgart 1967

SCHULTE, W.: Studien zur heutigen Psychiatrie, Quelle & Meyer, Heidelberg 1964

SCHULTZ, J. H.: Psychotherapie. Leben und Werk großer Ärzte. Hippokrates, Stuttgart 1952

SCHULTZ, J. H.: Grundlagen der Neurosenlehre. Thieme, Stuttgart 1955

SCHULTZ, J. H.: Die seelische Krankenbehandlung, 8. Aufl. Fischer, Stuttgart 1963

SCHULTZ, J. H.: Das autogene Training, 13. Aufl. Thieme, Stuttgart 1970

SCHULTZ-HENCKE, H.: Lehrbuch der analytischen Psychotherapie. Thieme, Stuttgart 1951

SCHWIDDER, W.: Neopsychoanalyse [HARALD SCHULTZ-HENCKE]. In: Handbuch der Neurosenlehre und Psychotherapie. Bd. 3. Urban & Schwarzenberg, München 1959

SLAVSON, S. R.: Die historische Entwicklung der analytischen Gruppenpsychotherapie. In: PREUSS, H. G.: Analytische

Gruppenpsychotherapie. Urban & Schwarzenberg, München 1966

SOLMS, H.: Die Behandlung des Alkoholismus. In: Psychiatrie der Gegenwart, Bd. 2. Aufl. Springer, Berlin 1960

SOMMER, H.: Hirnelektrische Reizantworten bei suggerierter Anaesthesie. In: D. LANGEN, TH. SPOERRI (Hsg.): Hypnose und Schmerz. Karger, Basel 1968, S. 35–42

SONTAG, A.: Der Einfluß von Licht und Lebensordnung auf den 24-Std.-Rhythmus. Med. Diss. Tübingen 1969

SPOERRI, TH.: Kompendium der Psychiatrie. 5. Aufl. Akad. Verlagsges., Frankfurt 1968

STEKEL, W.: Die Technik der analytischen Psychotherapie. Huber, Bern 1938

STOKVIS, B.: Suggestion. In: Handbuch der Neurosenlehre und Psychotherapie, Bd. 2. Urban & Schwarzenberg, München 1959

STOKVIS, B.: Hypnose. In: Handbuch der Neurosenlehre und Psychotherapie, Bd. 2. Urban & Schwarzenberg, München 1959

STOKVIS, B.: Psychosomatik. In: Handbuch der Neurosenlehre und Psychotherapie, Bd. 3. Urban & Schwarzenberg, München 1959

STOKVIS, B., D. LANGEN: Lehrbuch der Hypnose, 2. Aufl. Karger, Basel 1965

STOKVIS, B., M. PFLANZ: Suggestion. Karger, Basel 1960

STOKVIS, B., E. WIESENHÜTTER: Der Mensch in der Entspannung, 2. Aufl. Hippokrates, Stuttgart 1966

STRAUS, E.: Wesen und Vorgang der Suggestion. Karger, Berlin 1925

STRÖMGREN, E.: Psychiatrische Genetik. In: Psychiatrie der Gegenwart, Bd. I/1 A. Springer, Berlin 1967

WEITBRECHT, J.: Kritik der Psychosomatik. Thieme, Stuttgart 1955

WENDT, C. F.: Psychotherapie im abgekürzten Verfahren. Springer, Berlin 1949

WIESENHÜTTER, E.: Medizinische Psychologie für Vorkliniker. Urban & Schwarzenberg, München, Berlin 1960

WITTKOWER, E. D.: Der Einfluß der Gemütsbewegung auf den Körper, 2. Aufl. Deutike, Wien 1937

WITTKOWER, E. D.: Predictive psychophysiological studies. Acta psychother. 6 (1958) 11–22

WOLBERG, L. R. (Hsg.): Short-term psychotherapy. Grune & Stratton, New York 1965

WOLBERG, L. R. (Hsg.): The technique of psychotherapy, Bd. 1. 2. 2. Aufl. Grune & Stratton, New York 1967

WOLPE, J.: Behaviour therapy in complex neurotic states. Brit. J. Psychiat. 110 (1964) 28–34

Sachverzeichnis

R

S

Z